學術論文集叢書

弘揚漢學・繼往開來

——第一屆漢學國際學術研討會會議論文集

黃聖松　主編

目次

一　「教育思想與現代化意義」專題

二　「經部典籍研究」專題

三　「宗教融通與闡釋」專題

四　「文獻學」專題

議程表

一
「教育思想與現代化意義」專題

孔門「言語」教養析論

王偉勇
國立成功大學名譽教授、威爾斯三一聖大衛大學客座教授

摘要

本文旨在架構孔門「言語」科之教養內涵，分慎言自律、言而有信、言可踐行、切忌妄言、學詩言志、進言遂諫、擇言達意等七節析論之。慎言自律，強調時然後言，且以一言喪邦、興邦為戒；並附論孔子罕言、不言、不必多言之事於後。言而有信，強調民無信不立、行仁不得無信；「信」並為判斷「士」與「成人」之準則，且以近乎「義」為可行。言可踐行，強調慎行寡悔、納言敏行之重要；必也「言忠信、行篤敬」，方能行諸四海；而以「天何言哉，四時行焉，百物生焉」為最高境界。切忌妄言，列舉巧言、口給、利口、稱人之惡、居下訕上、道聽塗說者流，最為孔子所不齒。學詩言志，強調讀書人學詩，不惟能形之於口，言志之所之；亦可於行文之際，舉詩論證。士大夫學詩，在位從政，必能敦倫教化，政通人和；出使之際，亦可善盡「專對」，承擔大任，如此詮解，方能探得「不學詩，無以言」之真諦。進言遂諫，強調因對象不同採不同策略：對父母採「幾諫」，對朋友「忠告善道」，對君王「勿欺犯諫」；至若遭逢際遇而採非常手段者，孔子亦以「求仁得仁」稱之。擇言達意，強調辭以達為原則，必因事、因地、因人、因時，擇言表意，方見工夫。尤不可以

言舉人，因人廢言，並以躁、隱、瞽為戒。

關鍵詞：孔子、孔門、四科、言語、論語、四書

An Analytical Study of the Confucian Discipline of 'Speech'

Wei-Yung Wang
Academy of Sinology, University of Wales Tinity Saint David

Abstract

The purpose of this paper is to structure a framework for the understanding of the Confucian discipline of "speech", which will be divided and analysedin seven sections: careful speech as self-discipline, trustworthiness in speech, putting one's words into practice, refraining from deceptive speech, learning the *Odes* to express thoughts, giving remonstrative advice, and choosing words to convey one's ideas. The section on careful speech as self-discipline will emphasise the timeliness of speech, while cautioningagainst "a single saying that may cause a state to either flourish or perish". Also discussed in this section are the matters that Confucius seldom spoke of, did not speak of, or saw no need to speak much of. The section on trustworthiness in speech emphasises the confidence of a population for establishingthemselves, and the trustworthiness essential for practising humanity. "Trustworthiness" is also the criterion for judging the "scholar" and the "complete person", and it is practicable in matters that approximate "rightness". The section on putting one's words into practice highlights the importance of circumspection for fewer regrets and of being slow to speak but quick to act. It demonstrates "being dutiful and trustworthy in speech and sincere and respectful in conduct" as a must for life within the Four Seas,withthe highest achievement encapsulated in "What does Heaven ever say? Yet the four seasons are put into motion by it, and all things receive life from it." The section on refraining from deceptive speech presents examples of cunning words, eloquence, sharp tongue, criticism, slandering superiors, and repeating-hearsay, that were regarded by Confucius as most contemptible. The section on learning the *Odes* to express thoughts emphasisesthe scholar's study of the *Odes*not only to form words and express thoughts but also to substantiate arguments in writing. For the scholar-official, learning the *Odes* enabled them to uphold moral order, educate the public, facilitate government, and bring harmony to the people while in office, and to be proficient at "engaging in repartee" while serving abroad as envoy. Given such great responsibilities, this interpretation enables exploration of the significance of "Without learning the *Odes*, one lacks the means to speak." The section on giving remonstrative advice looks at employing different strategies to suit the audience: "gentle remonstration" for parents, "dutiful reproof and skilfulspeech" for friends, and "frankness and straightforward remonstration" for superiors. Where circumstances warranted unusual methods, Confucius praised those "pursuingand attaining humanity". The section on choosing words to convey ideasemphasises the principle of clear expression, with the skilful expressing themselves with regard to the matter, place, persons, and timing. In particular, one must refrain from promoting others based on their words, dismissing what has been said based on the speaker, andbeing rash, secretive, or blind.

Keywords: Confucius, Confucian tradition, the four disciplines, speech, *Analects*, *Four Books*

一　前言

孔子之思想，以「仁」為宗旨，此乃四海皆準之共識。儒家所倡導之仁、義、道、德，經韓愈〈原道〉說解云：「博愛之謂仁，行而宜之之謂義；由是而之焉之謂道，足乎己而無待於外之謂德。」[1]儒家思想終成一股主流，屹立不搖。文天祥以身殉國之際，遺留〈衣帶贊〉云：「孔曰成仁，孟曰取義，惟其義盡，所以仁至！」[2]上承伯夷、叔齊，求仁得仁，誠教人肅然起敬！

然欲達成「仁」之宗旨，必經四教、學習四科有以成之，即德行、言語、政事、文學是也。[3]其具體內涵為何？歷來研究者，著墨不少，卻難見完璧；縱或彙整，亦嫌簡略。所以然者，蓋有二因：其一，《論語》之纂輯，誠如班固《漢書・藝文志》所稱：「論語者，孔子應答弟子時人及弟子相與言而接聞於夫子之語也。當時弟子各有所記，夫子既卒，門人相與輯而論纂，故謂之《論語》。」[4]既是語錄體之書籍，彙整者自可各取所需，欲求百密，談何容易！其二，孔子係平民教育之先驅者，其授教場域，固難與唐宋之書院相提並論，自不

1　〔唐〕韓愈撰，〔民國〕馬其昶校注，馬茂元整理：《韓昌黎文集校注》（上海：上海古籍出版社，1986年），卷1，頁13。

2　〔元〕脫脫等撰：《宋史》（臺北：鼎文書局，1978年），第16冊，卷418，〈列傳第177〉，頁12540。

3　四教，見載《論語・述而篇》：「子以四教：文、行、忠、信。」四科，見載《論語・先進篇》：「德行：顏淵、閔子騫、冉伯牛、仲弓；言語：宰我、子貢；政事：冉有、季路；文學：子游、子夏。」引自〔宋〕朱熹撰：《四書章句集注》（臺北：臺灣大學出版中心，2016年），卷4，頁133；卷6，頁169。按：此兩則記載，理念一致：文，即文學；行，即德行；忠，即政事；信，即言語。又，本文摘錄《四書》原文，皆依此版本，以下凡引文，皆括弧逕注其篇名、卷數、頁碼於後，不一一附注，俾省篇幅。

4　〔漢〕班固撰，〔唐〕顏師古注：《漢書》（臺北：鼎文書局，1986年），第2冊，卷30，〈藝文志第十〉，頁1717。

見〈東銘〉、〈西銘〉、〈學規〉等揭示辦學宗旨、行為規矩之文字出現，後世學者乃各憑心證，探索事證，輯其所得，各是其是！

基於上述認知，回顧學界對於孔門「言語」研究之論文或著作，不外朝成語、修辭、語言運用三大方向著手。其中關於探研成語之論文，泰半發表於期刊，或討論成語之來源，係原創或別有所本；或歸納成語統攝之面向，如學習、修養、接物、論政等；或探索成語對漢語之影響，內容不一而足。其次，探研修辭者，或列入著作章節中論述，如周振甫《中國修辭學史》[5]；陳光磊、王俊衡合撰《中國修辭學通史》[6]等，涉及先秦著作之修辭時，《論語》皆包含其中；甚至歸納辭巧說、文質說、修辭立其誠說等名目，予以探討。至於期刊、學位論文，則以討論《論語》修辭觀、修辭藝術為常見；甚或擴及視野，以語言藝術與文學情味、言語思想與修辭、言語交際、言語表達之境界為命題，誠可謂漪歟盛哉！

雖然，論影響層面尤廣者，當推學者、作家此方面之專著，如林語堂《論孔子的幽默》[7]、傅佩榮《原來孔子這樣說》[8]及《孔子的生活智慧》[9]、潘銘基《孔子的生活智慧》[10]、王溢嘉及嚴曼麗合撰《論語雙拼》[11]，皆是其例。此等著作，以大眾閱讀為考量，以散文方式呈現；既立基於傳統之訓詁，又穿插西洋理論，益以個人所見所聞；內容亦涉及說話應用之場合與時機、說話之態度、言談之內容、正名與慎言之關係等，自能引起讀者興趣，亦足以裨益日常修為，對社會

5 周振甫撰：《中國修辭學史》，北京：商務印書館，1991年。

6 陳光磊、王俊衡撰：《中國修辭學通史》，長春：吉林教育出版社，2001年。

7 林語堂撰，張振玉譯：《論孔子的幽默》，臺北：金蘭文化出版社，1984年。

8 傅佩榮撰：《原來孔子這樣說》，臺北：九歌出版有限公司，2010年。

9 傅佩榮撰：《孔子的生活智慧》，臺北：洪建全基金會，2005年。

10 潘銘基撰：《孔子的生活智慧》，香港：匯智出版有限公司，2011年。

11 王溢嘉、嚴曼麗合撰：《論語雙拼》，臺北：野鵝出版社，2014年。

教育自有一定貢獻。

然彙整語錄，既各取所需，百密一疏，在所難免。況學養有別，架構論述，詮釋深淺，高下判然，端賴讀者慎擇之。又，某些論題，迄今未見圓融探索，不無缺憾。如伯魚應陳亢之問，道出孔子示以「不學詩，無以言」(《論語・季氏篇》，卷9，頁243)，宜如何理解？詩與言關係若何？亦未見周密論述，此即本論文之所由作也。

二　主文

言語係個人修養之呈現，須隨閱歷不斷教化，方能成長。檢覈《論語》之記載，孔子最常叮嚀學生「言語」之修為，即慎言自律、言而有信、言可踐行、切忌妄言、學詩言志、進言遂諫、擇言達意，並殷殷垂訓，再三叮嚀，茲分述如次：

(一) 慎言自律

慎言，可謂言語表達之最高原則，常言道：「一言既出，駟馬難追。」[12]殊不知孔門於此，時引以為戒，就自儆而言：

> 子曰：「多聞闕疑，慎言其餘，則寡尤。」(〈為政〉，卷1，頁76)

> 子曰：「古者言之不出，恥躬之不逮也。」(〈里仁〉，卷2，頁99)

---

12 按：「一言既出，駟馬難追」一語，元、明通俗戲劇、小說常見引用，如明末清初・馮夢龍《醒世恆言》(臺北：光復書局，1998年)，卷5〈大樹坡義虎送親〉載：「自古道：『一言既出，駟馬難追。』他既有言在前，如今怪不得我了！」(頁86)。

> 子貢曰：「君子一言以為知，一言以為不知，言不可不慎也。」（〈子張〉，卷10，頁269）

此三則言論，一則以博學探精、守約言之為是，一則以言出不能自我奉行為戒，一則以言出見一己之智慧為勸，皆所以藉慎言自儆也。至聖如孔子，亦躬蹈之，如下記載：

> 子問公叔文子於公明賈曰：「信乎？夫子不言、不笑、不取乎？」公明賈對曰：「以告者過也。夫子時然後言，人不厭其言；樂然後笑，人不厭其笑；義然後取，人不厭其取。」子曰：「其然？豈其然乎？」（〈憲問〉，卷7，頁211）

按：公叔文子，即衛大夫公孫拔，公明賈所以藉孔子「時然後言，人不厭其言」勉之，蓋謂文子雖賢，猶未臻此境故也。朱熹以「非禮義充溢於中，得時措之宜者不能」作注（見同上），真能得孔子言行之真！至若孔子以「其然，豈其然乎」回應，亦見孔子謙以律己、寬以待人之風範。至於弟子慎言之表率，自當推顏回，如下記載：

> 子曰：「吾與回言終日，不違如愚。退而省其私，亦足以發。回也不愚。」（〈為政〉，卷1，頁73）

所謂「不違如愚」，係用以形容顏回專注傾聽之神態。實則「如愚」，並非真愚；以孔子觀察顏回之燕居獨處，皆能闡發所聞之道，落實於日常行事之中，故孔子復以「回也不愚」稱之：亦即強調顏回默而識之，寡言篤行之學習態度，殊值作為眾弟子之榜樣。至論「一言可以興邦」、「一言可以喪邦」，要以下列記載，最值深思：

> 定公問：「一言而可以興邦，有諸？」孔子對曰：「言不可以若是其幾也。人之言曰：『為君難，為臣不易。』如知為君之難也，不幾乎一言而興邦乎？」曰：「一言而喪邦，有諸？」孔子對曰：「言不可以若是其幾也。人之言曰：『予無樂乎為君，唯其言而莫予違也。』如其善而莫之違也，不亦善乎？如不善而莫之違也，不幾乎一言而喪邦乎？」（〈子路〉卷7，頁201）

依此記載，可見孔子先對魯定公所引兩句話，用「其幾也」（可與興邦、喪邦接近）相應；而後告知魯定公，為君者若能深知「為君難」一語而慎重其事，是近於「一言興邦矣！」然為君者若以「唯其言而莫予違」為樂，不辨善與不善，則此言亦近於「一言喪邦矣！」[13]

除強調「慎言」外，孔子甚至還強調「罕言」、「不言」之事：

> 子罕言利與命與人。（〈子罕〉，卷5，頁147）

> 子不語：怪、力、亂、神。（〈述而〉，卷4，頁132）

> 子曰：「非禮勿視，非禮勿聽，非禮勿言，非禮勿動。（〈顏淵〉，卷6，頁182）

以上記載，可見孔子「罕言」之事，是利、命、仁三事。《論語注疏》引何晏《集解》云：「利者，義之和也；命者，天之命也；仁者，行之盛也。常人寡能及之，故希言也。」[14]朱熹《集註》則引程

---

13 有關此則文字之詳解，可參李炳南撰：《論語講要》（臺中：臺中市佛教蓮社，2013年），頁536-537。

14 〔魏〕何晏集解、〔宋〕邢昺疏：《論語注疏》（臺北：藝文印書館《十三經注疏》本，1976年），卷9，頁77。

頤之言云：「計利則害義，命之理微，仁之道大，皆夫子所罕言也。」（〈子罕〉，卷5，頁147）總之，不論因境界過高，常人寡能及之；或因害義、理微、道大，常人不易理解，孔子確乎罕言之。許慎《說文解字》云：「直言曰言，論難曰語。」[15]亦即無問由己直說為言，有問有答為語。準此檢視《論語》所載，孔子論「利、命、仁」三事，答問確乎較多，直言確乎較少，「子罕言」云云，洵不我欺！

至於孔子不言之四事，王肅稱：「怪，怪異也。力，謂若奡盪舟、烏獲舉千鈞之屬也。亂，謂臣弒君、子弒父也。神，謂鬼神之事也。或無益於教化也，或所不忍言也。」[16]李炳南則稱：「此不語者，設有人問此等事，孔子不為解釋，免其習為惡事也。」[17]尤其日常生活之視、聽、言、動，若「不合禮」，則勿蹈之、行之，自能約束、克制自我，禮讓、寬恕他人，如此即能反歸「禮」之根本，幾於「仁」之境界。此中「言」亦要項之一，可不慎乎！末則對於已成過往、無法補救之事，孔子亦主張不必多言，見以下記載：

> 哀公問社於宰我。宰我對曰：「夏后氏以松，殷人以柏，周人以栗，曰使民戰栗。」子聞之曰：「成事不說，遂事不諫，既往不咎。」（〈八佾〉，卷2，頁89）

此中所謂「成事」、「遂事」，皆屬過往，多說無益；而宰我既已對哀公言之，孔子亦不予追咎，蓋追咎已無益矣！

---

15 〔漢〕許慎撰，〔清〕段玉裁注：《說文解字注》（臺北：藝文印書館，1970年），卷5「第三篇上」，頁90。

16 〔魏〕何晏集解、〔宋〕邢昺疏：《論語注疏》，卷7，頁63。

17 李炳南撰：《論語講要》，頁297。

(二)言而有信

信，係孔門極其強調之修為，對個人而言，「人而無信，不知其可也。大車無輗，小車無軏，其何以行之哉！」(〈為政〉，卷1，頁78)蓋無信之人，妄言妄行，一事無成，自難向道。對治國而言，「足食、足兵、民信之」，乃必備之三條件，然必不得已而去之，足食、足兵皆可去，唯「民信」萬不可去，所謂「自古皆有死，民無信不立」(〈顏淵〉，卷6，頁186)是也。而「信」尤為行「仁」之修為，見諸《論語》載云：

> 子張問仁於孔子。孔子曰：「能行五者於天下，為仁矣。」請問之。曰：「恭、寬、信、敏、惠。恭則不侮，寬則得眾，信則人任焉，敏則有功，惠則足以使人。」(〈陽貨〉，卷9，頁247)

是知「言而有信」，則能得人信任，乃「仁人」修為之一。而信字，依許慎《說文解字》云：「誠也，从人言。」段玉裁注云：「人言則無不信者，故从人言。」[18]斯可見言語乃「誠信」之媒介，若言不由衷，斷非有德之人。孔子曰：「有德者必有言，有言者不必有德。」(〈憲問〉，卷7，頁208)即謂有德之人，必有裨益他人之言；然盡說悅耳之言，能說不能行，必非有德之人。其次，「言而有信」，亦為判斷「士」與「成人」之準則：

> 子貢問曰：「何如斯可謂之士矣？」子曰：「行己有恥，使於四方，不辱君命，可謂士矣。」曰：「敢問其次。」曰：「宗族稱

18 〔漢〕許慎撰，〔清〕段玉裁注：《說文解字注》，卷5「第三篇上」，頁93。

> 孝焉，鄉黨稱弟焉。」曰：「敢問其次。」曰：「言必信，行必果，硜硜然小人哉！抑亦可以為次矣。」曰：「今之從政者何如？」子曰：「噫！斗筲之人，何足算也。」（〈子路〉，卷7，頁203）

> 子路問成人。子曰：「若臧武仲之知，公綽之不欲，卞莊子之勇，冉求之藝，文之以禮樂，亦可以為成人矣。」曰：「今之成人者何必然？見利思義，見危授命，久要不忘平生之言，亦可以為成人矣！」（〈憲問〉，卷7，頁210）

此兩則記載，一則告知成為「士」之最基本條件為「言必信，行必果」；一則告知凡有成就之「成人」，除「見利思義，見危授命」，亦得切記：與人有約，永久信守，不可或忘！所謂「與朋友交，言而有信」（〈學而〉，卷1，頁16）是也。此與孔子強調君子有「九思」，「言思忠」（〈季氏〉，卷8，頁242）[19]為箇中之一，即君子須忠實信守所言，誠然一以貫之也。

末則尤須強調，守信務必以「合宜」與否為考量，誠如有子所云：「信近於義，言可復也。」（〈學而〉，卷1，頁67）；亦即「信」近於「合宜」，其言乃可復驗，若墜入尾生抱柱之信，[20]「好信不好學，其蔽也賊」（〈陽貨〉，卷9，頁249），終不可取也。

---

19 按：九思為：視思明，聽思聰，色思溫，貌思恭，言思忠，事思敬，疑思問，忿思難，見得思義。

20 尾生抱柱之信，見載於《莊子》，詳參陳鼓應撰：《莊子今註今譯》（臺北：臺灣商務印書館，2015年），《雜篇．盜跖》，頁745。又見載於〔漢〕司馬遷撰：《史記》（臺北：鼎文書局，1986年），第3冊，卷69，〈蘇秦列傳第九〉，頁2266。

（三）言可踐行

除卻慎言、言而有信，凡出言之前，亦得估量自我能力，捫心自問：吾所言是否吾所能行？庶免淪為自不量力或不切實際，難以遂行，此亦孔子殷殷垂訓之教養：

> 子張學干祿。子曰：「多聞闕疑，慎言其餘，則寡尤；多見闕殆，慎行其餘，則寡悔。言寡尤，行寡悔，祿在其中矣！」（〈為政〉，卷1，頁76）

此章旨在回答子張從政之道，在於博學之餘，要能「慎言」；廣識之餘，要能「慎行」，如此方能減少過錯，減少悔恨，自可安然從政。凡人欲踐其言，復大言不慚，豈不難哉！所謂：「其言之不怍，則為之也難。」（〈憲問〉，卷7，頁214）、「不曰如之何如之何者，吾末如之何也已矣！」（〈衛靈公〉，卷8，頁231），皆是其例。因之君子「欲訥於言，而敏於行。」（〈里仁〉，卷2，頁99）、「恥其言而過其行」（〈憲問〉，卷7，頁217）；甚而面對「非言之艱而行之艱」之子貢，孔子仍戒之云：「先行其言而後從之。」（〈為政〉，卷1，頁75）茲更舉兩則記載如次，其一：

> 子路曰：「衛君待子而為政，子將奚先？」子曰：「必也正名乎！」子路曰：「有是哉，子之迂也！奚其正？」子曰：「野哉由也！君子於其所不知，蓋闕如也。名不正，則言不順；言不順，則事不成；事不成，則禮樂不興；禮樂不興，則刑罰不中；刑罰不中，則民無所措手足。故君子名之必可言也，言之必可行也。君子於其言，無所苟而已矣。」（〈子路〉，卷7，頁197）

此記載，係因衛君出輒欲敦請孔子輔助治國，[21]子路請教孔子以何事為先，引發一段精彩之師生對答。終乃以「野哉由也」告誡子路：「君子於其所不知，蓋闕如也」，亦即君子於不明之事，宜「蓋闕」勿言。並總結訓勉：君子凡用一詞，須「順理」道出；能「順理」道出，必能遂行。君子出言，絕不可苟且為之！「言」之於「行」，可不慎哉！其二：

> 子張問行。子曰：「言忠信，行篤敬，雖蠻貊之邦行矣；言不忠信，行不篤敬，雖州里行乎哉？立，則見其參於前也；在輿，則見其倚於衡也。夫然後行。」子張書諸紳。（〈子路〉，卷7，頁197）

此則記載之「行」字，朱熹以為「行篤敬」、「行不篤敬」兩處，宜讀去聲，餘讀平聲，蔣伯潛《廣解四書讀本》從之。[22]李炳南《論書講要》，則主張一律讀平聲，此章係討論「凡事行不行的問題。」[23]茲從之。文中強調，凡人言語忠實守信，行為厚道有禮，雖治理蠻貊之邦，亦無往而不可行。反之，則雖治理所居鄉里，亦處處行不得也。斯可證「言」之忠信，適足反應「行」之篤敬，而無往不利矣！

然學生資質不同，稟性有別，聞言而行之表現，不一而足，《論語》亦如實記載其事：

---

21 有關此史事，見載於《左傳．魯定公十四年》、《史記．孔子世家》。李炳南撰：《論語講要》〈子路第十三〉（頁518-521），已有精簡彙整，可逕參考。

22 〔宋〕朱熹集註，〔民國〕蔣伯潛廣解：《廣解四書讀本．論語》（臺北：商周出版公司，2011年），頁337。

23 李炳南：《論語講要》，頁633-635。

> 宰予晝寢。子曰：「朽木不可雕也，糞土之牆不可杇也，於予與何誅。」子曰：「始吾於人也，聽其言而信其行；今吾於人也，聽其言而觀其行。於予與改是。」（〈公冶長〉，卷3，頁105）

> 子路有聞，未之能行，唯恐有聞。（〈公冶長〉，卷3，頁106）

以上兩則記載，「宰予晝寢」一章，問題有二：一為分章問題，一為「晝寢」或「畫寢」之問題。[24]然該章之要旨在於宰予平日能言善道，今見其慵懶而「晝寢」，迥異平日所言，孔子乃道出論人宜「聽言觀行」之原則。至於子路，顯係「立即實踐」之弟子，正是作為「坐而言，不如起而行」[25]之表率。另有魯大夫季孫行父（季文子）凡事「三思而行」，孔子聞之，曰：「再，斯可矣！」（〈公冶長〉，卷3，頁109），此與《中庸．第二十章》所載：「凡事豫則立，不豫則廢。言前定則不跲，事前定則不困，行前定則不疚，道前定則不窮」（頁38），正足相發明。實則此記載，旨在強調「凡人行事，不宜魯莽，亦不宜過於仔細」（見同前），故朱熹予以按云：「君子務窮理而

24 關於「宰予晝寢」諸問題，可參蔣伯潛：《廣解四書讀本．論語》，頁153；李炳南：《論語講要》，頁185。

25 此諺語殊難探得原始出處，《荀子．性惡篇》雖有「故坐而言之，起而可設，張而可施行。今孟子曰：『人之性善。』無辨合符驗，坐而言之，起而不可設，張而不可施行，豈不過甚矣哉！」然內容迥不同。詳參〔唐〕楊倞注，〔清〕王先謙集解：《荀子集解》（臺北：藝文印書館，2007年），卷17，頁713。茲更列《周禮．考工記第六》所言供參考：「或坐而論道，或作而行之，或審曲面勢，以飭五材，以辨民器，或通四方之珍異以資之，或飭力以長地財，或治絲麻以成之。坐而論道，謂之王公；作而行之，謂之士大夫。」語境較相似，特不見比較耳。詳參〔漢〕鄭玄注，〔唐〕賈公彥疏：《周禮注疏》（臺北：藝文印書館《十三經注疏》本，1976年），卷39，頁593-594。

貴果斷，不徒多思之為尚！」（見同前）

至論「行」之最高境界，係親自沐受自然教化，不待言而能精進修為，斯為尚矣！如以下記載：

> 子曰：「予欲無言。」子貢曰：「子如不言，則小子何述焉？」子曰：「天何言哉！四時行焉，百物生焉，天何言哉！」（〈陽貨〉，卷9，頁252）

此章係孔子提示弟子，學道宜離言而求之。蓋學者恆憑「言語」步隨聖人，而不學天理之流行有不待言而著者，如四時行、百物生是也。思夫聖人之一動一靜，莫非妙道精義之發，恰似天理之流行，非言語所能盡顯，故學者宜知言能詮道而非道，道貴默而識之，故孔子一再強調「天何言哉！」《禮記》載魯哀公問孔子「何貴乎天道也？」孔子對曰：「貴其不已，如日月東西相從而不已也，是天道也；不閉其久，是天道也；無為而物成，是天道也；已成而明，是天道也。」[26] 正足與《論語》之載錄相發明。

（四）切忌妄言

前節道及，對於默而識之，不違如愚之顏回，孔子曾以「仁」之標準，予以稱許。與之對比者，凡弄舌妄言之人，孔子亦以「仁」之準繩，予以痛斥，所謂：「巧言、令色，鮮矣仁！」見載〈學而〉（卷1，頁62）、〈陽貨〉（卷9，頁252）兩章，誠然苦口婆心，故為弟子重複載記。類似之言論，仍可得之：

---

26 〔漢〕鄭玄注，〔唐〕陸德明音義、孔穎達疏：《禮記注疏》（臺北：藝文印書館《十三經注疏》本，1976年），卷50，頁851。

> 子曰：「巧言、令色、足恭，左丘明恥之，丘亦恥之。匿怨而友其人，左丘明恥之，丘亦恥之。」(〈公冶長〉，卷3，頁110)

> 子曰：「巧言亂德，小不忍則亂大謀。」(〈衛靈公〉，卷8，頁233)

以上兩則記載，亦譏斥悅飾辭令，言不由衷，甚而隱匿憎怨，用心險詐，與人交往，皆屬可恥、敗德之行徑。蓋君子必也「望之儼然，即之也溫，聽其言也厲。」(子夏語，〈子張〉，卷10，頁265)，所謂「厲」即嚴正、明確之意。意即容色誠中形外，言語信而不欺，方稱君子。《禮記・曲禮上》云：「毋不敬，儼若思，安定辭。」又云：「禮，不妄說人，不辭費」，[27]皆示人言語宜態度平和，論點明確；不能以巧言取悅人，亦不可夸夸其談，空言許諾。所謂：「其言之不怍，則為之也難」(〈憲問〉，卷7，頁214）是也。

另類弄舌之人，與「巧言」相對，偏好口辭捷辯，亦不足取，見諸《論語》記載，如：

> 或曰：「雍也仁而不佞。」子曰：「焉用佞？禦人以口給，屢憎於人。不知其仁，焉用佞。」(〈公冶長〉，卷3，頁102)

> 子曰：「惡紫之奪朱也，惡鄭聲之亂雅樂也，惡利口之覆邦家者。」(〈陽貨〉，卷9，頁252)

以上兩則記載，第一則可再次驗證孔子確乎不輕易以「仁」許人，並

27 〔漢〕鄭玄注，〔唐〕陸德明音義、孔穎達疏：《禮記注疏》，卷1，頁12、14。

對「言辭敏捷，辯才無礙」之價值觀，提出嚴正駁斥；以其但以口取辯而無情實，徒為人所憎惡，何足為貴！第二則，提出「利口」一詞，即口才犀利之意。此等人能將無理辯為有理，多言少實，若不防微杜漸，終必顛覆家邦。誠如《四書章句集注．論語》引范祖禹申論云：「天下之理，正而勝者常少，不正而勝者常多，聖人所以惡之也。利口之人，以是為非，以非為是；以賢為不肖，以不肖為賢。人君苟悅而信之，則國家之覆也不難矣！」（見同上）因之孔子乃再次譏彈云：「放鄭聲，遠佞人；鄭聲淫，佞人殆！」（〈衛靈公〉，卷8，頁229），以佞人卑諂辯給，最易教人喪其所守，固宜放遠之為是。末則孔子於所憎惡之四種人當中，即有兩種與弄舌「妄言」有關：

> 子貢曰：「君子亦有惡乎？」子曰：「有惡：惡稱人之惡者，惡居下流而訕上者，惡勇而無禮者，惡果敢而窒者。」曰：「賜也亦有惡乎？」「惡徼以為知者，惡不孫以為勇者，惡訐以為直者。」（〈陽貨〉，卷9，頁255）

此中所謂「惡稱人之惡」，意謂專宣揚他人惡行，殊違反「隱惡揚善」之做人道理，故孔子惡之。所謂「惡居下流而訕上者」，即指居下位者毀謗上位之人，違反行政倫理，誠不足取。蓋居下位者，見上級有過，宜據理諫諍，三諫不從，棄之可也。苟不上諫，一味毀謗，殊失忠厚，故為孔子所惡。至若子貢所憎惡者，厥為揭發他人隱私以為率直之人，率弄舌者流，自當引以為戒！此外，對於信口傳播，不辨事實與否之人，孔子亦痛斥云：「道聽而塗說，德之棄也。」（〈陽貨〉，卷9，頁251）

（五）學詩言志

毛亨〈詩序〉云：「詩者，志之所之也。在心為志，發言為詩。」[28]斯可見詩乃「志之所之」，不能無言，正足與孔子所稱「不學詩，無以言」相呼應：

> 陳亢問於伯魚曰：「子亦有異聞乎？」對曰：「未也。嘗獨立，鯉趨而過庭。曰：『學詩乎？』對曰：『未也。』『不學詩，無以言。』鯉退而學詩。他日又獨立，鯉趨而過庭。曰：『學禮乎？』對曰：『未也。』『不學禮，無以立。』鯉退而學禮。聞斯二者。」陳亢退而喜曰：「問一得三，聞詩，聞禮，又聞君子之遠其子也。」（〈季氏〉，卷8，頁243）

關於此記載，最為學者關注者，厥為孔子教其子與教弟子，無厚此薄彼之異。此問題，諸弟子平日或多疑惑，故陳亢趁機質問孔子之子孔鯉（字伯魚），終得「君子遠其子」之解答。實則孔子或亦時有所聞，故曾自道云：「二三子以我為隱乎？吾無隱乎爾。吾無行不與二三子者，是丘也。」（〈述而〉，卷4，頁132）

以上體悟，自是本記載要旨之一。然陳亢明言：「問一得三」，箇中「不學詩，無以言」、「不學禮，無以立」，乃鮮見圓滿論述，殊覺不足。此處僅針對前者予以申論，茲先舉前人疏解如次：

皇侃疏云：

> 言詩有比興答對酬酢，人若不學詩，則無以與人言語也。[29]

---

28 〔漢〕毛亨傳，鄭玄箋，〔唐〕孔穎達疏：《毛詩正義》（臺北：藝文印書館《十三經注疏》本，1976年），卷1之1，頁13。

29 〔南朝梁〕皇侃撰：《論語義疏》（北京：中華書局，2013年），卷8，頁437。

邢昺疏云：

> 不學詩，無以言。以古者會同，皆賦詩見意，若不學之，何以為言也。[30]

以上兩疏，合者兩全，分者各有不足。蓋前者針對廣泛讀書人言之，後者針對有官職之士大夫言之，各有立說。至若孔子之教誨，實兼賅兩者，彙整《論語》記載，即可得之。茲先舉孔子對《詩經》之整體論述如次：

> 子曰：「詩三百，一言以蔽之，曰：思無邪！」（〈為政〉，卷1，頁70）

> 子曰：「小子！何莫學夫詩？詩，可以興，可以觀，可以群，可以怨。邇之事父，遠之事君；多識於鳥獸草木之名。」（〈陽貨〉，卷9，頁249）

按：「思無邪」，出自《詩經・魯頌・駉章》[31]，朱注云：「凡詩之言，善者可以感發人之善心，惡者可以懲創人之逸志，其用歸於使人得其情性之正而已。然其言微婉，且或各因一事而發，求其直指全體，則未有若此之明且盡者。」（見同上，頁70）亦即《詩經》篇章，各有所因而發，不免遣辭「微婉」，然探其旨歸，皆在於「使人得其情性之正」，故孔子以「思無邪」一語賅之。此見解亦見其他記載：

30 〔魏〕何晏集解、〔宋〕邢昺疏：《論語注疏》，卷16，頁150。
31 〔漢〕毛亨傳，鄭玄箋，〔唐〕孔穎達疏：《毛詩正義》，卷20之1，頁765。

子曰：「〈關雎〉，樂而不淫，哀而不傷。」(〈八佾〉，卷2，頁89）

子謂伯魚：「女為《周南》、《召南》乎？人而不為《周南》、《召南》，其猶正牆面而立也與？」(〈陽貨〉，卷9，頁250）

〈關雎〉，係《詩經．周南》首章，〈詩序〉云：「〈關雎〉，后妃之德也。風之始也，所以風天下而正夫婦也。故用之鄉人焉，用之邦國焉。」[32]朱熹《詩集傳》申論云：「此言為此詩者，得其性情之正、聲氣之和也。蓋德如雎鳩、摯而有別，則后妃性情之正，固可以一端見矣。至於寤寐反側、琴瑟鐘鼓，極其哀樂而皆不過其則焉，則詩人性其之正，又可見其全體也。」[33]並於〈八佾篇〉此記載後注云：「蓋其憂雖深而不害於和，其樂雖盛而不失其正」(見同前，頁89）皆能得孔子評論之精髓。

至論不學《周南》、《召南》之詩篇，恰似面牆而立，兩眼見遮，無所見識，未能辨事，其故何也？馬融注云：「《周南》、《召南》，〈國風〉之始，樂得淑女，以配君子。三綱之首，王教之端，故人而不為，如向牆而立。」[34]蓋君臣、父子、夫婦，乃人倫之三綱，肇始於夫婦，「有夫婦，然後有父子；有父子，然後有君臣。」[35]故先王教化，以夫婦為開端，《周南》、《召南》載此內容最豐富。讀書人不學，不能齊家；士大夫及為人君者不學，不能治國平天下。此孔子所

---

32 〔漢〕毛亨傳，鄭玄箋，〔唐〕孔穎達疏：《毛詩正義》，卷1之1，頁765。

33 〔宋〕朱熹撰：《詩集傳》(臺北：中華書局，2019年)，卷1，頁2。

34 〔魏〕何晏集解、〔宋〕邢昺疏：《論語注疏》，卷17，頁156。

35 按：此語出自《周易正義．序卦第十》(臺北：藝文印書館《十三經注疏》本，1976年)，卷9，頁187-188。

以告誡孔鯉不能「不為」、「不學詩，無以言」之故也。

回觀孔子論詩之功用，所謂興、觀、群、怨，朱注亦有精闢之說解，即「感發志意」、「考見得失」、「和而不流」、「怨而不怒」（見同前，頁249）。此外，「多識鳥獸草木之名」，則強調廣識博物之視野，方足幾於「仁」之境界，所謂：「親親而仁民，仁民而愛物」（《孟子・盡心上》，卷13，頁509-510）是也。而最憑「言語」遂其功用者，莫若「邇之事父」、「遠之事君」二事，此即針對「讀書人」、「士大夫」兩角色言之，茲先就前者舉證明之：

> 子貢曰：「貧而無諂，富而無驕，何如？」子曰：「可也。未若貧而樂，富而好禮者也。」子貢曰：「詩云：『如切如磋，如琢如磨。』其斯之謂與？」子曰：「賜也，始可與言詩已矣！告諸往而知來者。」（〈學而〉，卷1，頁68）

> 子夏問曰：「『巧笑倩兮，美目盼兮，素以為絢兮。』何謂也？」子曰：「繪事後素。」曰：「禮後乎？」子曰：「起予者商也，始可與言詩已矣！」（〈八佾〉，卷2，頁84）

> 南容三復「白圭」，孔子以其兄之子妻之。（〈先進〉，卷6，頁170）

以上三則記載，既可見師生平日授受，藉《詩經》互動之情形，亦可見讀書人「以詩言志」之重要：其一，子貢原以為能以「貧而無諂，富而無驕」自處，必得孔子贊同，故以之相詢。而孔子確乎予以嘉許，然猶期待子貢能朝「貧而樂，富而好禮」之層次邁進。子貢深有體悟，旋引《詩經・衛風・淇澳章》詩句：「如切如磋，如琢如磨」，以道「有匪君子」[36]，必知自我砥礪，切磋琢磨，以求精進。如此藉詩達意，言簡意賅，無怪乎深得孔子肯定。

第二則係子夏以三句詩句提問，前兩句見於《詩經・衛風・碩人章》，第三句係逸詩[37]。合三句言之，係謂人有倩盼之美質，又飾以華采，方見動人之姿。子夏或生疑心，乃具以請教孔子。孔子以「繪事後素」應之，此句或引《周禮・考工記第六・畫繢》為注：「凡畫繢之事後素功」[38]；或引《禮記・禮器》為注：「甘受和，白受采。忠信之人，可以學禮。」[39]然《論語》之素，係素地（繪畫所鋪之白絹），非「素功」（繪後鉤粉之事），自當以《禮記》所言為是。李炳南準此以釋「繪事後素」云：「素是比喻美女的口輔美目，這是美的素質。繪事比喻笑倩盼動，這是美的姿態。先有美質，而後有美姿，故說繪畫之事在素地之後。」[40]方之讀書人之學習，必也身修忠心誠信，方可進而學禮；子夏已然領悟，乃以「禮後乎」應答，終得孔子「始可與言詩」之鼓勵。

第三則記載孔子弟子南宮适（一名韜，字子容；又稱南容、南宮括）多次誦讀《詩經・大雅・抑章》之詩句：「慎爾出話，敬爾威儀，無不柔嘉。白圭之玷，尚可磨也；斯言之玷，不可為也。」[41]蓋圭玉之瑕疵，尚可磨去之；言語有缺失，則難以消磨。南宮适多次復誦思維，可見時以慎言自儆，力求無玷，故孔子將其兄之女妻之。

---

36 〔漢〕毛亨傳，鄭玄箋，〔唐〕孔穎達疏：《毛詩正義》，卷3之2，頁127。按：匪，「斐」之假借，有斐，即斐然，有文彩貌。

37 〔漢〕毛亨傳，鄭玄箋，〔唐〕孔穎達疏：《毛詩正義》，卷3之2，頁129-130。按：子夏以三句並舉，恐係見於一詩，今本不見，故朱熹《四書章句集注》逕視為逸詩。

38 見《周禮注疏》，卷40，頁623。按：繢，通「繪」。

39 〔漢〕鄭玄注，〔唐〕陸德明音義、孔穎達疏：《禮記注疏》，卷24，頁474。

40 詳參李炳南撰：《論語講要》，頁103。

41 〔漢〕毛亨傳，鄭玄箋，〔唐〕孔穎達疏：《毛詩正義》，卷18之1，頁646。

以上即是讀書人「不學詩，無以言」之範例，殊可見孔門詩教之一斑。不惟形之於口以言志，甚而於行文之際，亦時舉《詩經》以論證。此風尚影響極大，吾人但翻閱《大學》、《中庸》、《孟子》，即隨處可見。甚而曾子有疾時，仍不忘引詩自儆：

> 曾子有疾，召門弟子曰：「啟予足，啟予手，詩云：『戰戰兢兢，如臨深淵，如履薄冰。』而今而後，吾知免夫！」（〈泰伯〉，卷4，頁138）

此記載，既可見曾子一生奉行孝道，以「身體髮膚受之父母，不敢毀傷」，為行孝之始；以「立身行道，揚名後世，以顯父母」[42]，為行孝之終。更引《詩經・小雅・小旻章》末結詩句：「戰戰兢兢，如臨深淵，如履薄冰」[43]，示弟子一生謹慎，不敢絲毫疏忽，迄乎面臨生死，始敢以一「免」字安心，即免於損道悖孝，誠切實之身教也。同時，亦可證「學詩言志」，殊值終身學習，不可或懈！

其次，《論語》又載子夏之言曰：「仕而優則學，學而優則仕。」（〈子張〉，卷10，頁266）此蓋當時讀書人共同之心願。因之讀書人一旦躋身「士大夫」行列，自當落實平日所學，發展抱負。有機會參與「會同」[44]，亦即參與諸侯朝見天子、相互聘問等事，「引詩言志」尤當戮力奉行，此亦孔子關注之事，以之期勉兒子、弟子，正見為父、為師之用心：

---

42 以上引文，並見〔唐〕玄宗御注，〔宋〕邢昺疏：《孝經正義》（臺北：藝文印書館《十三經注疏》本，1976年），卷1，頁11。

43 〔漢〕毛亨傳，鄭玄箋，〔唐〕孔穎達疏：《毛詩正義》，卷12之2，頁414。

44 按：「會同」一辭，出自《詩經・小雅・車攻章》：「駕彼四牡，四牡奕奕；赤芾金舄，會同有繹。」鄭玄箋云：「時見曰會，殷見曰同。」（《毛詩正義》，卷10之3，頁367）所謂「時見」，即無常期之會見；「殷見」，即眾人相會，皆朝見之名也。

> 子曰：「誦詩三百，授之以政，不達；使於四方，不能專對；雖多，亦奚以為？」（〈子路〉，卷7，頁198）

孔子此言，可分兩方面理解：其一，善學詩者，在其位時，必能敦倫教化，政通人和。毛亨〈詩序〉云：「先王以是經夫婦，成孝敬，厚人倫，美教化，移風俗」（同注28），正足含賅「為政」之內涵。其二，善學詩者，出使之際，必能善盡「專對」之責，其原則，可準乎《公羊傳．莊公十九年》所載：「聘禮，大夫受命不受辭。出竟，有可以安社稷、利國家者，則專之可也。」[45]此中「出竟（境）」以下文字，即「專對」之原則，所謂「安社稷、利國家」是也。

或緣《論語》所載，率弟子學習階段聽聞之筆錄，故未見出仕誦詩之實例。然《左傳》、《國語》所載，則斑斑可考。據學棣郭庭芳研究，春秋時期引詩之類型凡四：引詩、賦詩、歌詩、誦詩是也。[46]茲舉兩例如次：

《左傳．桓公六年》載：

> 公之未昏於齊也，齊侯欲以文姜妻鄭大子忽。大子忽辭。人問其故，大子曰：「人各有耦，齊大，非吾耦也。《詩》云：『自求多福』，在我而已，大國何為？」[47]

《左傳．僖公二十三年》載：

---

45 〔漢〕公羊壽傳、何休解詁，〔唐〕徐彥疏：《春秋公羊傳注疏》（臺北：藝文印書館《十三經注疏》本，1976年），卷8，頁97。

46 郭庭芳撰：《春秋時期《詩經》之實用與傳播研究》，臺南：國立成功大學碩士論文，2020年。

47 〔戰國〕左丘明撰，〔晉〕杜預注，〔唐〕孔穎達正義：《春秋左傳正義》（臺北：藝文印書館《十三經注疏》本，1976年），卷6，頁112。

> 他日，公享之，子犯曰：「吾不如趙衰之文也，請使衰從。」公子賦〈河水〉，公賦〈六月〉。趙衰曰：「重耳拜賜。」公子降，拜，稽首，公子降一級而辭焉。衰曰：「君稱所以佐天子者命重耳，重耳敢不拜。」[48]

以上兩例，桓公六年（706B.C.）之記載，雖僅是鄭太子忽個人婚姻之選擇，然對象為齊國女子文姜，自屬國際事宜。即因如此，鄭太子忽終道出「齊大非耦」之道理；並強調國家之命脈，端賴「自求多福」，非賴與大國聯姻，真教人肅然起敬！而「自求多福」出自《詩經‧大雅‧文王章》，所謂：「無念爾祖，聿脩厥德，永言配命，自求多福」[49]是也。而〈文王〉一詩，係歌頌文王修德養性，受命作周；鄭太子忽引之，特採字面意思，不涉原詩內容。此情形，林耀潾《先秦儒家詩教研究》，已然提出「至於其言語引詩之方式，則可分四端言之，一曰直用詩義，二曰引申詩義，三曰斷章取義，四曰引詩譬喻。」[50]茲不贅述。

至於僖公二十三年（637B.C.）之記載，係晉公子重耳流亡十九年之後，抵達秦國，距返國掌權，僅一步之遙。而當時在位之晉侯為懷公，秦穆公女兒曾妻之；於公於私，穆公護之，亦理所當然。因之聞秦穆公欲宴請重耳之際，其舅狐偃（字子犯）了解茲事體大，乃推薦言有文彩、善於外交辭令之趙衰（字子餘）隨同。果不其然，當重耳賦〈河水〉，表達「河水朝宗於海」[51]之嚮往時，穆公旋賦《詩經‧

48 〔戰國〕左丘明撰，〔晉〕杜預注，〔唐〕孔穎達正義：《春秋左傳正義》，卷15，頁253。

49 〔漢〕毛亨傳，鄭玄箋，〔唐〕孔穎達疏：《毛詩正義》，卷16之1，頁537。

50 林耀潾撰：《先秦儒家詩教研究》（臺北縣：花木蘭出版社，2008年），頁74。

51 按：〈河水〉乃逸詩，杜預注：「義取河水朝宗於海，海喻秦。」（《春秋左傳正小雅・六月章》詩回應；該詩係歌頌尹吉甫輔佐周宣王北伐獲勝，藉以暗示重耳將成為輔佐周天子之股肱大臣。趙衰深體秦穆公願意支持重耳返國即位，乃敦請重耳拜謝。一場影響重耳是否順利返國之宴會，即於賦詩言志之氛圍中，圓滿結束，斯即「古者會同，皆賦詩見意」之最佳詮釋。

總之，《論語》載「陳亢問於伯魚」一章，不僅強調「君子之遠其子」，另有「聞詩」、「聞禮」兩得。本節特就「聞詩」予以論述，以見孔子對孔鯉之期待；並舉證論述讀書人、士大夫學詩，各有其功用。必具如此視野，方能全面掌握孔子論述「學詩」之高度與廣度。

（六）進言遂諫

言語之另一作用，即勸諫。見諸《論語》記載，可見對象不同，運用技巧亦有別；必先察情進言，方能「遂諫」是也。如：

> 子曰：「事父母幾諫。見志不從，又敬不違，勞而不怨。」（〈里仁〉，卷2，頁98）

此係對父母之勸諫，必也在微過產生時，即柔聲勸諫。若父母之志不從其諫，仍宜秉尊敬之心，不違初衷；深憂父母卒成大過，而無抱怨之舉。《禮記・內則》載：「父母有過，下氣怡色，柔聲以諫。諫若不入，起敬起孝，說則復諫；不說，與其得罪於鄉、黨、州、閭，寧孰諫。父母怒，不說，而撻之流血，不敢疾怨，起敬起孝。」[52]斯可見子女之勸諫父母，端為避免釀成大過，得罪鄉、黨、州、閭，故採

義》，卷15，頁253）此中「朝宗於海」，見於《詩經・小雅・沔水章》：「沔彼流水，朝宗於海」（《毛詩正義》，卷11之1，頁375），並錄此供參考。

52 〔漢〕鄭玄注，〔唐〕陸德明音義、孔穎達疏：《禮記注疏》，卷27，頁521。

「下氣」、「怡色」、「柔聲」之態度，圓熟殷勤以相勸，所謂「孰諫」是也。至於對朋友，又得採另類技巧：

> 子貢問友。子曰：「忠告而善道之，不可則止，無自辱焉。」（〈顏淵〉，卷6，頁193）

所謂「忠告」，係以是非觀念相勸；「善道」，係以善道引導朋友。然若朋友不聽從，則當中止勸導；蓋朋友地位平等，僅能以善道導之，不可以善道教之，否則必致關係疏遠，自取其辱。《禮記．表記》載：「君子之接如水，小人之接如醴；君子淡以成，小人甘以壞。」[53] 蓋朋友以道義結合，必以禮節制，方見「淡以成」，若煩瑣來往，必如子游所稱：「朋友數，斯疏矣！」（〈里仁〉，卷2，頁99）況乎行「忠告」之事，若過於煩瑣，淪於說教，必致「自辱」之果，可不慎乎！

末論「學而優則仕」之士大夫，除秉持「成事不說，遂事不諫，既往不咎」（〈八佾〉，卷2，頁89）之大原則外，必欲進言，其準繩為何？

> 子曰：「邦有道，危言，危行。邦無道，危行，言孫。」（〈憲問〉，卷7，頁207）

亦即國家有道，正直而言，正直而行；國家無道，亦不可同流合汙，行仍宜正直，言則宜委婉，庶免召禍。不得已須犯顏諫爭，亦得把握以下兩原則：

53 〔漢〕鄭玄注，〔唐〕陸德明音義、孔穎達疏：《禮記注疏》，卷54，頁919。

子路問事君。子曰：「勿欺也，而犯之。」（〈憲問〉，卷7，頁215）

子游曰：「事君數，斯辱矣！」（〈里仁〉，卷2，頁99）

第一原則即「勿欺」，蓋事君之道，義不可欺，所以防其過也。第二原則即避免「數」，即流於煩瑣，必以禮節之，三諫不從，去之可也。若一味如柳下惠，以「直道事人」，焉往而不三黜？（〈微子〉，卷9，頁256）然遭逢暴君，不聽任何勸諫；偏又採「死諫」之士大夫，孔子仍予以肯定：

微子去之，箕子為之奴，比干諫而死。孔曰：殷有三仁焉。（〈微子〉，卷9，頁256）

此中「微子」係商紂王庶兄，箕子、比干則係紂王諸父，三人既竭心力，亦無力回天。微子離朝而去，箕子佯狂為奴，比干以「為人臣者，不得不以死爭」，乃遭剖心而死。[54]較三人之初心，皆憂國憂民使然，故孔子以「仁」許之。至若叩諫武王伐紂，義不食周粟，不仕亂朝之伯夷、叔齊，[55]孔子亦以「求仁得仁」（〈述而〉，卷4，頁129）、「不降其志，不辱其身」（〈微子〉，卷9，頁260）稱之。

附帶一提者，無論朋友聞勸，或君王納諫，宜採何態度相待，《論語》亦有清楚記載：

子曰：「法語之言，能無從乎？改之為貴。巽與之言，能無說

54 詳參〔漢〕司馬遷撰：《史記》，卷3〈殷本紀〉，頁108。

55 伯夷、叔齊事蹟，見《史記》，卷61〈伯夷列傳〉，頁2121-2129。

> 乎？繹之為貴。說而不繹，從而不改，吾末如之何也已矣！」（〈子罕〉，卷5，頁256）

此記載清楚揭示：凡聽聞聖賢之語，端言相勸，自宜聽從，且以確實改過向善為可貴。反之，以恭遜稱許之言相勸，聞者必尋繹箇中道理，自省自勉，方為可貴。若聽聞「巽與之言」，喜悅自傲而不能自勉；聽聞「法語之言」，表面順從而行為不改，皆非所宜也。

（七）擇言達意

言語之功用，在於言者能適切表達心思，俾聽者了知其意，所謂「辭，達而已矣」（〈衛靈公〉，卷8，頁236）是也。因之善擇言語，因事、因地、因人、因時，予以適當表達，亦修養工夫之呈現，如：

> 子所雅言，詩、書、執禮，皆雅言也。（〈述而〉，卷4，頁131）

何謂「雅言」？朱注稱：「雅，常也；執，守也。《詩》以理情性，《書》以道政事，《禮》以謹節文，皆切於日用之實，故常言之。」（見同上）然「常言」過於寬泛，「雅」字訓為「常」，亦不見於字書，此說誠有待商榷。《論語注疏》引孔曰：「雅言，正言也。」又引鄭曰：「讀先王典法，必正言其音，然後義全，故不可有所諱也。禮不誦，故言執也。」[56]此注以「正言其音」釋「雅言」，涉及語言使用之問題，李炳南《論語講要》於「正言其音」，有段精闢之申論，茲引錄如次：「言語有地方之殊，有時代之異，《詩》、《書》等五經皆先

56 〔魏〕何晏集解、〔宋〕邢昺疏：《論語注疏》，卷7，頁62。

王典法，讀音解義不能隨時隨地變遷，故讀《詩》、《書》，宣禮儀，皆以雅言，不用土音，務須正言其本音，音正然後義全，縱遇君親師長之名，亦不可諱。民族之統一，文化之保存發揚，皆賴乎是。居今之世，論雅言者，必學文言，使無文言，則無雅言矣！」[57]旨哉斯言，誠然擲地有聲！

至論因事而涉場合之言論，除前節引涉及邦有道、無道，宜採用之言、行外，尚有以下記載：

> 孔子於鄉黨，恂恂如也，似不能言者，其在宗廟朝廷，便便言，唯謹爾。(〈鄉黨〉，卷5，頁158)

> 升車，必正立執綏。車中不內顧，不疾言，不親指。(〈述而〉，卷5，頁166)

第一則記載，孔子於父母宗族所居之鄉黨，一切言行皆溫和恭敬，似不善言語；以尊敬鄉里宗親，如孝敬父母故也。至若居處祭祖行禮之宗廟，以及政府議事之朝廷，則明辨道理，慎重其事；斯可證因地擇語之重要。甚而乘車之際，既執繩正立之後，便不東張西望，免旁人不安；不高談闊論，免驚擾他人；不以手指點，免教人困惑，斯可見孔子無處不為人設想。

次論因人擇言，孔子亦屢道及之，如：

> 子曰：「中人以上，可以語上也；中人以下，不可以語上也。」(〈雍也〉，卷3，頁120)

---

57 李炳南：《論語講要》，頁295。

> 朝，與下大夫言，侃侃如也；與上大夫言，誾誾如也。君在，踧踖如也，與與如也。（〈鄉黨〉，卷5，頁158）

以上兩則記載，前者強調孔子施教，恆因人之才智，估量告語，務期循循善誘，庶免躐等之失。後者強調孔子居朝，與下大夫言談，和氣而歡樂；與上大夫[58]言談，中理而正當，所謂「上交不諂，下交不瀆」[59]是也。至若君王視朝之際，則舉止恭敬，威儀安舒。凡此，皆可證孔子居朝，言語、禮節，中規中矩，恰到好處。又如：

> 子曰：「可與言，而不與之言，失人；不可與言，而與之言，失言。知者不失人，亦不失言。」（〈衛靈公〉，卷8，頁228）

> 子曰：「君子不以言舉人，不以人廢言。」（〈衛靈公〉，卷8，頁232）

以上兩則記載，前者強調遇見可切磋道德學問者，應適時與之談論，俾增長學行，一旦錯過，即是「失人」。反之，遇見無益學行，不可與言者，若與之交談，徒費脣舌，即是「失言」。必也不「失人」，亦不「失言」，方稱智者。後者則強調萬不可憑能言善道，即薦舉用人，以「有言者，不必有德」（〈憲問〉，卷7，頁208）。然無德之人，倘有一言可採，亦不必因人廢言。《詩經・大雅・板》載云：「先民有言，詢

---

58 《禮記・王制》載：「王者之制，祿爵：公、侯、伯、子、男，凡五等。諸侯之上大夫卿、下大夫、上士、中士、下士，凡五等。」（見《禮記注疏》，卷11，頁212）

59 按：此語出自《周易・繫辭下》（臺北：藝文印書館《十三經注疏》本，1976年），卷8，頁171。

於芻蕘」；[60]割草，打柴之人，猶堪相詢，況乎言有可採者乎？

末則舉因時擇言之記載如次：

> 孔子曰：「侍於君子有三愆。言未及之而言，謂之躁，言及之而不言謂之隱，未見顏色而言，謂之瞽。」（〈季氏〉，卷8，頁241）

此則就隨侍君子易犯之三過失，提出勸誡：君子未及相詢而急於言說，斯乃心浮氣躁之失；君子言已相詢而吞吐不言，斯乃隱匿實情之失；不觀君子顏色而逆意妄言，斯乃囂張瞎扯之失。然則當何準而言之？「時然後言，人不厭其言」（〈憲問〉，卷7，頁211）是也。

三　結語

本文係就孔門「言語」科之教養，分慎言自律、言而有信、言可踐行、切忌妄言、學詩言志、進言遂諫、擇言達意等七節，彙整《論語》所載資料，舉例析論，爰就所得，總結如次：

就慎言自律論之，本文先闡述慎言之要義，再舉孔子「時然後言」、顏回聽言終日「不違如愚」為例，以證慎言之可貴。次則論及一言可喪邦、可興邦，可不慎乎？至於孔子罕言、不言，甚至不必多言之事，亦附論於此。

就言而有信論之，本文先強調「民無信不立」，復申言「信」為行「仁」之五種修為之一，並為判斷「士」與「成人」之準則。末則強調「信」必近於「義」，方為可行，若墜入尾生抱柱之信，終不可取也。

---

60 〔漢〕毛亨傳，鄭玄箋，〔唐〕孔穎達疏：《毛詩正義》，卷17之4，頁633。

就言可踐行論之，本文先強調慎行寡悔、納言敏行之重要，而後舉子路問孔子為政奚先、子張問行兩例，申論君子於其所不知，必「蓋闕」勿言；唯「言忠信，行篤敬」，方能行諸四海。次舉宰予「晝寢」、魯大夫季孫行父「三思而行」兩例，確立「聽言觀行」、「務窮理而貴果斷」之原則。末則視「天何言哉，四時行焉，百物生焉」，為「行」之最高境界。

就切忌妄言論之，本文彙整得知，孔子最痛斥五類人士：其一，巧言、令色、足恭；其二，禦人以口給；其三，利口覆家邦；其四，稱人之惡、居下流而訕上、勇而無禮；其五，道聽塗說。此中一、四兩項之內容，亦兼及逞口舌之人，凡進德修業者，可不戒慎乎！

就學詩言志論之，本文先以陳亢問孔鯉「子亦有異聞乎」一段記載為例，強調該記載，除「聞君子之遠其子」一得外，尚有「聞詩」、「聞禮」兩得。而後就「聞詩」一項，予以論述，既見孔子對孔鯉之期待；亦見讀書人學詩，不惟能形之於口，言志之所之，亦可於行文之際，舉詩論證。至若士大夫善學詩，在位從政，必能敦倫教化，政通人和；出使之際，亦能善盡「專對」，承擔大任。如此詮解，方能探得「不學詩，無以言」之真諦。

就進言遂諫論之，見諸《論語》記載，可見對象不同，運用之技巧亦有別：對父母，以「幾諫」為上，未能如願，「又敬不違，勞而不怨」；對朋友，忠告善導，不可則止，「朋友數，斯疏矣」，況自辱乎；居家邦，視有道、無道，採適當言、行予以應對；對君王，勿欺犯諫為忠，若「事君數，斯辱矣！」可不戒慎！然遇暴君，面臨家國存亡關頭，不惜以死諫諍，或佯狂為奴，不仕不食，如殷之三仁、伯夷、叔齊，孔子亦予以高度肯定，所謂「求仁得仁」是也。

就擇言達意論之，凡言語欲求辭達，必因事、因地、因人、因時，善擇言表意，方見修養工夫。如孔子「詩、書、執禮」，皆採

「雅言」；於鄉黨恂恂然，於宗廟朝廷便便言；與下大夫侃侃言，與上大夫誾誾言，君在則踧踖如、與與如；甚而升車執綏，不內顧，不疾言，不親指，皆是其例。此外，對於中人以上、中人以下，與夫可與言、不可與言者，孔子或因材施教，或移樽就教，端賴學者善傚之。次則強調不可憑能言善道薦舉人，然亦不必因人廢言，如有一言可采，詢之芻蕘又何妨。至若因時擇言，則以躁、隱、瞽為戒，而以「時然後言」為可貴。

參考文獻

一　古籍

〔魏〕何晏集解，〔宋〕邢昺疏：《論語注疏》，臺北：藝文印書館《十三經注疏》本，1976年。

〔南朝梁〕皇侃撰：《論語義疏》，北京：中華書局，2013年。

〔宋〕朱熹撰：《四書章句集注》，臺北：臺灣大學出版中心，2016年。

〔宋〕朱熹集註，〔民國〕蔣伯潛廣解：《廣解四書讀本・論語》，臺北：商周出版公司，2011年。

〔戰國〕左丘明撰，〔晉〕杜預注，〔唐〕孔穎達正義：《春秋左傳正義》，臺北：藝文印書館《十三經注疏》本，1976年。

〔漢〕公羊壽傳、何休解詁，〔唐〕徐彥疏：《春秋公羊傳注疏》，臺北：藝文印書館《十三經注疏》本，1976年。

〔漢〕毛亨傳、鄭玄箋，〔唐〕孔穎達疏：《毛詩正義》，臺北：藝文印書館《十三經注疏》本，1976年。

〔漢〕鄭玄注，〔唐〕陸德明音義、孔穎達疏：《禮記注疏》，臺北：藝文印書館《十三經注疏》本，1976年。

〔漢〕鄭玄注，〔唐〕賈公彥疏：《周禮注疏》，臺北：藝文印書館《十三經注疏》本，1976年。

〔魏〕王弼注，〔唐〕陸德明音義、孔穎達疏：《周易正義》，臺北：藝文印書館《十三經注疏》本，1976年。

〔唐〕玄宗御注，〔宋〕邢昺疏：《孝經正義》，臺北：藝文印書館《十三經注疏》本，1976年。

〔宋〕朱熹撰：《詩集傳》，臺北：中華書局，2019年。

〔漢〕許慎撰，〔清〕段玉裁注：《說文解字注》，臺北：藝文印書館，1970年。

〔漢〕司馬遷撰：《史記》，臺北：鼎文書局，1986年。

〔漢〕班固撰，〔唐〕顏師古注：《漢書》，臺北：鼎文書局，1986年。

〔元〕脫脫等撰：《宋史》，臺北：鼎文書局，1978年。

〔唐〕楊倞注，〔清〕王先謙集解：《荀子集解》，臺北：藝文印書館，2007年。

〔唐〕韓愈撰，〔民國〕馬其昶校注，馬茂元整理：《韓昌黎文集校注》，上海：上海古籍出版社，1986年。

〔明末清初〕馮夢龍撰：《醒世恆言》，臺北：光復書局，1998年。

二　今人著作

李炳南撰：《論語講要》，臺中：臺中市佛教蓮社，2013年。

林語堂撰、張振玉譯：《論孔子的幽默》，臺北：金蘭文化出版社，1984年。

傅佩榮撰：《原來孔子這樣說》，臺北：九歌出版社，2010年。

傅佩榮撰：《孔子的生活智慧》，臺北：洪建全基金會，2005年。

潘銘基撰：《孔子的生活智慧》，香港：匯智出版有限公司，2011年。

王溢嘉、嚴曼麗合撰：《論語雙拼》，臺北：野鵝出版社，2014年。

陳鼓應撰：《莊子今註今譯》，臺北：臺灣商務印書館，2015年。

林耀潾撰：《先秦儒家詩教研究》，臺北縣：花木蘭出版社，2008年。

周振甫撰：《中國修辭學史》，北京：商務印書館，1991年。

陳光磊、王俊衡撰：《中國修辭學通史》，長春：吉林教育出版社，2001年。

三　學位論文

郭庭芳撰：《春秋時期《詩經》之實用與傳播研究》，臺南：國立成功大學碩士論文，2020年。

劉鴻典《村學究語》之教學理念研究

芮禕然
威爾士三一聖大衛大學漢學院畢業校友

摘要

劉鴻典，清代眉州的博學名士，師承「川西夫子」劉沅，為其師整理了多部晚年作品。作為槐軒學派傳人之一，劉鴻典崇尚以儒道匯通作為教學創新形式；雖重儒學，亦強調因果教育。劉鴻典棄官回鄉從教，畢生授徒，著書傳世，為當地不可多得的教育家。《村學究語》即劉鴻典訓蒙數十年，甘苦親嘗，清夜自思，總結出的教育理念。

本文首先探析劉鴻典時代背景、傳承以及個人生平經歷，以了解其教學理念之淵源；再通過文獻歸納法，深入《村學究語》一書，探究著者對教學的理念及規劃。從為師原則和教學角度兩個層面分析，總結出書中的為師原則主要分為「至要修身」、「平等公正」和「陪伴監督」三個方面；而教學的側重點則可歸納為「正心」、「正行」、「正見」和「正志」四個角度。其中也藉由比較法，類比本書與陳宏謀《養正遺規》中收錄的蒙學文章相比有其獨特之處。具體表現在他尤其強調為人師長的自我審查和自我要求，以及對學生在孩童時期的因果教育，此皆其教育觀的特色。最後，嘗試提出幾點針對當代童蒙教育現狀的現實建議，以期更深入了解清代塾師劉鴻典之教育理念的同時，對現代教學環境下的童蒙教育也能有所啟發和借鑒。

關鍵詞：劉鴻典、村學究語、童蒙教育、因果教育

A Study of the Teaching Philosophy of Liu Hongdian's *Cunxue Jiuyu*

Yi-ran Rui

Alumna of the Academy of Sinology, University of Wales Tinity Saint David

Abstract

Liu Hongdian, a learned scholar from Meizhou in the Qing Dynasty, studied with Liu Yuan, the Master of Chuanxi, and collated a number of his later works for his teacher. As one of the inheritors of Huaixuan School, Liu Hongdian advocated the integration of Confucianism and Taoism as an innovative form of teaching; although Confucianism is important, he also emphasised the education of cause and effect. Liu Hongdian gave up his official position and returned to his hometown to teach. He taught students all his life and wrote books for generations to come, making him a rare educator in the area. *Cun Xue Jiu Yu* (村學究語) is the educational philosophy of Liu Hongdian, which he has learnt from his decades of training the students, and which he has learnt from his own experience and self-reflection.

In this paper, we firstly analyses the background of Liu Hongdian's time, heritage and personal life experiences to understand the origins of his teaching philosophy; then through the method of literature induction, we delve deeper into *Cun Xue Jiu Yu* (村學究語) to explore the author's philosophy and planning of teaching. From the analysis of the principles of being a teacher and the teaching perspectives, I have concluded that the principles of being a teacher in the book are mainly divided into three aspects, namely, "to cultivate one's moral character", "equality and fairness", and "accompanying and supervising"; while the teaching perspectives can be summarised into four perspectives, namely, "correct heart", "correct behaviour", "correct opinion" and "correct aspiration". By way of comparison, this paper also analyses the uniqueness of this book in comparison with the monastic writings contained in Chen Hongmou's *Yangzheng Yigui* (養正遺規). This is demonstrated by his emphasis on self-examination and self-discipline as a teacher, as well as the teaching of cause and effect to students in their childhood, all of which are characteristic of his educational perspective. Finally, I would put forward a few practical suggestions to address the current situation of children's education, in order to gain a deeper understanding of the educational philosophy of Liu Hongdian, and at the same time, to inspire and learn from the children's education in the modern teaching environment.

Keywords: Liu Hongdian, *Cun Xue Jiu Yu* (村學究語), Children's Education, Cause and Effect Education

一　前言

近年來，中國大陸地區，隨著對中華傳統文化的重視與提倡，「國學熱」持續升溫[1]，已逐漸成為一種社會文化現象。而這一趨勢同樣體現在國民教育上，從二〇一五年九月起，在新修訂的初中語文教材中，國學篇章所占比重由過去百分之二十五提高至百分之三十五。[2]中國傳統教育逐漸成為教育領域不能繞開的議題，再次進入大眾的視野，為人所重新審視和思考。

所謂教育，《禮記學記》有載「教也者，長善而救其失者也」[3]；《說文解字》定義「育，養子使作善也。」[4]以之為手段，根本目的在於培養學生的德行與才能，使其改過、改習，直至「止於至善」。凡事慎於始。教育在某種意義上與中醫異曲同工，如《黃帝內經》記載，「聖人不治已病，治未病，不治已亂，治未亂。」[5]習氣和過失若能在最初予以矯正，並施以正向引導，甚至防患於未然，則教育之效顯矣。因此，《周易》有言「蒙以養正聖功也」[6]，「養正」是「童蒙」的目標，「童蒙」則為「養正」的起點。中國傳統蒙學教育以德

1 《為什麼「國學熱」逐漸升溫？》，資料來源：人民網時政，2019年10月29日，檢索日期2023年5月27日，http://politics.people.com.cn/n1/2019/1029/c429373-31425661.html

2 《國學內容進教材：中學語文國學比重或增至35%》，資料來源：京華時報，2014年11月，檢索日期2023年5月27日，http://www.chinapolicy.net/bencandy.php?fid-77-id-41129-page-1.htm

3 〔清〕孫希旦撰：《禮記集解》（北京：中華書局，2019年），中冊，頁967。

4 〔漢〕許慎撰，〔宋〕徐鉉校定：《說文解字》（北京：中華書局，2014年），下冊，頁1220。

5 〔唐〕王冰注，〔宋〕林億等校正：《重廣補註黃帝內經素問》，收入《四部叢刊初編》第357-361冊（景印上海涵芬館藏明翻北宋本），卷1。

6 黃忠天：《周易程傳註評》（高雄：高雄復文圖書出版社，2017年），頁49。

為先，從灑掃應對、倫理綱常開始，進而教授讀書識字、算數應用等技能性知識，藉由這些生活和文化常識，培養兒童德行與文化的根基，其重要性不言而喻。

師不易為，蒙師尤不易。中國自古不乏蒙學教材，亦不缺訓蒙者，但能「得之於心。徵之於事。本於禮樂詩書。達之家國天下」[7]的通達之師則可遇不可求。當知「人才之盛衰。由師道之得失。」[8]欲培育德才兼備，經世致用之才，得遇良師指引尤為關鍵；反之，若蒙師非其人，從最初的指引即產生偏差訛誤，則如「傷仲永」類悲劇恐難倖免，更何況尋常學子呢？而良師並非唾手可得，自應有端方人品和豐富學識，輔之以善啟、善導的教育方法，令學生在孩童時期少成若天性，為其鋪就一條實現生命價值的路基。

滿清三百年間，是中國學術史極其燦爛的時期，學識淵博且從教經驗豐富的教育家頻出不窮。[9]劉鴻典（1813-1888）棄官從教數十載，與蒙學相關著作有《村學究語》、《訓蒙草》，對童蒙教育頗為深入。劉鴻典所纂輯《村學究語》是本文的研究核心，但此書於現代鮮為人知，目前傳世版本有同治威遠縣呂仙岩本，及民國簡陽龍泉寺輔仁書局本。筆者在搜尋過程中，僅一篇碩士學位論文《劉鴻典與〈莊子約解〉研究》[10]與之相關，其中關於劉鴻典生平及思想的論述，對本文亦有一定參考價值。然有關《村學究語》的研究目前尚處空白階段。

---

7 〔清〕賀長齡：《皇朝經世文編》（光續十三年校印本 廣百宋齋版本，哈佛燕京圖書館影印），卷6。

8 〔清〕賀長齡：《皇朝經世文編》，卷6。

9 陳青之以為其學術之燦爛關鍵在於學術勢力甚大，性理學派、考證學派、今文學派及古文派，每一勢力都足以演成學風。他在書中列舉諸多治學途徑不同，但教學經驗豐富，且教學理論突出的教育家。詳參陳青之：《中國教育史》（長春：吉林人民出版社，2012年），頁465-467。

10 解成雨：《劉鴻典與〈莊子約解〉研究》，南京：南京師範大學碩士學位論文，2020年。

劉鴻典師承「川西夫子」劉沅（1768-1855），亦著有童蒙教材《蒙訓》。學界不乏對槐軒學派及劉沅的研究，但僅兩篇與《蒙訓》相關，分別為《淺論學者劉沅的〈蒙訓〉》[11]，及《清代川西儒者劉沅〈蒙訓〉思想析論》[12]。無論強調為學應遵從聖人之心，修養品德操守；抑或具備儒士涵養，謙遜不爭，不敢為天下先，[13]劉鴻典與其師都有一脈相承之共通處。而《村學究語》著書緣起如序言所記「今門人又多訓蒙者，以為老馬知途，一再三請，爰書此編以授之」。[14]可惜門下弟子們未留有訓蒙方面著作，故無從考究。但學派弟子任教辦學，為傳統國學教育的弘揚起到推動作用，如抗日戰爭前後時期創辦的志景書院、成都萬世書院；李澤仁、張泰賢、陳華鑫等人在成都各校講學。綜上，《村學究語》乃槐軒學派童蒙教育方面，承上啟下之作，言顯理微，足資啟發。

本論文之目的，旨在填補這一研究空白。一則了解清代中晚期蒙學思想概況之下，劉鴻典何以通過鄉塾教學的模式，作育菁莪，宣道闡學，傳承槐軒學派思想；再則透過對此書的深入探討，傳達劉鴻典童蒙教育理念的價值性和適用性，以此提供現代從教者及兒童啟蒙教育者思考和借鑒。

---

11 張紹成：〈淺論學者劉沅的《蒙訓》〉，《蜀學》第5輯。

12 李建德：〈清代川西儒者劉沅《蒙訓》思想析論〉，《東吳中文學報》第43期（2022年5月），頁119-146。

13 劉沅在《蒙訓》一書中自謙「以訓兒曹，不敢告天下」，劉鴻典以「村學究語」為題，自鄙淺薄，序言中言「不過鄙儒之管見，抑亦一家之私言也。若大雅君子，安取乎此！」可見一斑。

14 〔清〕劉鴻典：《村學究語》（槐軒學派稀見叢書之一，2017年），經與槐軒門人確認，此本排印自同治威遠縣呂仙岩本，頁2。

二　劉鴻典教育思想淵源

（一）時代背景

從整體當代教育背景而言，清代科舉制度興盛，朝廷官員的任命並不局限於世家大族，寒門子弟有真才實學者皆可通過科考之路入仕晉升。雖門路大開，但「國家教育傾向，重科第而輕學校；及一般淺嘗之士捨棄一切實學而日讀八股習小楷，以獵取『科第』，則較明代更甚。」[15]在中央集權的政治前提影響下的教育管理模式，以及以選拔御用學士為目標的考核形式下，學校教育逐漸放棄實學，趨於具文。

「學而優則仕」，學校肩負著為科考輸送人才，為朝廷孕育新銳之地，是整個國家及時代的搖籃。除中央國子監外，朝廷根據區域設立了府學、州學、縣學（統稱儒學）及書院；地方上，義學亦頗興盛。雍正元年頒佈詔令「各直省現任官員自立生祠、書院，令改為義學，延師收徒，以廣文教。」[16]與傳統意義上官紳士大夫資助承辦的義學不同，清代義學由朝廷支持設立，其職能從起初專為旗人教習清語、蒙古語和馬步箭之地，逐漸發展為提供貧寒學生免費學習的基層教育機構。[17]

根據所授對象年齡與所授知識難易的程度，義學又劃分為蒙館和經館。劉鴻典所在蒙館，即專招收文化程度較低的兒童，教授內容為識字、習字和文化常識等。義學雖不直接隸屬朝廷管轄，但朝廷卻有監督教學成果之責。禮書每年年初至各處義學查取館冊，考察各地學館中講師之勤墮和學生之賢愚。若發現講師在德行與教學方面有不正

15 陳青之：《中國教育史》，頁466。

16 熊承滌：《中國古代教育史料系年》（北京：人民教育出版社，1991年），頁787。

17 陸韌、于曉燕：〈試論清代官辦義學的性質與地域特點〉，《歷史地理》第22輯。

行為，則罷免後由副取講師代替，對仍不合格者稟官辭退。除一年一度的督學活動外，選聘之初，對蒙師的聘任標準也有一定要求。學歷方面，蒙師至少是取得「生員」及以上身份的讀書人。[18]例如同屬於四川行省的重慶府，在合川，廩生和附生可在蒙館任教；而在臨近的綦江，則通過考試選取正副教師各一名。[19]品行方面，順治九年《欽定學政全書》六十四記載塾師選聘標準為「文意通曉，行宜謹厚。」《義學條規》也有「正心術，修孝悌，尚廉節，肅威儀，以為立教之本。」[20]此外，村塾師所得束脩極低，尚且糊口而已。鄭板橋所寫〈教館詩〉[21]，即生動刻畫了當時塾師生活困窘的情形，及師道漸衰的社會現象。清代塾師多以扎根民間的落第文人為主，既無統一的從業規范和培訓，也缺乏生活保障和職業保障，塾師階層逐漸形成鬆散無序的普遍狀態。

清代重科舉，學校教育自然偏離實際應履行的教育本質。兒童進入蒙館，無非為了日後進入經館，而後投考儒學做學前預備；抑或白日學於館內，由蒙師看顧、教導，只待尚啟蒙畢，獲取基本生存技能後便棄學歸家，繼承農工商賈。蒙館中無論師資普遍素養、薪資待遇，抑或學生和家長的配合與重視程度，皆低於其他學校。劉鴻典觀察到其中積弊，以為「世風之日下，未必不由蒙師之養正無術，有以致之也。」[22]因此蒙館之教學實況，也難免出現如乾隆年間華喦所繪《村童鬧學圖》中，塾師酣睡，孩童嬉鬧的場景了。

---

18 劉靜芳：《科舉制下的明清蒙學研究》（石家莊：河北師範大學碩士學位論文，2009年），頁38。

19 劉天宇：《重慶地區清代私學研究》（重慶：重慶師範大學碩士學位論文，2016年）。

20 滕志妍：《明清塾師研究》（蘭州：西北師範大學，2006年），頁24。

21 「教館本來是下流，傍人門戶度春秋。半飢半飽清閒客，無鎖無枷自在囚。課少父兄嫌懶惰，功多子弟結冤讎。而今幸得青雲步，遮卻當年一半羞。」

22 〔清〕劉鴻典：《村學究語》，頁1。

（二）槐軒學派

劉鴻典作為劉沅弟子，槐軒門人，深受其師影響，而此番影響不僅體現在學術、著書上，教學理念亦可處處窺見劉沅的思想。劉沅，四川成都雙流縣人，清代思想家和教育家。學術思想上不同於程朱理學，追求發覺孔孟之道的原典精神[23]，於是自成槐軒學派。學派宗旨為「歸宗老孔聖學以明身心性命之理、盡人合天之道，體證天良一貫以契日用倫常之本、成人成己之源，並以大學實功教人。」[24]

今人李學勤以「一本儒宗，兼通二氏，影響深遠」[25]來形容劉沅，十分貼切。根據劉沅四世孫劉伯谷總結，槐軒學派的基本觀點大致分為三點：中正仁義、復性和成己成人。[26]劉沅以孔孟聖賢為正宗，並按照自己的見解系統註解儒家經典，可見「一本儒宗」之特點，同樣也是劉鴻典在訓蒙過程中不斷強調為師者修身為本，而後長善救失的思想依據。此外，劉沅主張儒道一體，三教同源，如〈槐軒約言〉中所述，「聖人各造其極，故曠世不謀而合」[27]，可見「兼通二氏」之特點。劉鴻典提倡因果教育，《村學究語》中先列〈太微仙君

23 此不同之處，例如對心性一說的理解，程朱以為以心為性，心性不二；但劉沅在〈子問〉中提出：先天為性，後天為心。新生兒從出生起，七情弗學而能，經教育而分善惡，性自此變為心。詳見劉伯谷：〈談談槐軒學說的基本觀點〉，《紀念劉沅250週年誕辰》2018年第5期，頁22-23。此外，劉沅認為理學派將道說得太遠，將以「天下事務不能盡知，亦不必盡知」反對即物窮理的概念，對理學道統論、知行觀及其流弊都有提出駁論。詳見蔡方鹿：〈劉沅對理學的批評〉，《中國哲學史》2011年第4期，頁66-72。

24 雙流縣社會科學界聯合會，雙流傳統文化研習會：《槐軒概述》（上海：上海科學技術文獻出版社，2015年），頁3。

25 〔清〕劉沅，段渝、李誠主編：《槐軒全書（增補本）》（成都：巴蜀書社，2006年），第1冊，頁2。

26 劉伯谷：《談談槐軒學說的基本觀點》，頁22-23。

27 〔清〕劉沅，段渝、李誠主編：《槐軒全書（增補本）》，第10冊，頁3693。

為師功過格〉，後附文〈袁了凡先生立命篇〉和〈俞靜意先生遇灶神記〉，應是繼承劉沅儒道匯通的思想，並將其融入於教學。

劉沅重視教育和傳承，躬親授徒，主張追尋儒釋道最高境界，即儒學聖，道學仙，釋學佛；並強調斷不可好高騖遠，一切天理良心皆不離日用倫常。〈國史館本傳〉記載劉沅

> 平日裁成後進，循循善誘，著弟子籍者，前後以千數；成進士、登賢書者，百餘人；明經貢士，三百餘人；熏沐善良，得為孝子、悌弟，賢名播鄉閭者，指不勝屈。[28]

此外，劉沅曾被譽為「川西夫子」、「塾師之雄」，作《蒙訓》為童蒙教材，收錄於《槐軒全書》。其中序言云「童子初識字，俗沿教以《三字經》，亦為簡明，但惟導以求名，殊非聖人養正之道。」[29]後又有「必有聖賢師，人才始超軼。」[30]可見劉沅不僅關注蒙學，更是提倡童蒙養正，應從小導之以道義，教之成聖賢，非告之以識字算數等常識，便可草草了事。雖自明朝始素有「我若有道路，不做猢猻王」[31]的說法，但有師若此，桃李不言下自成蹊，劉鴻典選擇棄官從教，槐軒學派門人亦多從事訓蒙，蓋多受其思想及身教的影響。其所受影響如何體現於教學思想，下文將詳敘述。

（三）生平概述

劉鴻典，字寶臣，眉山龍安堡人。家中世代務農，幼失怙恃，雖

28 〔清〕劉沅，段渝、李誠主編：《槐軒全書（增補本）》，第1冊，頁6-7。

29 〔清〕劉沅，段渝、李誠主編：《槐軒全書（增補本）》，第10冊，頁4019。

30 〔清〕劉沅，段渝、李誠主編：《槐軒全書（增補本）》，第10冊，頁4030。

31 〔明〕郎瑛：《七修類稿》（臺北：新興書局，1983年），頁400。

家貧不足以使其輟，更發奮讀書，並拜劉沅和李西漚[32]為師，並得其真傳。咸豐元年（1851）登科中舉，授課於眉山書院，繼而又在富順、自流井、威遠、呂仙岩等地設帳講學。因教績斐然，擢升為順慶府西充縣教諭，任六年；又因教化有方，右遷為廣東雷州府徐聞縣知縣，廉明果斷，卓有政聲。後因辦一起土豪強姦案時不畏強權，秉公執法，遂解任離開，當地士林為之賦詩踐行，以表惋惜。自此，劉鴻典決意效仿蘇東坡和陶淵明歸隱故鄉，終身不仕，重操舊業以授書為生，曾作《和歸去來兮辭》，借鯤鵬逍遙之心以明其志。劉鴻典後半生足不履世，盡心授徒，研究學問，於古稀之年壽終。[33]平生著書計有《思誠堂古文》二卷、《古詩》一卷、《莊子約解》四卷、《楞嚴經贅解》四卷、《村學究語》一卷、《醒迷錄》一卷、《訓蒙草》一卷、《指月錄評》十卷及《稗鈔》二卷，另有其弟子顏續將劉鴻典日常言行，彙編整理而成的《遺訓存略》一卷。

對於劉鴻典辭官一事，在同治十二年九月初三（1873年11月14日）的《申報》中顯示是由於未能完成當年賦稅而被罷，[34]這與地方志的記載有所矛盾，此處存疑。而根據顏續《遺訓存略》中記載，「師作廣東徐聞知縣，以強姦案持正撤省，當道示意令往謝過，仍使回任，師不肯，云：『我並無過，從何認過？』乃拂袖而去。」[35]劉鴻典拒絕當權者的建議，不肯謝罪免過，自請離開。言之鑿鑿，與地方志記載一致，可備一說。

32 李惺，號西漚，四川省墊江縣人，清代教育家，從教數十年孜孜不倦，時有「天下翰林皆弟子，蜀中進士皆門生」之美譽。著有《老學究語》，但與劉鴻典《村學究語》性質不同，乃一卷勸善警言類文章。

33 〔民國〕王銘新等修，揚衛星，郭慶琳纂：《中國地方誌集成　四川府縣志輯》（成都：巴蜀書社，1992年），卷39，眉山縣志，頁675。

34 解成雨：《劉鴻典與〈莊子約解〉研究》，頁4。

35 〔清〕劉鴻典《遺訓存略》，凝善堂光緒丙午年刻本，頁70。

蔣純焦在《一個階層的消失·晚清以降塾師研究》中提到，已做官而被罷黜，或自行退出，告老賦閒者，在社會上有一定名聲和威望，居於塾師上層。他們無論選擇自行設館，抑或被聘為西席，大多收入較高，衣食無憂。[36]如清人陳芳生（1642-？）所言：「儒者不為農工商賈，惟出仕與訓蒙而已。出仕不可必得，訓蒙乃分內事。」[37]以劉鴻典早年官場生涯及教學著書數十年的經歷來看，選擇從教，其目標當為傳授道德學術，以延綿道統為己任。在《村學究語》自序中可知，著書時劉鴻典已訓蒙數十年，推斷為晚年受眾門人多番請命所做。憑其為人端方嚴明，賢良豁達，以及畢生的教學經驗，此書之價值當為訓蒙者重審並重視。

三　劉鴻典教育理念概述

《村學究語》除序言即兩篇附文外，共計十八章節，分別為「師宜自審」、「師宜自重」、「耐煩為主」、「發蒙便講」、「宜講因果」、「宜講世誼」、「宜具遠識」、「講授勿私」、「書宜熟讀」、「宜審強弱」、「宜辨良莠」、「大宜防閒」、「小宜護惜」、「不可離館」、「不可執迷」、「檢點言語」、「敬重書籍」和「頂禮聖人」。其中囊括劉鴻典授業生涯的教育理念及方法，及親身見聞之教學積弊，其中不乏事例佐證，輯其精而總結如下：

---

36 蔣純焦：《一個階層的消失·晚清以降塾師研究》（上海：上海世紀出版集團，2007年），頁26。

37 陳芳生：《訓蒙條例》，《叢書集成續編》（上海：上海書店，1994年），第78冊，頁719。

（一）為師原則

1　修身為要

「教，上所施，下所效也。」[38]一語道出教學的關鍵在於老師自身修養之高下和學問之深淺。蒙師選聘雖有品行考察，但僅寥寥數句，且描述寬泛，真實修養如何，更憑自我約束。以己之昏昏而使人昭昭，未可能也。劉鴻典首先強調「師宜自審」，此又分為任職之前和任職之後的兩番審查。任職之前，無論自設蒙館抑或被聘西席，劉鴻典效仿孔子每日三省，制定「為師三省」，即「果然文理通順否？我之為人，果然行止端方否？我之訓蒙，果能終一年局，不至半途而廢否？」[39]在受人之托前自我審查，從學識、德行和恆心三方面，以明確「慎始」的原則。不因教授對象為孩童，想當然以為容易勝任而草率應承。其中第三問，將恆心定作一年之期，實為底線。按照禮教，每年開館散館俱開設酒席，散館宴席一則為總結老師和學生當年的表現，再則確認下一年老師和學生的去留。若席位空缺，學館可盡早安排，聘新任講師。[40]因此即便實際授課後遭逢變故，或心生異志，也應任滿期年，不至失信於人。任職之後，也不可輕忽，應時常捫心自問「我可為人師、不可為人師？」[41]若可為便應修身立品，認真誨人，若不可為則急急猛省，急急改圖。每日如此自查，則如履薄冰，不敢絲毫鬆懈自恕。甚至學生成名後，莫生欣喜誇耀之心，亦應自問「當日課此徒時，果然盡心盡力、無愧於師否？」[42]劉鴻典還警

38　〔漢〕許慎撰，〔宋〕徐鉉校定：《說文解字》，上冊，頁253。

39　〔清〕劉鴻典：《村學究語》，頁5。

40　劉天宇：《重慶地區清代私學研究》（重慶：重慶師範大學碩士學位論文，2016年），頁21-22。

41　〔清〕劉鴻典：《村學究語》，頁36。

42　〔清〕劉鴻典：《村學究語》，頁21。

示後生切勿以區區束脩斷人慧命，「生前尚不覺悟，直至閻羅殿上方才明白而已，悔之無及矣！」[43]可見除倡導因果教育外，劉鴻典同樣提倡蒙師以此約束自身發心及言行。

既受人之托便應忠人之事，劉鴻典旋即提出「師宜自重」，認為師道當嚴，但此「嚴」非嚴格之「嚴」，而是端嚴之「嚴」，即自重。歐陽修云「古之學者必嚴其師。師嚴然後道尊，道尊然後篤敬，篤敬然後能自守，能自守然後果於用，果於用然後不畏而不遷。」[44]持己不嚴，教人無術。若欲學子敬重師門，以便訓導；或有稚子遵而效法，勿令歧途，皆須將聖賢言語句句拉上己身，如銅鏡自照，檢點衣冠，以經典為標准自修，後以教人。詹何以修身答治國之策，治國之本若此，何況訓蒙？部分更為出名的童蒙著作與之相比，或有總結不夠全面，及內容不夠詳明細緻之疏漏。例如：清代張行簡同為蒙師，曾作〈塾中瑣言〉，其中亦論到「文人才士雖不必過學迂腐，但儼然為人師範，舉動間亦須稍自簡束，令子弟有所敬憚。」[45]〈塾中瑣言〉將有關訓蒙原則條分縷析，多懇切語；但與《村學究語》所論，又復過簡。朱熹曾作〈童蒙須知〉，對兒童起居、學習、禮節等方面詳細定規，為後人奉行。但文中並無一處指明為師之道應先做表率，此乃一憾。

具體如何自重，文中所引〈太微仙君為師功過格〉便有確切指導。劉鴻典認為自己所言不出於此，故冠為首篇，以為綱要。其中耐心訓童、講授開導等皆計一功至五十功不等；而「正身修德、為子弟

---

43 〔清〕劉鴻典：《村學究語》，頁36。

44 〔宋〕歐陽修撰、胡柯撰年谱：《歐陽文忠公集》，收入《四部叢刊初编》中第886-921冊（景上海涵芬楼藏元刊本），第15冊。

45 〔清〕石成金：《師范》，轉引自《國學教育輯要》（北京：民主與建設出版社，2015年），頁224。

倡」計百功，「學業不精、誤人子弟」，「不敦品行、子弟無所觀法」，「專尚文詞、不先德行」或「收人誠敬供養、怠於教誨」[46]計百過。蒙師重視自我修身的重要性，可見一斑。

2 平等公正

荀子云「公生明，偏生暗」[47]，村塾中孩童的年齡、性格和天資等不盡相同，須平等公正相待。而何為平，何為公？孔子有教無類，面對冉求和子路不同的人格特質，分別以「有父兄在」和「聞斯行之」應答，皆因「求也退，故進之；由也兼人，故退之。」[48]故蒙師之平等公正，並非一味追求一視同仁，盲目採用完全相同的對策。

就授課形式和授課頻率來說，劉鴻典認為教授勿私，應學不躐等，一堂坐論，大眾同聞，不以學生修金較重或為我子侄，而常講、私講。而授課內容方面，發蒙時教之以人倫正道，灑掃應對進退，也是一概而論。因功名簪纓並非人人必行之路，他途亦可發跡；而讀書只為學做好人，讀得一尺不如行得一寸，學生不必能文，但求日後實行。此外，劉鴻典根據學生之強弱、年齡和良莠不同，應對皆有所不同。

所謂強弱，即孩童稟賦天然參差。劉鴻典認為學生於幼年時記性偏重，思路漸開後悟性偏重，故孩子七歲至二十歲時當以熟讀經書為要。此處以讀誦為例，孩童中強者可令其終日誦讀，弱者則需誦讀一番，再歇息一番，斷不可一概施行，免誤人性命。人盡皆知教育須因材施教，但多數人以為童蒙時起點差距不大，待日後悟性漸開再做區

---

46 〔清〕劉鴻典：《村學究語》，頁3-4。

47 〔戰國〕荀子撰，王忠林注譯：《新譯荀子讀本》（臺北：三民書局，2009年），頁31。

48 程樹德：《論語集釋》（北京：中華書局，2017年），頁1016。

別，於是為夯實基礎，便在書院中製定統一的讀經標准，塾師們也多按標準施行，卻不知善巧變通。唐彪（1640-1713）在《父師善誘法》中提出：

> 字畢，令將昨日所教生書，讀二十遍。又令少息，再讀前日所教者二十遍。仍少息，再讀前一日所教者二十遍。又讀前二日者二十遍，總共一百十遍，連生書共讀五首。凡學生清晨一到書房，不許溫讀，即令其前背五首背起，連背至今早應背之書止，共背五首。是一首書，讀過五日，又背、帶背五日然後歇。是在學生口中習熟十日，可以永久不忘矣。[49]

此法對兒童讀誦經典固然有效，但卻忽略了個體間的差異，若記憶超群者，此法過於繁冗，而天資不足者，則或有欠缺。劉鴻典對誦讀未特別規定遍數及規劃，只務求「讀一本，務必得心一本」「讀一經，即終身受一經之益」，因此資性佳者可遍讀五經，不能遍讀者但求將所讀一二經融會貫通，亦有無窮妙用。文中又以同里專教誦讀的某先生為例，觀其勒令學生晚睡早起，瞌睡必重罰，使孩童精神多受摧殘，靈機盡喪，而鄉愚無知，反以為善教。[50]此類狀況並非特例，令人聞之慨然痛惜。

除天資有強弱之分，村塾之童的年齡和良莠亦不相仿。劉鴻典在文中雖有引李贄（1527-1602）所云，稱「鄉村散館只教十歲以下之童蒙，不必雜十六七歲者於其中。」[51]但實際情況卻並不總是如此理想，同一館中，年少者七八歲，而年長者或達十六七歲。槐軒學人雖

49 〔清〕陳宏謀：《五種遺規》（南京：鳳凰出版社，2016年），頁95。

50 〔清〕劉鴻典：《村學究語》，頁25-26。

51 〔清〕劉鴻典：《村學究語》，頁33。

認可心性一體，人性本善，但村塾學童家庭教育多缺失，且愚笨者眾而聰明者少，至年十六七仍在蒙館讀書，其學識水平及專注程度之弱可想而知。此類學童多半情識已開，不明義理，習染頗重，劉鴻典認為蒙師者應以防閒為主，時刻查點，懇切開示；不令聚眾，以至互相影響，彼此墮落；不令小童與之狹處，防止胡言穢語，引開情識。面對學館中小童，則應多加護惜。若能體會為人父母者托孤寄命般心情，則蒙師自然視其如幼子，生憐愛仁慈之心，謹防大者肆為欺凌。而對良莠不齊的現象，則視其馴善和桀驁之不同，寬嚴並濟，夏楚輔之，徐徐化導。劉鴻典雖不提倡教刑，但也並非一概不撻，乃「先教之不從而後撻之也」。[52]

蒙師於相上看來，與學童應對雖有種種差別，但根本上以盡職盡忠，化導學童，改過遷善，用心講學為原則。上無愧其父母祖先，下為學童來日之德行學業負責，實為真正平等公正。

3 陪伴監督

劉鴻典對蒙師的職業要求還有敦倫盡分，常在館內陪伴監督，體現於「不可離館」一章。「館」的概念，在清代私塾大致分為散館和專館兩種。散館或稱門館、私館，指塾師以自己家宅，或租賃而來的公館為教育場地，招收附近學童前來就讀；專館也稱為坐館，由當地官紳豪富之家單獨聘請老師來家中設館，專教自家宗族或親友的子弟，若塾師和東家首肯，也可同時招收少量學童附讀。[53]因專館多設在家中，自有父母長輩行約束之責，蒙師偶爾有事離開也無甚大礙，故此章節文中所稱之「館」多指散館。

曾有雙邑板橋村中鄉館不見塾師，童子嬉鬧重壓直至身死；又聞

52 〔清〕劉鴻典：《村學究語》，頁27。

53 吳洪成、張闖：《重慶的學校》（重慶，西南師範大學出版社，2008年），頁204-211。

某秀才午間離館遊玩，童子因無人看顧，墜樹而亡，[54]皆劉鴻典親身見聞之實例，以證蒙師離館為大忌。劉鴻典認為，訓蒙者十分精神要用七分在學生身上，若停館課而助人行善，或尚在備考之士兼任蒙師，終日在館卻只圖自己用功，皆偏離本職而不可取。該理念與唐彪卻不謀而合，《父師善誘法》有載，蒙師「督責之勞，耳無停聽，目無停視，唇焦舌敝……學生之言動宜時時訓誨，使歸於正也。」[55]朱察卿在〈送師塾沈子真序〉也記錄了蒙師沈子真當時在學館中認真執教的情景：

> 自旦至暮，生徒誦讀不休，子真亦誦讀不休。帳下不聞闌語，亦莫不敢窺門外者。或客至少間，必焚膏繼晷，以竟其功。漏下五鼓即起，蒼頭叩寢戶矣。[56]

可見蒙師在館的一大重要作用在於督學，若有要事不得不離館，宜先請學生歸家，待先生上館後再來。以在館為前提，前文所涉之防閑、護惜等方法，方有施行之處。

除監督學生誦讀及保障安全外，在館亦有陪伴之責。「先生日日講的善言，童子日日聽的善言」[57]，令習慣成自然，善根從此植固。而為師者既以身作則，使館中弟子心中有衡量標準，知聖賢經典之訓誨如何確切運用於待人處事接物，平日所讀文章亦有老師垂範演繹，心中肅然生敬，無需旁人督促，便是不敢放肆之根。朱熹曰：「入道之門，是將自身入那道理中去，漸漸相親，與己為一。」[58]倘若塾師

54 〔清〕劉鴻典：《村學究語》，頁34。

55 〔清〕陳宏謀：《五種遺規》，頁96。

56 《四庫全書》，影印萬曆六年朱家法刻增修本，集部第145冊，頁642。

57 〔清〕劉鴻典：《村學究語》，頁8。

58 〔宋〕張洪、齊熙：《朱子讀書法》，收入《欽定四庫全書‧子部一‧儒家類》，卷2。

常不在館，或在館而不問事務，學生只知書本學問，卻不知如何行出來，於弟子道德品行並無實益，長此以往恐落入空談學問的誤區，隱患始生。

（二）教學原則

「教學」一詞並非自古就有，兩個字具有同源性，分別代表學習過程中的兩方緊密相連的活動，最早構成同一詞連用見於《尚書・兌命》。[59]現根據《村學究語》中劉鴻典所論教學方法的部分，分析其教學原則如下：

1　正其志

學貴立志，志立則目標定，無論起點何在，途徑何處，因方位立定，始有動力。王陽明言：「志不立，天下無可成之事。雖百工技藝，未有不本於志者……已立志為君子，自當從事於學。凡學之不勤，必其志之尚未篤也。」[60]上至文武百官，下及平民百姓，皆因立志方得發起。學子讀書當志在聖賢君子，先修德行，後固學問，若無此志，難免流於庸俗。童子初入館中，知之甚少，全然一顆赤子之心，難有生而知天命者；村中父母見識淺薄，多以為讀書無非科考做官，或學得道理免遭人欺，深明大義且具遠識者鮮。故助子弟於初學時立志，蒙師責任最重。

既知立志重要，便應擇善志而立，勿悠閒隨意，或不應己機，耽誤終生。古代學館開學之日，

59 〔西漢〕孔安國傳，〔唐〕孔穎達疏，陸德明音義：《尚書注疏》，收入《文淵閣四庫全書》經部第54冊（臺北：臺灣商務印書館，1983年）卷9，頁11a。

60 〔明〕王陽明：〈教條示龍場諸生〉，收入《王文成公全書》（哈佛大學漢和圖書館珍藏版），卷26。

> 家長必須備齊香蠟和『贄敬』(禮封),領著身穿新衣的兒童到塾,焚點香蠟,先拜孔子次拜塾師。塾師受禮,對蒙童教誨幾句——大致發奮讀書、中舉揚名一類。[61]

據此描述,蒙師受禮時,多囑咐學生以科舉為目標,精進用功。陳宏謀按《滄洲精舍論學者》道:「世人所謂立志,志科名耳,志利祿耳。每子弟發蒙,即便以此相誘。故所夸才雋,不過泛濫於記誦詞章,而不復知孝悌忠信為何事。」[62]可見僅憑科舉中第為志,未免功利淺薄,於學生卻無長遠實益。蒙學教材《三字經》中,對孩童立志的勸勉為「幼而學,壯而行。上致君,下澤民。揚名聲,顯父母。光於前,裕於後。」[63]入學時先拜孔子,寓意以儒家聖人教誨為宗旨,後拜老師,則教學生懂得尊師重道,自此頂禮聖人,心存目標。劉鴻典對此嘗言:

> 《論語》開端一個「學」字,俗講云學讀書,未盡學字之義,當言學是學為善人,人必為善方算人,善到盡頭處便是聖人。如此開講,孩子方知讀書是學為善人之路,讀一年書,學一年善人,讀數年書,學數年善人。作詩作文,皆是學之枝葉,惟此學為善人,是真正根本,聖人以學教人,便是這個意思。[64]

學童無論科舉入仕,還是另謀他業,須得先做善人,此乃為學基本要務,卻是終身奉行之目標。劉鴻典遇天資聰明者,作狀元宰相

---

61 李紹先:〈清代四川私塾嬗變的曆史考察〉,《文史雜誌》2009年第3期(總第141期)。

62 〔清〕陳宏謀:《五種遺規》,頁6。

63 趙敏俐主編:《三字經》(北京:中華書局,2014年),頁49。

64 〔清〕劉鴻典:《村學究語》,頁42。

想；遇資性庸劣者，作將於他途發跡的福澤之人想。於師而言，不敢輕忽一人，心存敬畏而能尊重學生；於學生而言，根據其自身狀況合理教學，為其培養方向不同，早做規劃，教導時亦可有所偏重。童蒙立志，當因人而異，徐徐導之。

2　正其心

志已立定，蒙師還應正其心性，導其知見。村塾師往往以為孩童初學，只需識字讀誦，不求甚解，更有執拗者「必要四書讀完，讀到經書方可開講，甚有必要五經讀齊方可開講」。[65]然劉鴻典提倡「發蒙便講」，即開蒙時便講解經意，日積月累，總有一日幡然醒悟。具體做法如下：

> 為蒙師者，宜將讀過之書，擇其淺近者及時與之講解，以開其智慧，但徒空解，猶未能即明其理，而亦無益身心，惟將所講之書，證以日用常行之事，庶能領會記憶。[66]

蒙師於初啟蒙時，小至灑掃應對進退之禮，禮樂射御書數之文，大至孝悌忠信之道，禮義廉恥之防，皆應細細講授，令學生不僅知其然，更知其所以然，落實方有根基。

為正孩童之心，教授內容除所讀經典之外，劉鴻典還建議講授世誼。世誼即同門讀書之友，互稱世兄，以表敬重對方，自卑而尊人。子華使齊，冉子直以五秉贈其母；子路願車馬、衣輕裘，與朋友共。先賢如斯，皆因朋友位列五倫，同學受業於同門，如同胞弟兄。講此

65 〔清〕劉鴻典：《村學究語》，頁12。

66 〔清〕劉鴻典：《村學究語》，頁13。

大義，為同堂減少口孽，更使學生自幼便知朋友一倫之重。他日重聚，追敘交情仍在，尤有將伯之助。[67]

此外，劉鴻典教學理念的獨特之處還體現於提倡因果教育。因果即個人自身命運由善惡行為決定，種因得果，說明了宇宙萬事萬物之間的相互關係是由因果關係支配的。[68]槐軒學派主張三教一體，儒道匯通，講授因果順理成章成為劉鴻典對孩童啟蒙的重點之一。佛教淨土宗十三代祖師印光大師（1862-1940）認為，因果理論在儒釋道三教中，皆佔舉足輕重的地位。實際因果報應之論，早見於經部，儒教亦極重視，但因宋儒破斥因果之說，導致世人肆無忌憚，最終善無以勸，惡無以懲。[69]據此，於蒙館中講授因果，非但不曾違背儒家宗旨，反倒返璞歸真，尊重孔孟原意。

劉鴻典以為，因果類文章雖不列為主要科目，但擇空閒時可教之參讀。參讀教材為《太上感應篇》、《文昌帝君陰騭文》、《關帝覺世真經》、《功過格》及《遏慾文》，講解順序宜由淺向深，徐徐過度。而《功過格》不僅提供成人總結反省，蒙童亦可對照施行。蒙師講解時應以白話譬喻，俗事印證，務求學生明白義理。[70]孩童時善言尤易入，果能從小熏習，自然養成敬畏之心，何事可為，何事不可為，不必父母師長百般叮嚀，自身皆有敬畏之心而不敢縱。蒙學文章中似涉獵因果方面的極少，如《養正遺規》收錄歷代諸多童蒙文章及教材，然所錄未有一處涉及因果教育，其中或有陳宏謀尊崇理學之故，但也側面彰顯了劉鴻典因果教育理念的獨特性。

---

67 〔清〕劉鴻典：《村學究語》，頁17-18。

68 方立天：《中國佛教的因果報應論》，《中國佛教哲學要義》（上卷）（北京：中國人民大學出版社，2012年），頁312。

69 張利國：〈印光大師因果思想及其當代意義〉，《佛學研究》2016年第25期。

70 〔清〕劉鴻典：《村學究語》，頁14-15。

3 正其行

劉鴻典反對蒙師只顧就書講書，全然不顧體貼人倫事務。因此心上有悟，還需從事上練習，對於孩童的言行舉止，蒙師應教他規矩，教他禮儀。禮儀規矩的具體規範，在諸如《朱子童蒙須知》、《屠提學童子禮》、《弟子規》等文，所述皆十分詳明，《村學究語》中單列「檢點言語」和「敬重書本」，尤做強調。

檢點言語，首先從蒙師自身起謹慎對待、自我檢驗，方能影響學生，並對其履行約束之責。此處言語特指村話，類似《十善業道經》中所述「惡口」，或可理解為粗言躁語，邪言穢語。村民間多流行鄙陋之言，若不修防范，被孩童聽聞再散播至館中，口耳相傳，而同才極易互相受影響，言語不當可能導致惡口相誘，自損陰德；抑或早開嗜欲，犯弊短命或僥幸長大卻身體羸弱。在鄉間，雖難從根源處隔絕，但劉鴻典提倡「勿對之面講，禁其村語，禁其罵人」，[71]此外前文所談防閒，及盡量避免大小童聚談、雜處，意在對此有所設防。劉鴻典亦強調敬重書籍，以為儒生當效法僧道，對書本至誠禮敬，唯恐招致污穢。對待承載聖賢經典之工具，

> 塾師當於館中置水一盆，凡學生上館，須令洗手，方許翻書；或赴廁便溺之後，即令洗手；或見其用手摸腳，見其瘙癢下體，即令洗手；至於挾書歸家，凡遇便溺，令將書置妥處，洗手然後挾書。[72]

以此借由對書籍敬重，進而對孔子之言不敢怠，確符合「在日用

71 〔清〕劉鴻典：《村學究語》，頁38。

72 〔清〕劉鴻典：《村學究語》，頁39。

平常中落實經典義理」的理念。

以上兩點，雖禮儀規范所含極微小之部分，卻可管中窺豹，彰顯劉鴻典教書育人，全為學生當下受益和未來果報著想之用心。同時，文中「師先如此糊塗，又何責於其徒？」[73]「師必自先講究，方能教人」，[74]字裡行間處處體現劉鴻典將修身作為蒙師第一原則。在明晚期《李卓吾先生點評四書笑》中，記錄了

> 塾師的社會地位和形象卻存在著有趣的反差：塾師對於書文章句往往強作解人，臆測杜撰，曲解文義，念別字，讀破句，留下眾多笑柄，表現出胸無點墨、荒疏無知的淺陋。浸淫儒家禮儀，謹守規矩，講求禮節，常遭窮酸迂腐之譏。憑三寸不爛舌，但講詩云子曰，舉動一步三搖，滿口之乎者也的舉動，更成為訕笑的對象。[75]

可見塾師形象不僅關乎自身，更代表整個行業，個人行為可能直接影響大眾對私塾及塾師的信心，尤其影響孩童的知見和言行，因此欲正其行者，必先躬行。

四　結論

《村學究語》是清代，乃至放諸現代，皆具學習價值的蒙師就職培訓手冊。從自我修身，到教學原則和方法，以及可能出現的誤區，皆囊括其中，精煉周全。因劉鴻典親自施教，累積經驗數十年，其苦

73 〔清〕劉鴻典：《村學究語》，頁40。

74 〔清〕劉鴻典：《村學究語》，頁38。

75 〔清〕蒲松齡：〈學究自嘲〉，《蒲松齡集》（上海：學林出版社，1998年），頁3343。

口婆心的勸告及悉心總結的建議，現在看來依然頗可借鑒。

韓愈認為童子之師不過授之書而習其句讀，不足稱之為師。但綜合本文研究，劉鴻典認為蒙師不僅自身需要德業兼資，還需在教學中因材施教，立其志，正其見，養其心，規其行，將所講之書，證以日用常行之事，但求解行相應，經世致用，使受實益。劉鴻典或因其他考量或篇幅限制等原因，《村學究語》仍有不夠全面之處，如文中鮮少提及家庭教育及孝道思想的重要性，但就蒙師教學層面來看，已十分可貴。蒙師不僅為學者師，更是天下百工之基，今時高級教師未必能勝任，故不可不慎重。

「術」重於「德」的教學傾向不僅清朝如此，在升學主義影響下的現代社會甚至更為嚴重。幼稚園孩童爭相報班學藝十分常見，家長們指望成就人中龍鳳，不少孩子小學前就被要求掌握一技甚至多技之長。大陸地區近年來關注到這一現象，也開始提倡「去小學化」[76]。而孩童在幼稚園至小學的負面社會性新聞也屢見不鮮，多歸結於師資素養不合格。《村學究語》明確了童蒙之聖功在於樹立品行和培養習慣，志於道為首，遊於藝為末，以老師為主扭轉教育目前的偏頗導向，並創造性提出在童蒙時期教授因果，實為現代值得借鑒的蒙師教育規範。

---

76 幼稚園「小學化」的具體表現包括幼稚園教學內容、教學形式、教室佈置、評價方式和生活方式等方面的小學化，讓孩子過早學習文化知識。故中國大陸地區教育部部長陳寶生先生提出「去小學化」，將幼稚園的基本教育模式從教學模式綜合治理，改為遊戲模式。資料來源：湖北省荊楚學前教育管理中心，2021年04月23日，檢索日期2023年6月15日，http://www.hubeizxb.com/m/view.php?aid=204

參考文獻

一　古籍專書（按朝代）

〔戰國〕荀子撰，王忠林注譯：《新譯荀子讀本》，臺北：三民書局，2009年。

〔漢〕許慎撰，〔宋〕徐鉉校定：《說文解字》，北京：中華書局，2014年。

〔西漢〕孔安國傳，〔唐〕孔穎達疏，陸德明音義：《尚書注疏》，收入《文淵閣四庫全書》經部第54冊，臺北：臺灣商務印書館，1983年。

〔唐〕王冰注，〔宋〕林億等校正：《重廣補註黃帝內經素問》，收入《四部叢刊初編》第357-361冊，景上海涵芬館藏明翻北宋本，卷1。

〔宋〕歐陽修撰、胡柯撰年譜：《歐陽文忠公集》，收入《四部叢刊初編》中第886-921冊，景上海涵芬樓藏元刊本，第15冊。

〔宋〕張洪、齊熙：《朱子讀書法》，《欽定四庫全書．子部一．儒家類》。

〔明〕王陽明：〈教條示龍場諸生〉，收入《王文成公全書》，哈佛大學漢和圖書館珍藏版，卷26。

〔明〕郎瑛：《七修類稿》，臺北：新興書局，1983年。

〔清〕孫希旦撰：《禮記集解》，北京：中華書局，2019年。

〔清〕賀長齡：《皇朝經世文編》，光續十三年校印本廣百宋齋版本，哈佛燕京圖書館影印，卷6。

〔清〕劉鴻典：《村學究語》，槐軒學派稀見叢書之一，2017年。

〔清〕劉沅，段渝、李誠主編：《槐軒全書（增補本）》，成都：巴蜀書社，2006年。

〔清〕劉鴻典《遺訓存略》，凝善堂光緒丙午年刻本。

〔清〕石成金：《師范》，轉引自《國學教育輯要》，北京：民主與建設出版社，2015年。

〔清〕陳宏謀：《五種遺規》，南京：鳳凰出版社，2016年。

〔清〕蒲松齡：〈學究自嘲〉，《蒲松齡集》，上海：學林出版社，1998年。

《四庫全書》，影印萬曆六年朱家法刻增修本，集部第145冊。

二　現代專書（按姓氏筆畫）

王銘新等修，揚衛星，郭慶琳纂：《中國地方志集成．四川府縣志輯》，成都：巴蜀書社，1992年。

方立天：《中國佛教的因果報應論》，《中國佛教哲學要義》（上卷），北京：中國人民大學出版社，2012年。

吳洪成，張闊：《重慶的學校》，重慶，西南師范大學出版社，2008年。

陳芳生：《訓蒙條例》，《叢書集成續編》，上海：上海書店，1994年。

陳青之：《中國教育史》，長春：吉林人民出版社，2012年。

程樹德：《論語集釋》，北京：中華書局，2017年。

黃忠天：《周易程傳註評》，高雄：高雄復文圖書出版社，2017年。

熊承滌：《中國古代教育史料系年》，北京：人民教育出版社，1991年。

趙敏俐主編：《三字經》，北京：中華書局，2014年。

蔣純焦：《一個階層的消失．晚清以降塾師研究》，上海：上海世紀出版集團，2007年。

滕志妍：《明清塾師研究》，蘭州：西北師範大學，2006年。

雙流縣社會科學界聯合會，雙流傳統文化研習會：《槐軒概述》，上海：上海科學技術文獻出版社，2015年。

三　學位論文（按姓氏筆畫）

解成雨：《劉鴻典與〈莊子約解〉研究》，南京：南京師範大學碩士學位論文，2020年。

劉靜芳：《科舉制下的明清蒙學研究》，石家莊：河北師範大學碩士學位論文，2009年。

劉天宇：《重慶地區清代私學研究》，重慶：重慶師範大學碩士學位論文，2016年。

四　期刊論文（按姓氏筆畫）

李紹先：〈清代四川私塾嬗變的曆史考察〉，《文史雜誌》2009年第3期，總第141期。

李建德：〈清代川西儒者劉沅《蒙訓》思想析論〉，《東吳中文學報》第43期（2022年5月）。

張紹成：〈淺論學者劉沅的《蒙訓》〉，《蜀學》第5輯。

張利國：〈印光大師因果思想及其當代意義〉，《佛學研究》2016年第25期。

陸韌、于曉燕：〈試論清代官辦義學的性質與地域特點〉，《歷史地理》第22輯。

劉伯谷：〈談談槐軒學說的基本觀點〉，《紀念劉沅250週年誕辰》，2018年第5期。

蔡方鹿：〈劉沅對理學的批評〉，《中國哲學史》2011年第4期。

五　網絡資料

《為什麼「國學熱」逐漸升溫？》，資料來源：人民網時政，2019年10

月29日，檢索日期2023年5月27日，http://politics.people.com.cn/n1/2019/1029/c429373-31425661.html

《國學內容進教材：中學語文國學比重或增至35%》，資料來源：京華時報，2014年11月，檢索日期2023年5月27日，http://www.chinapolicy.net/bencandy.php?fid-77-id-41129-page-1.htm。

湖北省荊楚學前教育管理中心，2021年04月23日，檢索日期2023年6月15日，http://www.hubeizxb.com/m/view.php?aid=204。

宗教、義理與文學的交會

——現代宗教文學中警勸與證悟的教化主題

陳惠齡

國立清華大學台灣文學研究所教授

宗教文學有其特殊性，除了蘊含神學與宗教的內涵，也關涉教化人心與文學藝術的層面。本文以「宗教文學」為主題類別，主要指現當代文學中以儒釋道耶之「經文教義」(儒教、佛典、道藏、聖經)、「宗教故事」(佛典與聖經故事等)、「宗教精神」(道成肉身、懺悔、救贖、正覺)或「宗教意識」(運命、護佑、罪罰)等作為媒介題材的文學作品。總理而言，「宗教文學」即是關乎「宗教經驗的文學想像」或「宗教義理的思考之作」。此外，就儒家關懷人與其存在的超越性而言，本文亦嘗試取徑 Huston Smith 的觀點，將儒家視為一種「人的宗教」，旨在強調它對個人行為及道德秩序的密切關注。本文預期展開三個論述向度：一、宗教文學中有關警勸與證悟的主題，二、不同的宗教修辭在文學作品中的意義建構，三、宗教文學與社會想像的連結。

關鍵詞：義理、教化、宗教修辭、社會想像、宗教文學

The Intersection of Religion, Ethics, and Literature

——Themes of Admonition and Enlightenment in Modern Religious Literature

Wei-Lin Chen

Professor, Institute of Taiwan Literature Studies, National Tsing Hua University

Abstract

This paper explores the category of "religious literature," primarily focusing on literary works in modern literature that employ materials from major religions, including the "doctrines" (Confucianism, Buddhism, Taoism, and the Bible), "religious stories" (Buddhist and Biblical narratives, etc.), "religious spirituality" (incarnation, repentance, salvation, enlightenment), or "religious consciousness" (destiny, protection, punishment) as their thematic elements. In essence, "religious literature" concerns the "literary imagination of religious experiences" or "contemplative works on religious ethics."Furthermore, concerning Confucianism's human-centered and transcendental aspects, this paper also attempts to adopt Huston Smith's perspective, considering Confucianism as a form of "human religion," emphasizing its close attention to individual behavior and moral order. This paper anticipates three discourse directions: 1. Themes of admonition and enlightenment in religious literature. 2. The significance of different religious rhetoric in literary works. 3. The connection between religious literature and societal imagination.

Keywords: Ethics, Enlightenment, Religious Rhetoric, Societal Imagination, Religious Literature

一　前言：臺灣文學裡的宗教意識及其脈絡

在「文化」(culture) 詞義複雜的演變中，有一系列的重要觀念，如居住 (inhabit)、栽種 (cultivate)、保護 (protect)、朝拜 (honour with worship 或譯「拜神」、「崇拜」) [1]。「文化」的始源意義竟然連結「耕稼」、「保護」與「拜神」，顯見「拜神」是人類社會原初的精神生活，也可稱為人類社會最早的「精神文明」。所謂「拜神」或「崇拜」，亦即對所信奉之超自然體加以尊敬和敬拜，此為宗教的基本要素之一。按照不同的崇拜對象，也可對不同的宗教進行分類，如自然宗教有自然崇拜，部落宗教有圖騰宗拜，文明社會的宗教則有偶像崇拜、神靈崇拜等，[2]而崇拜的目的則在於對所信奉的對象，表達感恩、禮敬和祈求，並由此而發展出各種儀式，及主持這儀式的專職宗教人員，如祭司、僧侶等。

從原本關聯著土地、宇宙等真實、深奧與嚴肅的常民真實經驗，最後則轉向特定的宗教文化，則開始具有一獨特的概念，從中提升且認識「超越者」(transcendent)，並藉此進入了相信與超越者相遇的方式之中。[3]一如吾人處身的現象界，原是本體界不完美的摹本，因此人類總是希望藉由超越者的引領，而超越碌碌此生的變動世界，抵達彼岸永恒的理想國度。

---

1 有關「文化」定義，參〔英〕雷蒙・威廉士著：《關鍵詞：文化與社會的詞彙》(臺北：巨流圖書公司，2003年)，頁87。

2 參見何光滬等編：《宗教學小辭典》(上海：上海辭書，2002年)，頁155。

3 〔英〕約翰・希克著，王志成譯：《宗教之解釋——人類對超越者的回應》(成都：四川人民出版社，1998年)，頁9-10。在此書的「超越者」概念，並非限於「神」這個含義，而是指對於人類和世界具有拯救性的「終極實體」，例如把這個實體想像成具有人格的神或非人格的絕對者，或者想像成宇宙的普遍有序的結構或過程或基礎。(頁7-13)

「宗教」澄清生命、靈魂和自我意識的問題，「文學」則觸及人性的不安定構圖與生死愛恨的生命問題。「宗教」或「文學」，基本上都是攸關尋求個人定位、生存意義，而作為展示人類生活與生存意識的一種情感體驗形態。然而宗教的本質終究涉及超越凡俗，走向永恆的隱秘與神性意義，至於文學的本質則是具有語言藝術的示現與美學的效用。當某一種生命信仰的真理及意義，或特定的宗教意識，隱藏在生命幕後，而藝術家、作家以想像和詮釋的表現形式揭示出來，也本乎自然。

上述約略說明「宗教」與「文學」的整合關係，然由於涉及「宗教」、「文學」元素比例的顯隱多寡，「宗教文學」文類概念難有共識。惟就狹義而言，宗教文學是闡發教義，強調警勸性與證悟性之作；就廣義而論，則可擴及「道德想像力」與「宗教想像力」等具有哲思辯證之作。綜覽台灣各宗教文學獎，如靈鷲山佛教基金會「宗教文學獎」、[4]佛光山「全球華文文學星雲獎」、[5]伊斯蘭教「新月文學散文獎」[6]和基督教「雄善文學獎」[7]，其徵文宗旨與撰寫方向大致為：書寫關於生命與心靈的哲思種種，或認識該宗教文化，或朝向淨化社會、激勵人心向善、領人歸向真理等內容。準此，舉凡表現愛、關懷、犧牲、奉獻、寬容等等「類宗教」氛圍的作品，皆可歸屬宗教文學。此乃因宗教文學除了蘊含神學與宗教的內涵，也關涉教化人心與文學藝術的層面。因此，「宗教文學」即是關乎「宗教經驗的文學想像」或「宗教義理的思考之作」，所謂宗教文學應當是一種「主題」，而非文類。

4 由心道法師所創，徵文以「歡喜生命」為主題，自二○○三年始創迄二○一三年止。

5 由星雲大師於民國一○○年（西元2011年）創立，設有歷史小說、報導文學、人間佛教散文等獎項以及寫作計畫補助案，且參賽者不設國籍與地域等限制。

6 創立於二○○九年，以表述伊斯蘭文化、穆斯林生活為主題。

7 由作家施以諾創立於二○○九年，每兩年舉辦一次，迄今已舉辦八屆。

就臺灣具有宗教意識或信仰議題的文學脈絡而觀，可以溯及明鄭時期，大量明末遺臣和難民來臺，佛教東傳，論者稱此階段為「名士佛教」。[8]「海東文獻初祖」沈光文來臺後，曾經變服為僧，期間也有相關詩文，如〈山居〉系列詩作即流露末路逃禪的心境；日治時期傳統文人與佛教也多所交涉，如《南瀛佛教月刊》刊載有佛教詩文；另「鸞生」登鸞降筆，代「神仙作者」宣化宣講的「民間鸞賦」，也是臺灣頗具特色的宗教文學。至於新文學小說家涉及宗教議題之作，如賴和〈歸家〉文中對媽祖廟的拒斥，或呂赫若〈風水〉裡所映現鄉間的迷信世界，顯見視民間信仰為「風水迷信」，或「鄉俗鄙習」，然而楊逵〈模範村〉卻刻繪被選為模範的小村，硬是被迫更換媽祖和觀音佛像為日本神祇。失卻本土信仰的情節書寫，見證日殖情境的苦難現實，也表呈宗教文學與殖民政治之間微妙而複雜的對話關係。

至於一六二四年由荷蘭人傳入臺灣，直到十九世紀才在臺灣建立根基的基督教；以及十七世紀中期藉由西班牙人傳布於臺灣北部與南部的天主教；始於明鄭階段福建軍民穆斯林入臺，繼則國共內戰後來自雲南等邊疆區域的伊斯蘭教眾等等，皆可見臺灣西方宗教的多國色彩。從早期的臺語基督教詩歌文學、教會公報乃至於原住民文學中，都有大量的外來宗教文學創作。其中著有《聖經闡要講義》的知名文士李春生，是日治時期少數的臺灣基督徒，《東遊六十四日隨筆》鮮明表露他的宗教立場與身分，也可稱為另類宗教文學。

戰後臺灣宗教文學主要還是以佛學為大宗，值得注意的是臺灣禪詩的現象。論者嘗考察近代詩僧，且有詩集傳世者，計有十七位。其中屬於台籍者只一位，即新竹法源寺開山住持釋斌宗，[9]著有七冊詩

8 楊惠南：〈明鄭時期台灣「名士佛教」的特質分析〉：http://buddhistinformatics.ddbc.edu.tw/taiwanbuddhism/tb/md/md03-08.htm。（檢索日期：2023年6月23日）

9 依據黃鶴仁界定之近代詩僧，蓋指於光緒二十四年至民國三十八年間為僧，並有古

集之多，如《雲水詩草》等。此外藉文學演繹禪佛者且遍及各文類，這階段宗教書寫已迥異於戰前藉宗教題材演述臺灣歷史種種波折的特色，而另有以宗教典實與修辭想像作為編排情節的文學動機。新詩方面有洛夫、周夢蝶、蕭蕭、瘂弦、余光中、羅青、陳義芝、許悔之等人，如瘂弦《深淵》長詩深刻探索「孤獨、死亡、邪惡」等耶教命題，洛夫〈石室之死亡〉組詩冥思默想之問，禪味十足，而周夢蝶禮佛習禪，《還魂草》創作最具禪意與佛味，〈菩提樹下〉一詩以「菩提樹下」作為超越者的啟悟之處與求道者的心靈聖地，全詩透過詰問而展開對自我生命的自覺探索；許悔之〈遺失的哈達〉則藉從藏傳佛教絲品哈達、船舟和渡口等意象，照見人間深情中的洄瀾與沖激。

至於體現在散文和小說的佛道兩教書寫，頗值得關注的是「觀音」和「媽祖」書寫，如琦君、林文義、趙雲、奚淞、梁寒衣等，皆有書寫觀音之作，除了表徵觀音「循聲以救苦」形象深植民間現象外，也透顯作家孺慕的宗教情懷和內省的體悟。另有楊牧《疑神》一書，深刻檢驗「神」這個符號，是辯證宗教信仰與知識哲理之作。蔣勳、林清玄、簡媜、呂政達等人也有諸多佛理主題之創作，林清玄「菩提系列」散文儼然是箇中標的。在宗教經驗中不乏以音樂的力量，來營造一種出神之光，使信徒陷入出神狀態而激盪情感的常例。〈佛鼓〉一文即以佛寺的鐘聲和鼓聲，敘說宗教醒人於迷的神聖體

典詩集傳世者，斌宗即其一。見《近代詩僧研究——以有詩集者為主》（臺北：東吳大學中國文學系博士論文，2017年），頁（一）13-14。或因以有詩集者為據，文中並未將釋無上列於詩僧名錄，然另文〈斌宗法師及其《雲水詩草探討》〉，除了極力推崇斌宗為臺灣第一詩僧，且是日據期間唯一有詩集者，此文並臚列日治時四位臺灣詩僧：妙禪、玠宗、慧善及無上，並擴及光復後之臺灣詩僧，這部分主要指大陸來臺，並著有詩集者：釋慈航與釋本際。見《東吳中文線上學術論文》第39期（2017年9月），頁84-85。戰後新竹靈隱寺第一任住持釋無上也有許多詩文傳世，散見《詩報》、《南瀛佛教》，亦見於《台灣日日新報》等。

驗；由神聖體驗而至實踐救贖，呂政達〈諸神的黃昏〉則傳達在絕境中對神的仰賴，因此擺在死囚與受害者家屬面前的首要問題，即是「你有宗教信仰嗎？」辭切情深，直指宗教救助人心的作者，已然如「神諭傳授人」。

佛理小說方面，戰後第一本佛教文學選集是朱橋編《佛教小說集》，共收三十二篇作品，有改寫的佛經故事，亦有鄉野傳奇式的勸善小說等等。[10]此外，東方白、李喬、陳若曦、蕭麗紅、東年、阮慶岳、施叔青、林央敏等，分就婆娑有情與浮世群相的大千世界，探論迷悟交織中隨順或抗衡的生命感。其中尤以陳若曦《慧心蓮》、《重返桃花源》、蕭麗紅《千江有水千江月》與《白水湖春夢》最受矚目，而東年《地藏菩薩本願寺》一書極具個人體會的宗教意識，地藏菩薩的大願，被世俗誤釋的結果是「消減了人的責任」，書名引渡出「地獄的存在是永恆」的現實之惡，唯有盡一己的本分與本願，才能粉碎自陷的地獄；而東方白〈髮〉則以「了斷三千煩惱絲」，說明塵世的誘惑與牽掛都是纏縛，暗喻「失髮」而「得法」，唯有掙脫被囚禁的塵世牢籠，方能進入永恆的生命。

成仙緩死之思，本為人類基本欲望，作為中國本土宗教的道教，由東漢張道陵所創，奉老子為教祖，尊名為太上老君。其所揭舉「沒身不殆」的道術和方伎，影響民間極為深遠。緣於海島地理環境，臺灣海洋性色彩的信仰十分興盛，加上道教文獻頗多載記商舟遭逢風濤而蒙媽祖「扶危濟困」之事例，因此以媽祖聖像作為創作取譬的文學作品極為豐碩，如詩人陳千武借以批判威權意識的「媽祖・信仰」輯詩；又如葉石濤〈三月的媽祖〉諸篇，以媽祖聖像的救贖義涵，連結

10 朱橋編：《佛教小說集》（臺北：佛教文化服務處，1960年）。相關資料可參李玉珍：〈1950年代的反共文學與佛教文學——《佛教小說集》裡的戰爭、愛情與鄉愁〉，《佛學研究中心學報》第6期（2001年7月），頁315-347。

臺灣歷史階段中庶民的生存意識及其政治出路；陳玉慧《海神家族》則以女性角色的辭鄉與尋根之旅，平行並置從中國出海與渡洋臺灣的媽祖遷移史。「文學媽祖」的書寫，依循的是從臺灣本土民間信仰而來的一種信息呈現：「宣告救贖時刻的臨現」，但寓託的卻是女性、國族與政治交錯的弔詭。由此連結至臺灣鄉土文學中所展演種種民間信仰、鄉俗傳奇，則構成另一種「宗教的異域」。如黃春明〈青番公的故事〉藉水鬼故事傳述地方水澇歷史，〈眾神，聽著！〉則敘及主人翁凡事仰賴眾神，無奈神明不護佑，以致怨責眾神，甚至以「有聽無！」來威嚇神明。看似人神交通極為功利，但豁顯的層面，其實是鄉野小人物敬神畏鬼的生活態度與素樸的心事心願。

至於援用基督教、天主教神學思想的文學創作者，人數並不多，散文部分有王鼎鈞、張曉風、高大鵬等，宗教屬性十分明顯，作品兼具基督宗教精神與哲學底蘊的思考。小說則以朱西甯、陳映真、王文興和宋澤萊、陳燁最具代表性。朱西甯傾其一生心力撰寫最後一部長篇《華太平家傳》，此五十五萬言未竟巨著，即宣稱是「寫給上帝看的」;至於陳映真其作品世界中那些從獻身、反省與贖罪出發的人物特質、故事情節，尤其必須植入他的宗教信仰礦脈，來進行探掘。[11]

二　文學裡的警勸與證悟

上述簡要勾勒臺灣宗教文學概況，誠如中研院文哲所「宗教文學研究室」提出：「從宗教層面反思文化、文學，到底在一個民族的『文化工具箱』中一些與宗教有關的文化工具如何被靈化運用」的大

11 上述有關臺灣宗教文學的概況及脈絡，可參拙作〈宗教文學：導論〉，臺灣文化部設計建置「臺灣文化入口網」中「文學工具箱」的「宗教文學」類。https://toolkit.culture.tw/home/zh-tw/literaturetheme16。（檢索日期：2023年8月11日）

哉問。[12]本文因採「廣義」界定的宗教文學，除了蘊含神學與宗教的內涵，也關涉教化人心與文學藝術的層面，凡以宗教文化為媒材，化育人心者，都可歸納進此一名詞中。至於探討的主題類別，主要指現當代文學中以儒釋道耶之「經文教義」（儒教、佛典、道藏、聖經）、「宗教故事」（佛典與聖經故事等）、「宗教精神」（道成肉身、懺悔、救贖、正覺）或「宗教意識」（運命、護佑、罪罰）等作為媒介題材的文學作品。總理而言，「宗教文學」即是關乎「宗教經驗的文學想像」或「宗教義理的思考之作」。此外，就儒家關懷人與其存在的超越性而言，本文亦嘗試取徑 Huston Smith 的觀點，將儒家視為一種「人的宗教」，旨在強調它對個人行為及道德秩序的密切關注。

循此，本論文除了聚焦於基督教、佛教與道教等正信宗教題材的表現，[13]此外，針對漢文化傳統的儒家教誨和道德思想，也列為人文宗教的觀察視野。本文預期展開三個論述向度：1.宗教文學中有關警勸與證悟的主題2.不同的宗教修辭在文學作品中的意義建構3.宗教文學與社會想像的連結。所擇取富含各類別宗教性的作品，計有陳映真〈加略人猶大的故事〉、朱西甯〈狼〉（基督教）；奚淞〈封神榜裡的哪吒〉、張曼娟《火裡來，水裡去：唐傳奇・杜子春的故事》（佛道教）；黃春明《放生》（儒教）等多篇作品。

（一）原罪與救贖：從墮落的人性到神性的光照

在臺灣文壇中朱西甯（1927-1998）和陳映真（1937-2016）是極具宗教意識且辨識度極高的基督徒作家。朱西甯早期之作〈狼〉（1963），[14]以中國鄉野為為背景，故事演述「罪」、「拯救」與「重

12 李豐楙：《沈淪、懺悔與救度：中國文化的懺悔書寫論集・導言》（臺北：中研院文哲所，2013年），頁1。

13 因受限篇幅，有關儒釋道三教合一的臺灣民間信仰，將另文討論。

14 朱西甯：〈狼〉，《狼》（臺北：遠流出版公司，1989年），頁215-256。

生」，是基督教文學的佳構。故事依循「家裡少了一個娘，二叔這兒好像又多出一個我」的敘事軸線，開啟了孤兒寄居叔嬸家，歷經荒山鄉野的獵狼情境，其間有種種人性墮落的淵藪邊緣，作者藉此營造了男孩被迫催熟的成長歷程，而真正發揮的主題，則在於將長久墮落，而普遍敗壞的人類心靈，用貞淫罪贖的現實詮釋，來顯明「罪與救贖」的警誡寓意及靈性教導。透過苦兒「我」的敘述視角，及邊派人物的話語，鋪展出「我」因父母雙亡，而被以牧羊為業的二叔收養，始終不孕的二嬸卻每每趁著丈夫赴縣城之際，長期色誘前後的僱工。篇名「狼」，平行對應出「狼性」與「人性」的並置，漫射出女性受「無後為大」的宗法成規桎梏，卻又不惜以敗壞禮教，循著肉體情欲而犯下邪淫的罪行，作者的書寫指涉，顯然意在揭現這罪行背後的「人性之惡」，而不在於表呈道德性的審判。即便犯罪行為總是包裹著一些無奈、被迫、可憐憫，以致形成必然的動機，但無論如何，污穢自己，就是干犯神的聖潔，這是一種人類自始至終皆有的「集體罪性」，因此小說中連天真未鑿的小孩（敘事者），一旦受到二嬸的苛虐時，也會萌生「復仇」和「咒詛」的惡念。

如何在百多條羊群中發現惡狼而予以捕獵的行動，是注入血腥潛流的意象情節，卻也是揭現情欲、生殖與死亡的凶險誘惑，以及救贖的起點。當肉體一旦犯了罪時，即墜入如惡狼噬殺羊羔般之惡，因此小說用「公的母的都可捉著了」來類比抓姦，而當獵捕隱身於羊群中的惡狼，陷落於與狼共舞迷藏時，更是將狼賦形為：

> 「你瞧，牠像一個人直站在那兒。」
> 「像一個人？」不由得我一冷，周身的寒毛根根都直豎起來。（頁250）

原來當人性隳墜之際，也可降格至牲獸。當書中的主要靈魂人物——獵狼英雄大轂轆宣告：「我不是畜牲，我大轂轆不是畜牲」，已然自我分判人性與獸性之別，循此表出不受誘惑、分別為聖的自持。由是透過這位人間天使大轂轆對二嬸的曉以大義：「老天爺不是沒有長眼睛，麒麟送子也送不來這大的兒子給妳，……只要妳疼惜這孩子，……妳放心。」讓故事的收梢，得以引入人性得蒙救贖的光明之境。

一如聖經所載：「我是在罪孽裡生的，在我母親懷胎的時候就有了罪。」（詩篇51：5）「原罪」的語彙及指涉，雖是由奧古斯丁所創，[15]然而「原罪」的概念，卻來自聖經：「這就如罪是從一人入了世界，死又是從罪來的；於是死就臨到眾人，因為眾人都犯了罪。」（羅馬書5：12），經文中的「一人」，即指亞當；「世界」，則指世人或眾人，即全體人類。意即因著亞當一人的墮落，罪性就進到人的生命裏頭，使眾人都受罪的奴役而犯罪。由是推衍出「罪惡在人一出生時就已存在，在人犯下實際的罪行之前，罪惡已經藉著動機扭曲之心態存在了」，[16]因此在基督教義中的原罪論主張人類不是因為犯了罪，才成為罪人，而是生來即有「罪性」，因此必須仰賴神給予的恩約與救贖。在朱西甯〈狼〉文中，或因文學文本不宜帶有太強烈的宗教信仰意識，因此在安排二嬸從欲求生子→淫行犯罪→羞慚受苦中，終因悔悟而獲致超昇之徑，主要是透過大轂轆為「別人受難」[17]及良善的渡引。大轂轆雖蒙受不白之冤，但就此而言，也等同展現了擔荷他人

15 奧古斯丁主義：https://zh.wikipedia.org/zh-tw/%E5%A5%A7%E5%8F%A4%E6%96%AF%E4%B8%81%E4%B8%BB%E7%BE%A9#cite_note-43。（檢索日期：2023年6月22日）。

16 〔英〕巴刻著，張麟至譯：《簡明神學：傳統基督教信仰指南》（新北：更新傳道會，2015年），頁70。

17 小說中大轂轆堅拒受誘引，並選擇迅疾辭工，主要是為了保全二嬸的名聲，因此寧可被誤解糟蹋了主人妻，並未自我辨白。

苦難的小基督精神。惟基督教義中的「救贖」，其實是來自於耶穌基督為選民而捨命的普救論，易言之，基督的死，使每一個人都可能得到救恩，但是卻只有以信心回應並且肯悔改認罪的人，才能得著拯救。

「耶穌的受難」（the Crucifixion）是新約聖經中的重要主題，「Crucifixion」此一拉丁語詞，意思是「被放在十字架上」。[18]在西元前的羅馬帝國，釘十字架是一種廣泛被使用的刑罰，受此刑的人，通常要先飽受殘酷的鞭打或受其他方式的折磨，而後再被綁在或釘在十字架前。值得注意的是，透過耶穌被釘在十字架上的受難意義，也表徵了「看哪，神的羔羊，除去世人罪孽的」（約翰福音1：29），意謂上帝之子，洗去了人類的過犯和污穢；而「一個罪犯和他的十字架」[19]及其受難前的「最後的晚餐」，即成了基督徒向世人宣告的最具信仰象徵性的救贖身與立約血，因此藉用餅和葡萄汁的例行儀式，來敬拜與紀念救世主彼時的獻身為祭，而「耶穌受難」與「最後的晚餐」，也成為古今藝術文學中最常被取用的題材。

陳映真〈加略人猶大的故事〉（1961），[20]全文從少壯而滿腹理想的猶大的愛欲起筆，再跳接至背叛者猶大的個人理念、受試探，及其沉淪、墮落與犯罪的敘事。乍看似是猶大的生命史實錄，但縈繞全文的卻是另一條隱伏的主線——耶穌被釘十字架的背景：

> 耶穌騎在驢背上，漫漫地走進耶路撒冷的城門。合城的人在那一片刻裡歡騰起來。……猶大為這雷動歡聲驚得駐足良久。他

18 參見〔英〕麥格拉思著，馬樹林等譯：《基督教概論》（北京：北京大學，2003年），頁98。

19 〔英〕麥格拉思著，馬樹林等譯：《基督教概論》，頁100。

20 陳映真：〈加略人猶大的故事〉，《陳映真小說集1：我的弟弟康雄》（臺北：洪範出版社，2001年），頁105-133。

> 看見群眾紛紛解開衣裳，鋪在耶穌面前。群眾搖撼著象徵勝利和王權的棕櫚樹葉，全城便進入一種瘋狂的歡喜之中。**猶大頓時為一個意念所抓住，以為這必是耶穌取得政權的時候了**（粗體為引用者強調之重點）。（頁125-126）

在聖經四大福音書中，皆提及耶穌騎著驢駒，進入耶路撒冷的故事，而騎驢入城原是預表彌賽亞必將騎驢進城的救贖實現：「看哪，你的王來到你這裡！他是公義的，並且施行拯救，謙謙和和地騎著驢，就是騎著驢的駒子。」（撒迦利亞書9：9）

然而小說中猶大的關注點，並不在於天啟或預言的實現，而在於猶大所寄望耶穌能影響並擴大群起反對羅馬人統治的激憤行動，[21]猶大決心歸從追隨耶穌，是因為「他對待罪人、貧賤者和受侮辱者的誠摯的愛情」，料定他是個極為賢明的領袖。猶大期待耶穌是一個「行動家」，而不僅是一位「夢想家」：

> 他所找著的絕不只是一個像其他野心的十一個師兄弟所料想的**政治的彌賽亞**，而且更是一個**社會的彌賽亞**。（頁121）

因此當他真正看清耶穌對世上的權柄和榮耀，全然不抱有野心，就在面臨偶像幻滅之際，他遂選擇了「既然耶穌要死，為何不布置讓他死在羅馬人的手中，激怒那些深愛著耶穌的群眾，叫奮銳黨人起來領導推翻羅馬人的運動呢？」猶大出賣耶穌，原是意圖實踐社會主義的理想，並未真的希望置拉比（宗教導師）於死地，然而終因個人理想性

21 小說中勾勒猶大雖同樣反抗羅馬政權，但猶大的革命大業，卻與彼時奮銳黨反抗羅馬帝國對以色列猶太人的統治立場不同。猶大的夢想志在推翻暴政，解懸被壓迫的底層百姓，不僅局限於猶太人也及於羅馬老百姓。

的盲點，加上「畢竟不耐與不解主的國度」，[22]而讓自己的結局走入最終極的「背叛者」定位。就小說構設的人物形象和情節脈絡而言，作者似乎有意提醒聖經福音書中猶大的悔悟與渴念耶穌，是不宜被疏忽的：「我賣了無辜之人的血是有罪了。……猶太就把那銀錢丟在殿裡，出去吊死了。」（馬太福音27：4）作者陳映真在出入聖經教義中的寫作姿態，一方面藉由人物故事，敷演人性的欲望與無知，另一方面則帶有濃稠「宗教原罪式」的焦慮，針對人性與神性、人間與天國的分殊，進行辯證，而得出受難是拯救的根據，救贖是耶穌受難的結果。〈加略人猶大的故事〉探討的雖是「人存在的意義」，但藉由滿腔理想，熱衷改革的猶大自我主導的悲劇，反照的還是人的愚昧和自大。

上引兩位基督徒作家的名作，示範並寓托出其個人對於信仰操持的心得與詮釋，值得注意的是，朱西甯諸多小說所浮現一些極為突出的關鍵角色——「智者」、「長者」人物，多以「一生致力於貫通孔孟禮教與基督文明為志業」的祖父為人物原型，[23]這些重複出現的睿智性角色，皆是以飽學之姿，帶有「進步」和「啟蒙」意識的人物，如〈狼〉文裡裁定是非，扮演「理解者」的大轂轆、〈賊〉文中一言九鼎、主持正義的大先生、〈鎖殼門〉中以「愛」和「恩慈」力量，消泯仇恨罪孽的長春等等，他們都帶有「濟人兒」（可以治小毛病的藥物）的淑世理想，間接展現了「類耶穌」、「先知」的形象。這些作品中帶有懷鄉傷逝的感觸，以及對於過往某些傳統文化的價值認同，包括深在其中這些種種對父祖崇敬與追隨的儀式精神，也可視為在朱西甯小說世界中，藉信仰意識而給予正派人物的肯定與獎賞。

22 此為康來新詮釋陳映真〈加略人猶大的故事〉之斷語。見康來新、林淑媛編：《臺灣宗教文選》（臺北：二魚文化事業公司，2005年），頁070。

23 朱西甯文學創作與家世背景、宗教信仰的密切關聯，蓋已成定論。小說中長者形象的創造是其景仰緬懷祖父的一種情感投射，亦可從諸多訪談記錄與學者論著中得到印證。

至於陳映真作品世界中那些從獻身、反省與贖罪出發的人物特質、故事情節，某部分也投射出他激切求索屬乎知識份子的淑世襟懷，以及建立一個真正和平進步的理想世界。對自我的鞭策與驅動寫作理想熱情的源泉活水，主要來自父親對他的叮囑：「孩子，此後你要好好記得：首先，你是上帝的孩子；其次，你是中國的孩子；然後，啊，你是我的孩子。」[24]這些話語如「鞭子和提燈」般，讓陳映真成為一個最強音的「意見製造者」，以及擁有「最牢固磐石」般信念的文學與思想履踐者。〈加略人猶大的故事〉創作時，恰逢冷戰、戒嚴與反共的時代背景。作者從宗教的試煉與救贖入手，卻又寓寄「英雄創造時代」的改革關懷，也稱另闢蹊徑。

（二）神聖與凡俗的生命經驗：宗教人物故事的再現

現當代文學以宗教人物故事為題材，每每涉及再現過程中所牽涉的隱藏文本與概念系統，其中主要關聯著文化傳統、歷史記憶、宇宙萬象等真實、深奧與嚴肅的常民生活意識與信仰體驗。此處將討論奚淞（1947-）〈封神榜裡的哪吒〉（1971）[25]和張曼娟（1961-）《火裡來，水裡去：唐傳奇・杜子春的故事》（2017）[26]裡的宗教人物故事。

有關通俗文學中哪吒形象演變，論者認為源自唐宋從印度佛經體系進入中國的佛教體系，開始呈現中國化的現象，繼而又沾染道教色彩，轉為民間信仰中降魔除妖的知名神祇，在傳播中歷經本土化而後被納入玉帝統轄下的列仙體系中。至於其後「文學哪吒」故事的敷

24 陳映真：〈鞭子和提燈〉，《父親》（臺北：洪範出版社，2004年）。

25 奚淞：〈封神榜裡的哪吒〉，收錄於歐陽子編：《現代文學小說選集（第二冊）》（臺北：爾雅出版社，1977年），頁441-458。

26 張曼娟、高培耘撰，蘇子文繪圖：《火裡來，水裡去：唐傳奇・杜子春的故事》（臺北：親子天下，2017年）。

演，主要取自於明初《三教源流搜神大全》和明中葉許仲琳（一說陸西星）神魔小說《封神演義》。[27]有關哪吒神話大致即從「神力崇拜」立場出發，至於流佈後世有關哪吒最鮮明的二種敘述圖像則為：「那吒忿怒」與「析骨還父，析肉還母」。就宗教意識與信仰教化而言，前者所勾繪哪吒威猛的忿怒身，強調的顯然是從結合佛法的觀點，而取其以智慧力摧破一切業障，降伏惡魔，「運大神力」之震懾力量；後者的人倫敘事則旨在回歸自見本性，直顯心性的關懷層面。[28]

奚淞〈封神榜裡的哪吒〉一文即從哪吒析骨肉還父母的詮釋想像，連結至肉身解放、蓮華化生，以此揭現青春怪力、自在身軀、宿命與自由的論述。可謂轉譯「忿怒哪吒」聖像，來表現「現代哪吒」的諸般情結與原慾的交錯。其挪借「哪吒」符號背後所置換的文化因素，並不再只是依違於家庭結構與社會互動關係的「秩序」與「位置」標的，而側重表現哪吒自我審視生命愛欲的矛盾與驅力：

> 我多麼愛那些天空飛著的雁，林中無罣礙的獸和我曾經有過的一些同伴，可是鳥獸成了屍體，同伴不是被我的力驚走了便是

27 〔明〕許仲琳：《封神演義》（臺北：桂冠圖書公司，1988年），頁726。有關《封神演義》作者與成書，依據日本藏明刻本，乃題許仲琳編，雖未見其序，無以確定何時作，但張無咎作《平妖傳》序，已及《封神演義》，是以推估成于隆慶萬曆間。見魯迅：《中國小說史略・第十八篇》（香港：太平洋圖書公司，1973年），頁176。

28 「那吒忿怒」與「析骨還父，析肉還母」等神話演變，分見宋代禪宗語錄《續傳燈錄》與《景德傳燈錄》卷二十五所云「那吒太子析骨還父，析肉還母，然後於蓮華上為父母說法」。資料引自鄭志明：《台灣傳統信仰的鬼神崇拜》（臺北：大元書局，2005）年，頁123。倘就文學演繹的表現而論，則《封神演義》藉哪吒聖像的火爆浪莽與奉還父母血肉身軀等情節，對儒家君臣大義思想，也蘊藏有除魅力道與批判精神的況味，此或可由諸多改編小說分從哪吒父子及其手足間的對決廝殺（對父慈子孝、長幼有序的反動），以及君臣離析的忤逆悖倫，諸如叛商投周與弒殺紂王（對君君臣臣、上下尊卑的否定）等關目為之證。

> 受到傷殘，我簡直不能測度出我有多大、多強、背叛我的、我自己的臂力。我的心在身體的經歷和磨練中漸漸地定型，那形狀如果不是意味著殘缺又是什麼？
> 再也不可能有一隻完整高飛的雁了，從我的眼裡出發。（頁448-449）

對所有美好事物的溢愛，竟轉易為占有屍身標本的溢慾，這是哪吒無以超克的嗜血與戀屍的本能，但對於諸多死於他怪力之下的死亡體驗，擁有欲望身體的哪吒靈魂卻也充滿了深重的哀傷與懺情。這一再「犯了血的罪」，顯然是哪吒生命中永遠無法消解的「罪業」，有違「諸惡莫作，諸善奉行」的戒律，於此也可窺探出作者奚淞經營肉身美學與宗教意識的潛文本。

奚淞此作以極致的抒情筆調，藉哪吒沉浮中的靈魂拯救，而導出「自由與救贖」的辯證命題，內中有其創作年代的現實植入——七〇年代深具個體認知追尋的精神，極富反省、懷疑「人」的生活意義與存在的價值，並有高漲「自覺」意識的現代主義精神。論者解讀此作喜從哪吒「怪胎」身體，以及施虐同性青春身體，而提出同志愛欲的閱讀角度，[29]然則哪吒愛欲身體裡的騷動與異質變化，原非只在於同性愛戀與身體色相，更大的貪痴愛戀則是「不完美的人間」：

> 雖然此刻的我比一粒微塵更輕，比蝶翼更薄。我四處遊轉一無定處，可是我的心還是愛著這個世界的。對我而言，天上飛的，地上蕃滋的，都是太美的負荷。我曉得東部平原上的戰事

---

29 見龔玉玲：〈怪胎哪吒「現身」「說法」——現代新編文本中的哪吒圖像〉，《中外文學》第32卷第3期（2003年8月），頁134-137。

> 就要開始，兩個勇武過人的哥哥即將率領精兵走向沙場。我的紅紗巾展開時，我看見成千的屍骸，嚎哭的婦孺，旋飛的兀鷹──這是為明天的世界的奠基，可是明天的信仰又是什麼呢？（頁455）

引文所釋出強烈對生存意義的匱乏感與絕望感，似乎是來自於哪吒以完美內心世界，用以對抗外部殘破現實的幻滅結果，然則內在野性縱恣的沈淪生命，本是哪吒真正的生命樣態，唯有在身形醜陋殘缺的四氓眼目中，才能呈現出哪吒存有的完美：

> 第一次我看見他帶著象牙的小弓，在院子裏模仿老爺開弓射箭的姿態，我就著了迷，那完全不是一個七歲的孩子，……我跪了下來，那不是一個孩子，我跪了下來，是為了神明……。（頁446）

四氓膜拜敬仰的原不是作為李靖之子的少年哪吒，而是神靈遣到人世來的「神明」，弔詭的是外形可憎的畸零人四氓卻是俊美哪吒「內心殘缺的形相化」。由「天上的神」謫落為興起滅門之禍的「不祥罪人」，哪吒角色所兼有「神性之善」與「人性之惡」的兩重性，遂具有了「閾限」（liminality）的意義。[30]

「出淤泥而不染，濯清漣而不妖」的蓮花，常被用來比喻眾生清淨的自性，生於世俗而聖潔無染，所謂「無量色相功德聚所莊嚴，能

---

30 閾限的概念由法荷（Franco-Dutch）民俗學者凡詹涅普（Arnold Van Gennep, 1960）和人類學家透納（Victor Turner）發展，多用於後殖民與種族、族裔研究，應用在人類學則是指在儀式過渡期中的閾限期（liminalphase）資料參見〔英〕彼得・布魯克：《文化理論詞彙》，頁227-228。

為一切法所依止」，[31]因此蓮花也是佛國極樂淨土中常見的莊嚴。在哪吒神話中的蓮華化身故事，同時融攝有佛與道的教義。《維摩經・佛道品》讚美蓮花：「譬如高原陸地不生蓮華，卑濕淤泥乃生此華……煩惱泥中，乃有眾生，起佛法耳！」經文指出生長於骯髒淤泥的吊詭性與悲劇性的菩薩品德，正是蓮花美麗芬芳的不可或缺條件，污穢／聖潔、染／不染的「佛魔一體」本色，才真正使蓮花德性發揮到了極致。[32]爰是，出於污泥之中的蓮花遂負載有「聖潔」與「污穢」雙重義涵，除了託寓有強烈的宗教義蘊，也可延異為「邊界」意象——在社會的儀典秩序建構中難以歸類的模糊地帶。

小說中兼有神魔兩可性的異端／怪胎哪吒，顯然無法被歸類而進入現實劃分的觀念體系與規範秩序結構中，遂只能先衝破肉身、血緣羈絆，以此解放身心，直到「現蓮花化身」而得重生。是以小說中哪吒向師傅祈求讓他在那條犯了罪的河裏，「變成自開自落的蓮花……」。犯下惡行罪業而肇禍歷劫，其後則剔骨割肉還報父母，再經蓮花新生的哪吒，最後方得以進入澈悟涅槃或成聖得道之境。奚淞〈封神榜裡的哪吒〉一文，乞靈於宗教聖像與神話母題，所呈顯青春怪力的變形哪吒，一方面著眼於哪吒身影嬗變而聖化的現象，然而在其創作美學操演中，亦有其身處現代社會情境中的症狀體驗與焦慮想像，所謂個體存在位置與世情規範處境中的生命劇痛，而這一切也只能還諸宗教的救贖。[33]

---

31 見王健釋譯：《攝大乘論》（高雄：佛光文化，1997年），卷15。

32 本節佛魔一體的蓮華德性，概念來自於楊惠南：〈蓮華即聖潔而世俗〉一文，收於《佛教思想的傳承與發展——印順導師九秩華誕祝壽文集》（臺北：東大圖書公司，1995年），頁467-492。

33 有關奚淞〈封神榜裡的哪吒〉一文的解析，另見拙作：〈宗教聖像作為文學符號的詮釋與意義——以老子、媽祖、哪吒為例〉，《成大中文學報》第44期（2014年3月），頁291-328。

學界有關「杜子春故事」研究成果頗為豐碩，本文取用張曼娟以「青少年啟蒙成長課題」為定位的《火裡來，水裡去：唐傳奇．杜子春的故事》，冀能將宗教文學引向少長咸宜的閱讀視野。杜子春的本事，歷經多次改編，原創則來自印度佛經《大唐西域記校注．烈士池及傳說》，[34]傳誦流播最廣之版本，則為李復言撰寫的唐傳奇〈杜子春〉，[35]連芥川龍之介亦有同名轉譯之作。[36]如前所述之哪吒本事，杜子春故事亦兼融佛教地獄題材、修行和輪迴觀，以及道士煉丹等佛教漢化現象。[37]

杜子春故事梗概為某一道士冀能修得長生不老術，因而想尋覓有慧根者來協助煉丹登仙，然則欲由人的位格而提昇至神性，必須歷經「斷欲成仙」、「不動不語」之境。杜子春原為一紈袴浪蕩子，不事家產，待產業散盡而見棄親故時，一天偶遇老人，並得其賜金不貲，然而子春既富，放蕩之心如故，於是千金散盡，由貴轉賤。卻再度巧遇老人並依舊得其捐輸巨資，未料其心強哉矯，依舊淪覆聲色物欲而迷途未返。待老人第三度拯濟時，杜子春纔真正有徹悟之心，因而專一治生，賙濟行善，安頓室家後，即隨老人入深山修鍊，展開求道歷程。老者告誡子春將面對涉險的考驗與持守，警語如下：

---

34 〔唐〕玄奘口述，辯機原著，季羨林等校注：《大唐西域記校注．烈士池及傳說》（臺北：新文豐出版社，1987年），頁576-578。

35 本文採用之版本，為汪辟疆：《唐人傳奇》（臺北：金楓出版社，1998年）。有關〈杜子春〉版本問題，不在本文討論中，相關資料可參葉慶炳、李元貞、康韻梅、賴芳伶等作。

36 見〔日〕芥川龍之介著，林皎碧譯：《羅生門：闇黑人性的極致書寫，芥川龍之介經典小說集》（臺北：大牌出版社，2015年）。

37 有關〈杜子春〉與佛教經典的相關性，可參洪錦淳：〈生命的淬鍊——唐人傳奇〈杜子春〉的佛教思想〉，《國立臺中護理專科學校學報》第4期（2005年10月），頁157-173。

> 慎勿語。雖尊神惡鬼夜叉，猛獸地獄；及君之親屬，為所囚縛，萬苦皆非真實。但當不動不語耳，安心莫懼，終無所苦。當一心念吾所言。

子春謹遵所囑，面對魔魅幻影，飽受騷擾卻神色不動，陰森視景隨即消散，其間離奇遭遇，計有令人怵惕的可怖煉獄空間景物；復又有虐殺其妻，荼毒至慘的眼前實境，以脅迫就範，但子春終忍情而不顧。在杜子春最神祕的生命輪轉中，當屬投胎為富家啞女，後嫁為人妻，育子僅二歲時，其夫盧珪難忍啞女妻始終不言，因而怒持幼兒兩足，以頭撲於石上，血濺數步。至此子春忽忘其約，情不自禁喊出：「噫……」。值此緊要關頭，眼前所有血腥與凶險的生命艱難圖景，卻剎時了無痕跡。

從〈烈士池〉到各版本〈杜子春〉的情節概要，並未有太多變化或複雜的線索，故事終尾的杜子春們，終究是陷落於幻視鏡像裡的感情世界之葛藤，而未能通過試煉。然而隨著不同作者的詮釋而展演出親情或愛情等種種生命欲力間，剪不斷、理還亂的纏結與拉扯。如李復言〈杜子春〉的情至與幻境之破滅，乃因愛其子而生於心，以致發聲而盡棄前功，求道不成，遂只能嘆恨而歸。芥川龍之介版的杜子春，則增添父母等人倫角色，藉此演義其最終試煉乃肇端於目睹父母被判為畜牲道裡的兩匹畜牲；當雙親被打得肉爛骨碎時，他猶能自持而噤聲不語，直到母者身陷水深火熱苦境，仍一心懸念兒子，而傳來安慰語時，杜子春終無法再保持沉默，而呼叫了一聲「母親」。無法畢其功的杜子春，卻經此一役而感悟人間之愛的真諦，與其修道成仙，除斷捨離，遠不及做個真實的人，過著真正的生活。就芥川龍之介的改編而言，顯然帶有反「忘情」而申明「情之所鍾，正在我輩」之思。

如上所述，杜子春故事在宗教文學研究脈絡中，歷經各種文本的轉譯與轉化，包括在時間意義（古今）或空間疆界（中外），以及涉及語言（文白）、文化與歷史、社會背景的穿透渡越，特別是創作者自身的書寫意識及其信仰立場，皆提供了思辨對話的豐富層次。不同版本的杜子春際遇固然大同小異，但值得探尋與推衍其義者，則在於「結尾的意義」，以其攸關創作者說故事的視角、書寫位置，及其提供的「現實感」與「啟示性」。本論文旨在將作者費心鋪墊的敘事結局，導向宗教因緣休咎的論述關懷，因此總結杜子春面對最後誘引的試探野火，也將是其信仰和試煉的野火。

《火裡來，水裡去：唐傳奇．杜子春的故事》內容項目，除序之外，概分人物榜、楔子、回目（一至五回）、尾聲等四項，其後並有兩篇附錄：「曼娟老師會客室」和「曼娟老師私房教案」。「人物榜」即人物介紹，比較特別的是新增兩位全新角色：後院女鬼和杜子春父親杜興。各章回目依序為：「糾纏的惡夢」、「夜的守護者」、「大火的捉弄」、「揮霍貴公子」、「遇見古怪老人」、「魔鬼的試煉」；到了尾聲則以「清涼的泉水」命題。

張曼娟此系列諸作，正如其總序及創作緣起所述，取徑古典新詮，一方面是共圖經典傳承、提升中文力；再則也寄望於開啟孩童的想像力與創造力，至於作品選材則著眼於「孩童成長中的各種情境」，因此「奇幻學堂」系列，主要以奇幻類作品為據，如〈杜子春〉、《封神演義》、《西遊記》、《鏡花緣》。

是以此青少版的〈杜子春〉改寫與建構，可概括為二個重點：「試煉意志力」與「測試恐懼感」。[38]然則即便取材敘事都帶有青春族的成長涕淚與生命暗流，此二項鍊結的猶是人倫網絡的大關目：看清「幻象」的陷阱，以及藉由通關挑戰，環扣的「親情難題」。書名

38 張曼娟、高培耘撰，蘇子文繪圖：《火裡來，水裡去：唐傳奇．杜子春的故事》，頁15-16。

《火裡來，水裡去》已標誌創作者所構設的闖關障礙。故事新增「火蟻」惡夢與惡火焚屋慘劇，皆意在為新角色「後院女鬼」鋪墊，蓋此女鬼原是子春的生母，因祝融肆虐，為搶救尚在襁褓的子春，而遭火紋身。因容顏已毀，遂選擇隱身，卸下母親和妻子的身分，從此化身為幽靈般的鬼魅他者。張曼娟塑造此一母親角色，自有其內蘊的意義層次，除了製造情節揭秘的周折效果外，主要是強調浩蕩母恩，藉此回應改編結尾的慈孝主題，其次則回應在李復言〈杜子春〉原作末尾所述：

> 噫聲未息，身坐故處，道士者亦在其前。初五更矣，其紫焰穿屋上天，火起四合，屋室俱焚。道士嘆曰：『措大誤余乃如是。』因提其髻投水甕中，未頃火息。

準此，再回溯前情提要，回目裡的「大火的捉弄」，在張曼娟新編故事中，先是轉化為覆滿杜子春全身「紅火蟻」惡夢，再鎖連為焚燒出家庭秘辛的「大火」。杜子春在「不動不語」的操練修持與發聲行動的游移中，自是度不過「母愛」這一關，以致出聲救孩子，然而張曼娟版卻另添姿妍：

> 啊!我到底還是發出了聲音，為了我的孩兒，為了我是個母親。……而我，畢竟只是個逃不過七情六慾的平凡人。……卻在一池清泉間，杜子春忽然看見自己的母親了。……他也看見盧孟了，……母親的臉和盧孟的臉漸漸合而為一……他從長久的自縛中被釋放了。這是一個全新的杜子春。(頁140-142)

至此，子春無法達成「無噫聲」，以致無法藥成與上仙，主因即是「吾子之心，喜怒哀懼惡欲，皆能忘也，所未臻者愛而已」。此「母愛真諦」於焉漫射出重合的兩種偉大的母性（女子春救子及其母救男子春）。火與水的交融，因而不僅是小說的架構，也是書名的命題旨意。

《大智度論》卷一：「自法愛染故，呰毀他人法」，[39]所謂「愛染」乃指貪戀執著，然則選擇馳負沉重或解懸度脫，則端視個人的般若智慧。張曼娟將唐傳奇轉化為教導青少年成長過程中的自我控制工夫，並強化「父母之愛」是人間七情中最具份量的一種，看似筆意極簡的文學啟蒙教材，然則藉化簡為繁的情節及人物角色的前後照應，不單證成了人間百難排解的情愛網絡，也映照了人倫寶貴的信念，這其間還是有佛理與文本互文對治的辯證奧妙，誠如《楞嚴經》所指：「汝愛我心，我憐汝色。以是因緣，經百千劫，常在纏縛。一切眾生從無始際，由有種種恩愛、貪欲，故有輪迴。」[40]

哪吒和杜子春的文學故事，皆有多種衍異線索，經由作家的想像與修辭，與宗教義理相關的人物如何在文學文本中先是被還以俗世之姿，而後在文學創作的衍繹中，展現參悟生命往復循環的人神或神人變貌，頗值得再細加琢磨。

（三）孝知與孝行——儒教對傳統家庭倫理的重塑

在討論儒家是一種宗教，或是一種倫理時，休斯頓·史密士首先就定義宗教的概念而發，認為儒家對於個人行為及道德秩序的密切關注，較諸其他宗教，是一種不同角度的探討生命：[41]

---

39 《大智度論》（卷一），〈如是我聞一時釋論第二〉，收錄於釋厚觀編：《大智度論講義（一）》（新竹縣：財團法人印順文教基金會，2015年），頁31。

40 見釋圓香：《大佛頂首楞嚴經·卷四》（臺北：佛光出版社，1997年）。

41 〔美〕休斯頓·史密士（Huston Smith）著，劉安雲譯：《人的宗教》（臺北：立緒文化事業公司，1998年），頁246。

> 如果從最廣義來看，以宗教為環繞著一群人的終極關懷所編織成的一種生活方式，儒家顯然夠資格算是宗教。就算宗教是採取一個比較狹窄的意義，是指關懷人與其存在的超越基礎的結盟，儒家仍然是一種宗教，縱使它是一種緘默的宗教。

《人的宗教》此書，先是從儒家創始人孔子所面對的亂世社會問題，來看待儒家解決反社會行為的非凡力量，而後歸結孔子熱愛傳統，視傳統為一項有力的導管。其次則將有意義的傳統（有別於自發的傳統，而是需要去維繫其力量的傳統），歸納為五個主要項目：仁、君子、禮、德、文。[42]在上述課題中，休斯頓・史密士將儒家理解為宗教的重要論點，即在於連結儒家與早期中國宗教的特徵：「與祖先的連續感」、「祭祀」、「占卜」，藉此說明孔子把人民的關懷，從「天」轉移到「地」，卻沒有完全把「天」拋棄。神靈的要求固然不可忽視，但對於人民的現實關懷，應該為先，[43]而其中孔子把焦點從「天」轉移到「地」的重點，即是從祖先崇拜轉變到孝道上，但並未終止祖先祭祀，而是更側重血親之間的聯繫，即家庭成員中彼此之間的責任。由是，不僅證成中國家庭的重要性，甚至總結「如果把祖先崇拜和孝道包括進去，家庭變成是中國人民的真正宗教」之論。[44]

上述乃就宗教觀點，來定位儒家的家庭倫理性，若就文化與時間的探究，來分梳過去觀、現時觀和未來觀等三種心理時間觀點，則凡是傾向於向傳統和過去致敬的向後看時間觀（「過去觀」），也會特別

---

42 〔美〕休斯頓・史密士著，劉安雲譯：《人的宗教》，頁218、226、231-242。

43 循此論點，休斯頓・史密士轉入儒家的鬼神論及「未知生，焉知死」的辯證。見頁248-249。

44 〔美〕休斯頓・史密士著，劉安雲譯：《人的宗教》，頁254。

突顯「尊重父母和長者」的文化特質。[45]其中作為傳統倫理概念的「孝道」，確然是儒家最重要的一種文化傳承和道統系譜。且援引台灣知名作家黃春明《放生》為例，[46]來探論「孝」的主題。「孝道」論述與實踐，雖極具華人傳統性風采，然而能如此全面集中於「孝」的精神意涵，幾近提昇至宗教信仰與現代實踐的層次，《放生》此作，當之無愧。

《放生》一書寫了許多老年生命的衰朽及生存情境，凸顯了被「放生」於農村的銀髮族群的蒼涼晚景：

> 眼看目前台灣社會、家庭結構的改變，三代同堂的家庭不復存在了。……《放生》這本集子，它多少也糅雜了多元性的東西在裡面。可是，我想清楚的表示，我要為這一代被留在鄉間的老年人做見證。（頁15-16）

黃春明素有「社會意識極強的作家」之稱，小說以今日農村「失養的老人」為總體把握，雖反照出「失卻倫理信念」的世界，卻載負作者以「孝道」為基準的一種世界觀（倫理觀）。《放生》瑣記與嵌合的是現代社會的轉型新貌，小說裡的族嗣孫輩皆不在場，三代同堂的倫理制度已然瓦解，「獨居老人」儼然蔚為風潮。

這些在血脈序列基因中原本佔有最崇高地位，而今卻被棄置在鄉間的老病畸零人，他們總是從事一套「望子早歸」的例行程序：捉放「田車仔」來抒解對獄中愛子的懸念（〈放生〉）；百無聊賴而練就打

45 見〔美〕洛雷塔・A・馬蘭德羅等著，孟小平等譯：《非言語交流》（北京：北京語言學院，1991年），頁324-325。書中除論及英國強調傳統與過去外，亦以舊中國文化的敬祖和顧家為例，說明向後看的時間觀。

46 黃春明：《放生》（臺北：聯合文學出版社，1999年）。

蒼蠅的好武藝（〈打蒼蠅〉）；冒著晨風寒露，為遠遊子女排隊購票的殘弱病軀（〈售票口〉）……。這些儼然從「被迫行為」到「上癮行為」的老人寫真，開顯出極富後現代性的批判與審思——從集體性焦慮的角度，紀錄在時代風潮中即將從傳統文化基磐上流逝的種種現象，尤其是作為傳統倫理概念的「孝道」。

各具姿態的老人群像，實為一種無個體身分，而只作為一種生命階段與精神狀態的類型存在——老、孤、閒、病、弱、危、貧等情境，[47]其中尤以「衰敗與死亡的身體」作為老人的能指符號。〈死去活來〉是一篇表面荒謬，實際嘲諷的「身體書寫」佳構。故事敘及家族長輩粉娘，幾度不經意演出「臨終」大戲，而得享「兒孫滿堂」與「隨侍在側」的天倫之樂，然而粉娘雖欣喜於兒孫齊聚奔喪，卻又羞赧於自己的死而復生。小說中「彌留之際的床榻」，是最引人注目的場景：

> 道士發現粉娘的白布有半截滑到地上，屍體竟然側臥。他叫炎坤來看。……被扶坐起來的粉娘，慢慢地掃視了一圈，她從大家的臉上讀到一些疑問。她向大家歉意地說：「真歹勢，又讓你們白跑一趟。我真的去了。……」她以發誓似的口吻說：「下一次，下一次我真的就走了。下一次。」（頁134）

作為「垂死的」且「終有一死」的肉身之軀，能死而復生，應該是很令人快慰的事，弔詭的是，粉娘這副「死去活來」的皮囊，卻是無法控制的痛苦的化身。就個體而言，「肉身」和「神識」原是表裡合一，但是在「張揚精神靈魂」與「壓抑肉身欲望」的相引相斥中，形

47 七種老年情境，參見徐立忠：《老人問題與對策——老人福利服務之探討與設計》（臺北：桂冠出版社，1989年），頁15。

神卻形成了悖逆。粉娘最後的惶惑，除了宣告她對這副「滄桑身體」的厭離，也揭現這副「垂死身體」所反照的殘酷現實。

孝，是文化精神的印記，源出於人對自然親情的認同，推及孝思的極處，即可明白自己生命的起始根源。〈最後一隻鳳鳥〉是《放生》中最正面闡述孝道的作品。故事開篇即展開溫馨熱鬧的天倫之樂畫幅：

> 靠南邊河岸竹圍裡的吳家，這天可熱鬧。……每年統一在重陽的這一天，祭拜祖先。這一天在吳家看來，不比過年不隆重；在外成家立業的，出外鄉工作的，統統都得回來祭拜祖先。（頁178）

吳家的大家長是恪盡孝道的人子吳新義，自小失怙，母親改嫁後又生了五子，吳新義受盡繼父花天房的毒打欺凌，逃家後自立門戶，日夜思念母親，卻遭受繼父家的百般阻撓，以致再見老母親時已遙隔三、四十年。當他決定把已乏人照顧的母親帶回奉養時，兒孫輩卻認為時機不宜，並謂之「愚忠愚孝」。當面臨「孝道」傳統的臨界時，即涉及「贊同者」（以孝子吳新義為代表）和「反對者」（以孫子輩為代表）的辯證。然而晚輩們終究還是順服了這個至戇而純孝的阿父，只因「他們從小就耳聞祖母是怎麼養育父親，也目染父親為了祖母在花家不受欺辱，做了多少的忍讓和犧牲的。」孝，作為一種家庭倫理，最素樸的定義即是兒孫子女對父母長輩的供養、順從與敬愛；而這正是吳新義以孝知孝行的行誼，展現理想父型的一種生命典範。

黃春明小說中不無教導和範例，且自有一種對人生的信仰，或緣於他必須信仰所生存於其中的世界的某些信念，包括他曾經目睹的和張望未來的現象。《放生》所傳達的家庭倫理是極其典型的「敬宗崇父」傳統儒家文化傳統，「敬宗崇父」觀念雖隱含「父系宗法」的情感傾向，然而傳統孝行實踐對象，一向等量指向父母雙系。而「孝」的對象，也不拘限於父母，更意指人俯仰於天地間的正確態度，一如人稱「戇義仔」的主人翁除了盡孝道，也同樣友愛那些同母而異姓兄弟們。和睦與愛敬的生生之道，這是透過儒教慎終追遠和孝道會通古今宇宙道體的信仰。

三　結語：朝向神聖的召喚與鄉愁

談起宗教，人們往往會聯想起天堂眾神或西天諸佛，或寺廟的氤氳香火，或教堂的高聳尖頂，超越塵俗而渺不可及的宗教聖所，有著迷人奧祕，讓人充滿敬畏感和莊嚴感，而宗教空間的神聖性，也儼然是一種靈性的、不變質的，具有對抗世俗敗壞的能力的超越性模式。[48]

在現代派作家七等生名作《散步去黑橋》（1979）中，有一貫穿全書的「返鄉」情節，[49]構成巨大的隱喻和象徵體系，其中〈小林阿達〉裡的浪子阿達混跡城市多年，進退失據，於是偕同舞女白麗明返鄉謀取奧援，然而重返家鄉後，卻益加羞辱地倉皇度日，最後連麗明也棄絕他而去，小林阿達的鄉居身影是越發孤單了。小說中作為前後刻意呼應與暗示的「媽祖廟」，即被賦予滌淨世俗而使靈魂轉化的神聖空間，因此當舞女麗明乍看到阿達家鄉的媽祖廟殿時，不由得興起彷彿將與自身命運相關的一股震顫，並驚覺到「自己有著什麼不好的罪過」，於是麗明虔誠合手膜拜。媽祖廟對於失去親密伴侶的荒人阿達，也同樣被賦予回歸初始經驗，參與在世存有並賦予力量的聖化空

---

48 見〔美〕伊利亞德著，楊素娥譯：《聖與俗：宗教的本質》（臺北：桂冠圖書公司，2000年），頁35。

49 七等生：《散步去黑橋》（臺北：遠景出版社，1979年）。

間。阿達荒蕪委頓既久，一朝來到媽姐廟殿，朝神像注視時，「彷彿忽然記起了什麼往事」，於是興生悲憫曾照護過他的老年啞婦，而邁向救贖行動。媽祖廟作為阿達個人世界的「聖地」，遠勝於阿達在返鄉生活中所參與的所有地點，包括「家園」概念或是「鄉土」意義，廟宇在小說中已遂異為朝向神聖形式的一種召喚與終極渴望。

七等生嘗自剖其創作初衷：「像從夢中醒來，開始從習慣的人造社會回返到自然的世界。許多情況說明了心靈內轉的真實，簡單地說，這是宗教上的了悟（雖然他並不在形式上皈依某一種宗教），在存活的人類裡，大都有這種掌握生命契機的智慧。」[50]斯言斯語恰可總攬小說中媽祖廟所揭示使人性復歸的唯一真實與實存空間的神聖性，以及人們與生俱有宗教意識的一種神聖鄉愁。

本文意在探討文學裡的宗教題材，藉由體察創作者寓寄宗教信仰或宗教意識的靈性思考，這種超越凡俗的創作意識及其人生態度，而歸結不同宗教位置所展現不同義理與文學的交會，特別是作家群如何在人物與情節橫貫間，展示警勸與證悟的教化主題及創作視景。本文自是無法將現當代的宗教文學文本悉數網羅，因此僅就簡要梳理耶、佛、道與儒教等相關教義或法理之作。惟當初揀擇選文，意在分殊各類宗教性的特質，如耶教的罪與救贖；佛教的愛染與度脫；道教的消解與自由意志，以及儒教的敬祖與孝悌觀等等。討論的文本看起來各有所為而為，但合而觀之，竟能互相指涉或參差對照，如在各宗教涵義之外，諸家之作大都以家族網絡為敘事關懷，顯見宗教文學似乎是以人倫親情及生命秩序為大端，其次則是生老病死的輪迴。此外，透過比異各宗教的警勸與教化，亦證諸各類宗教固然教義及信仰精神有別，但傳道濟世與教化精神，則殊途而同歸。

---

50 七等生：《散步去黑橋．自序》（臺北：遠景出版社，1979年），頁3。

或如識者所言「每一種宗教內部都有太多的差異性」，然而就統觀而論，「宗教即是一種生活的模式」，[51]即便各類宗教皆有其儀式和典範，卻依舊有其普遍性原則。如是而觀，宗教固然有其個人化與關係性的存有意義，但顯然不必有過度的排他性。在《人的宗教》書中，論及在世界文明當中，獨標舉中國調和其宗教的方式，不同於印度及西方宗教的排他性：[52]

> 每一個中國人在倫理和公眾生活上是儒家，在個人生活和健康上是道家，而在死亡的時候是佛家，一路上還加入一些健康的薩滿教的民間宗教。

斯人斯語，輿許能概括宗教信仰的錯綜關係！

---

51 〔美〕休斯頓・史密士：《人的宗教・原文再版序》，頁35。

52 〔美〕休斯頓・史密士著，劉安雲譯：《人的宗教》，頁253-254。

參考文獻

一　原典文獻

〔唐〕玄奘口述，辯機原著，季羨林等校注：《大唐西域記校注》，臺北：新文豐出版社，1987年。

〔明〕許仲琳：《封神演義》，臺北：桂冠圖書公司，1988年。

二　近人論著（按姓氏筆畫排序）

（一）專書及論文集

七等生：《散步去黑橋》，臺北：遠景出版社，1979年。

王健釋譯：《攝大乘論》卷15，高雄：佛光文化，1997年。

朱西甯：《狼》，臺北：遠流出版公司，1989年。

朱橋編：《佛教小說集》，臺北：佛教文化服務處，1960年。

何光滬等編：《宗教學小辭典》，上海：上海辭書，2002年。

李豐楙：《沈淪、懺悔與救度：中國文化的懺悔書寫論集》，臺北：中研院文哲所，2013年。

汪辟疆：《唐人傳奇》，臺北：金楓出版社，1998年。

徐立忠：《老人問題與對策——老人福利服務之探討與設計》，臺北：桂冠圖書公司，1989年。

康來新、林淑媛編：《臺灣宗教文選》，臺北：二魚文化事業公司，2005年。

張曼娟、高培耘撰，蘇子文繪圖：《火裡來，水裡去：唐傳奇・杜子春的故事》，臺北：親子天下，2017年。

陳映真：《父親》，臺北：洪範出版社，2004年。

黃春明：《放生》，臺北：聯合文學出版社，1999年。

黃鶴仁：《近代詩僧研究——以有詩集者為主》，臺北：東吳大學中國文學系博士論文，2017年。

歐陽子編：《現代文學小說選集（第二冊）》，臺北：爾雅出版社，1977年。

鄭志明：《台灣傳統信仰的鬼神崇拜》，臺北：大元書局，2005年。

魯　迅：《中國小說史略》，香港：太平洋圖書公司，1973年。

釋厚觀編：《大智度論講義（一）》，新竹縣：財團法人印順文教基金會，2015年。

釋圓香：《大佛頂首楞嚴經．卷四》，臺北：佛光出版社，1997年。

釋恆清主編：《佛教思想的傳承與發展——印順導師九秩華誕祝壽文集》，臺北：東大圖書公司，1995年。

〔日〕芥川龍之介著，林皎碧譯：《羅生門：闇黑人性的極致書寫，芥川龍之介經典小說集》，臺北：大牌出版社，2015年。

〔美〕伊利亞德著，楊素娥譯：《聖與俗：宗教的本質》，臺北：桂冠圖書公司，2000年。

〔美〕休斯頓．史密士（Huston Smith）著、劉安雲譯：《人的宗教》，臺北：立緒文化事業公司，1998年。

〔美〕洛雷塔．A．馬蘭德羅等著，孟小平等譯：《非言語交流》，北京：北京語言學院，1991年。

〔英〕巴刻著，張麟至譯：《簡明神學：傳統基督教信仰指南》，新北：更新傳道會，2015年。

〔英〕彼得．布魯克：《文化理論詞彙》，臺北：巨流圖書公司，2003年。

〔英〕約翰．希克著，王志成譯：《宗教之解釋——人類對超越者的回應》，成都：四川人民出版社，1998年。

〔英〕麥格拉思著，馬樹林等譯：《基督教概論》，北京：北京大學，2003年。
〔英〕雷蒙．威廉士著：《關鍵詞：文化與社會的詞彙》，臺北：巨流圖書公司，2003年。

（二）期刊論文

李玉珍：〈1950年代的反共文學與佛教文學——《佛教小說集》裡的戰爭、愛情與鄉愁〉，《佛學研究中心學報》第6期（2001年7月），頁315-347。
洪錦淳：〈生命的淬鍊——唐人傳奇〈杜子春〉的佛教思想〉，《國立臺中護理專科學校學報》第4期（2005年10月），頁157-173。
陳惠齡：〈宗教聖像作為文學符號的詮釋與意義——以老子、媽祖、哪吒為例〉，《成大中文學報》第44期（2014年3月），頁291-328。
黃鶴仁：〈斌宗法師及其《雲水詩草》探討〉，《東吳中文線上學術論文》第39期（2017年9月），頁61-92。
龔玉玲：〈怪胎哪吒「現身」「說法」——現代新編文本中的哪吒圖像〉，《中外文學》第32卷第3期（2003年8月），頁125-140。

（三）網路資料與其他

奧古斯丁主義： https://zh.wikipedia.org/zh-tw/%E5%A5%A7%E5%8F%A4%E6%96%AF%E4%B8%81%E4%B8%BB%E7%BE%A9#cite_note-43。（檢索日期：2023年6月22日）
陳惠齡：〈宗教文學：導論〉，《臺灣文化入口網．文學工具箱》https://toolkit.culture.tw/home/zh-tw/literaturetheme16。（檢索日期：2023年8月11日）

楊惠南：〈明鄭時期台灣「名士佛教」的特質分析〉：http://buddhistinformatics.ddbc.edu.tw/taiwanbuddhism/tb/md/md03-08.htm。（檢索日期：2023年8月11日）

二
「經部典籍研究」專題

《周易》的中正義理及其實踐進路

黃忠天
威爾斯大學漢學院客座教授

摘要

《周易》為中國哲學的活水源頭，向稱群經之首。歷代重要思潮如兩漢經學、魏晉玄學、宋明理學等等均無不與易學息息相關，其於吾國思想文化影響，可謂重大深遠。《周易》哲學雖有其龐大複雜的體系，但古人撰《易》目的，原為解決人事的疑惑，希望在千奇萬變的事物中（變易），尋求一不變的法則（不易），藉此達到以簡馭繁的目的（簡易），於是天地間這不變的法則－「中正」，很自然地從中脫穎而出，成為《易經》六十四卦共同追求的目標，也成為《周易》的核心價值。

「中」華民族，是一個尚「中」的民族，「中正」不僅是行為的規範，更為人格精神的寫照。「中正」不僅為《周易》的核心價值，更是中華民族立國的精神，亦人類賴以維繫生存的普世價值。在中華文化亟待重整與復興的今天，重新探討「《周易》的中正思想及其現代價值」，確實有其必要與意義，藉此亦可以讓我們重新省思「中正」的概念。

本文從「中正的原始概念」、「《周易》中正義涵與卦爻吉凶關係」、「《周易》中正對中華文化的影響」、「中正的實踐進路」等等分別論述，希冀藉由《周易》中正思想之探討，尋索中正概念在現代社會的實踐進路，藉此喚醒社會人心，重新找回作為「人」的基本價值與意義。

關鍵詞：中、正、中正、周易、經學

The Zhongzheng (中正) and Practical Approach of the Book of Changes (周易)

Chung-tian Huang
Visiting Professor , Academy of Sinology, University of Wales Trinity Saint David

Abstract

The Chinese nation is one that emphasizes the concept of "Zhongzheng (中正)." It serves as a norm for behavior and a reflection of personal integrity. "Zhongzheng (中正)" not only embodies the core value of the Book of Changes but also represents the spiritual essence of the Chinese nation, as well as a universal value upon which humanity relies for its existence. In the present day, as Chinese culture calls for revitalization and rejuvenation, it is indeed necessary and meaningful to reexamine the "Zhongzheng (中正)" philosophy of the Book of Changes and its contemporary significance. Through this, we can reconsider the concept of "Zhongzheng (中正)."

This paper discusses various aspects, including the "Original Concept of Zhongzheng (中正)," "The Concept of Zhongzheng (中正) in the Book of Changes and its Relation to Hexagrams and Their Outcomes," "The Influence of Zhongzheng (中正) on Chinese Culture in the Book of Changes," and "The Practical Approach to Zhongzheng (中正)." By exploring the philosophy of Zhongzheng (中正) in the Book of Changes, it is hoped that we can find a practical path for implementing this concept in modern society, awakening the hearts of people, and rediscovering the fundamental values and meaning of being human.

Keywords: Zhongzheng (中正), moderate, right path, Book of Changes, Confucianism, Classical Texts

一　前言

《周易》為中國哲學的活水源頭，向稱群經之首。歷代重要思潮如兩漢經學、魏晉玄學、宋明理學等等均無不與易學息息相關，其於吾國思想文化影響，可謂重大深遠。《周易》哲學雖有其龐大複雜的體系，但古人撰《易》目的，原為解決人事的疑惑，希望在千奇萬變的事物中（變易），尋求一不變的法則（不易），藉此達到以簡馭繁的目的）簡易），於是天地間這不變的法則－「中正」，很自然地從中脫穎而出，成為《易經》六十四卦共同的法則，也成為《周易》的核心價值。

「中正」一辭最早出自於《尚書・呂刑》[1]，經過《易傳》的闡揚，久已成為中華文化的思想核心。不料，不知從何時開始，「中正」竟又成為敏感的字眼。繼台北「中正紀念堂」曾一度改名為「台灣民主紀念館」之後，又有擬議將全台「中正路」改名之議。這些舉措，自然與若干人士的意識形態有關。然而，人亡政息，吾人或許能稍調整心態，將原先帶有政治動機的色彩，回歸「中正」二字的本義，重新探索其義涵，或能避免因改名所導致的族群撕裂與龐大經費的耗損。尤其，在世風日下，人心不古的今日，重新闡揚《周易》的中正義理思想，並躬行踐履，更別具時代意義。

《周易》為中國現存最早的典籍，並為先秦諸子思想的泉源，而書中最重要的核心價值──「中正」，在儒家的闡揚下，久已成為歷代炎黃子孫的共同的理念與生活模式。有關《周易》中正義理思想的

1　《尚書・呂刑》的撰作時代頗多爭議，本文採用尤韶華〈〈呂刑〉的穆呂之爭：《尚書・呂刑》性質辨析〉一文所主張，《呂刑》蓋出自呂侯之手，並為周穆王（約前992年-約前922年）之刑的說法。見《江蘇警官學院學報》第27卷第2期（2012年3月）。

探討，雖然在《周易》概論或易學辭典專著，均不乏從「易例」[2]加以解釋者，惟對「中正」義理提出較深入論述者，今僅略見陳立夫〈易與儒家之中道思想〉[3]、梁燕城〈千變萬化中的中正哲學〉等文[4]。立夫先生從天文星宿、《周易》經傳等等，說明《易》與儒家的中道思想，頗具宏觀與啟發性，惜其篇幅僅三千餘字，未能作較深入的闡述。梁先生大作特別從〈乾〉卦「剛健中正」與〈坤〉卦「柔順中正」，提出「中正是剛柔的平衡點」、「中正是宇宙的正位」等等論點，並針對高懷民《大易哲學論》與楊慶中〈《周易》中正觀略論〉所述及的「中正」，再進行哲學角度的分析。除此之外，蕭兵《中庸的文化省察》一書[5]，對「中」字的探討頗為深刻，惜其僅侷限於《中庸》來討論，未能對《周易》的中正義理思想展開論述。本文除植基於前人的研究外，擬從文獻學的角度，探討中正的原始概念、《周易》的中正義涵（包括易例的義涵與經傳的解釋）及其影響（包括思想義理、命名取義、行為模式），最後則以個人的體悟來論述中正的實踐進路，並以此作結。

二　中正的原始概念

（一）中的原始概念

依《說文解字》的說法：「中，內也。从口丨，下上通也。」歷代注家亦有謂：「中，和也」，如《集韻》、《類篇》、《韻會》等，亦有

2　易例為為易學的條例，為解釋卦爻吉凶或易學現象的專門術語。說詳下文。

3　陳立夫：《易學應用之研究：第二輯》，臺北：臺灣中華書局，2015年。

4　梁燕城：〈千變萬化中的中正哲學〉，加拿大溫哥華文化更新研究中心《文化中國》2016年第4期（總第91期），頁96-103。

5　蕭兵：《中庸的文化省察》，武漢：湖北人民出版社，1997年。

謂「矢著正」(射箭中靶),如朱駿聲《說文通訓定聲》,其實上述諸說,包含《說文》,均可視為「中」字的後起引申義。

由於甲骨文「中」的字形多樣,致使「中」的原始義涵,也有頗多的說法,或指與旗幟有關,並作為測日影或測風向的器具。另有一種說法,「中」的字形是在兩杆軍旗之間加一點指事符號,表示兩軍之間的對稱位置。於是,到了先秦,「中」字或指上下四方等距的位置,如「中原」、「中國」;或指內在、裡面之意,如:「五帝之中無傳政」(《荀子・非相》)、「憂從中來」(曹操《短歌行》);或指合適、恰當之意,如;「是秦之計中,齊燕之計過矣」(《戰國策・齊策二》)、「〔舜〕隱惡而揚善,執其兩端,用其中於民。」(《禮記・中庸》),衍生出滋乳寖多的義涵。

(二)正的原始概念

「正」是「征」的本字。「正」,在甲骨文中是表示征伐不義之邑。古人稱不義的侵略為「各」,稱仗義的討伐為「正」。造字本義:原指行軍征戰,討伐不義之地。如《易・離》上九:「王用出征,有嘉折首,獲匪其醜,無咎。」〈象〉曰:「王用出征,以正邦也。」另《詩經・齊風・猗嗟》:「終日射候,不出正兮。」又如《尚書・湯誓》:「予畏上帝不敢不正。」由上述諸例,可見「正」與「征」密不可分的關係。漸漸地,「正」字也成為「公義」、「平直」的象徵。如「名不正則言不順」(《論語・子路》)、「平心持正」(《漢書・李廣蘇建傳》)。由於「正」字使用日廣,「征戰」的本義逐漸喪失,於是另造一「征」字來代替。到了東漢許慎《說文解字》時,遂作「正,是也。從止,一以止。凡正之屬皆從正。」宋・徐鍇更注曰:「守一以止也」,均是從「正」的後起引申義來解釋。

三　《周易》中正義涵與卦爻吉凶關係

論及《周易》的中正義涵，今人通常藉由《周易》相關辭典或概論性質的易學書籍，其中所列的易學條例（簡稱為「易例」）來理解。為便於後續的討論與比較，本章撰述上亦先略論易例中的「中正」原則，然後再就《易經》與《易傳》的中正義涵，分別論述，以便於三者之間異同的比較，並說明「中正」與卦爻吉凶的關係。

（一）易例的中正義涵

由於《易經》為中國現存最古老的典籍，號稱難讀。自春秋戰國以降，易家為便於《易經》哲理的探索，並擬究竟其中所蘊含的吉凶之理，於是歸納出頗多的易學條例，簡稱為「易例」，藉以解釋《易經》的吉凶。而「中正」二字，便是其中最重要的易例之一。

1　中的義涵

依易例原則，《易經》各卦六爻中，由於第二爻與第五爻，分別位處在上下卦的中間，因此，易例上便稱為「中」，或「得中」。所謂「得中」，有合於中道之意，因此，通常多吉而少凶。例如：〈恒〉九二：「悔亡。」象曰：「九二悔亡，能久中也。」又如：〈解〉九二：「田獲三狐，得黃矢，貞吉。」〈象〉曰：「九二貞吉，得中道也。」

2　正的義涵

依易例原則，《易經》各卦六爻中，爻位屬奇數者為陽位，有初、三、五爻。偶數者為陰位，有二、四、上爻。陽爻居陽位，陰爻居陰位，則稱為「正」或「當位」。「正」或「當位」意味陰陽的表現符合所處位置與時機，所以較吉。例如：〈中孚〉九五：「有孚攣如，无咎」，象曰：「有孚攣如，位正當也。」若是陽爻居陰位，或陰爻居陽位，則稱為「不正」或「不當位」。「不正」或「不當位」意味陰陽的表現未符合所處位置與時機，所以較凶。例如：〈履〉六三「履虎尾，咥人，凶」象曰：「咥人之凶，位不當也。」〈未濟〉六三「未濟，征凶」象曰：「未濟征凶，位不當也。」

3 中正的義涵

依易例原則，如果陽爻（九）居五，陰爻（六）居二，如此，居中又當位（得正），則稱「中正」。如〈豫〉六二：「介於石，不終日，貞吉。」〈象〉曰：「不終日貞吉，以中正也。」又如：〈訟〉九五：「訟元吉。」〈象〉曰：「訟元吉，以中正也。」《易傳》裡對於二、五兩爻相關的稱呼還很多。例如，陽處於二、五則稱「剛中」，意謂陽剛且有中庸之德。陰處於二、五則稱「柔中」。意謂柔順且有中庸之德。凡稱「剛中」、「中正」者，通常較為吉。例如：〈恒〉九二：「悔亡。」象曰：「九二悔亡，能久中也。」

易學上所歸納出來的「中、正、乘、承、比、應」等等易例之說，主要在藉以說明卦爻吉凶之理，惟其究起源於何時？恐難以稽考。不過，至遲應至漢魏時代易學諸家，已歸納出如上的易例方式，並成為後代易學家詮釋卦爻辭重要的依據。

（二）《易經》與《易傳》的中正義涵

前述易例的中正義涵，原為後人為便於易學的研究所歸納出來的原則。惟《易經》與《易傳》的中正義涵，其出現的頻率與義涵，則頗有異同，試分述如下：

1 《易經》與《易傳》的「中」字義涵

《易經》卦爻辭所出現的「中」字，共有十二筆[6]。就此十二例而言，傳統上大致將《易經》的「中」解為，其一：「當中、裏面」之意，如「林中」、「日中」等例；其一為「中道」之意，如「中行」、「中吉」、「在師中」諸例。不過，揆度《易經》，「中」字的原始意義，似乎均可作「當中、裏面」之意，如「中行」可謂行於其中；「在師中」可謂在軍旅之中之類。所以，卦爻辭的「中道」思想，未必明確。

不過，到了《易傳》時代，上述十二例，除了保持原來的「當中、裏面」之意，另將「中行」、「在師中」、「中吉」的涵義，漸從「中道」來解釋。例如：〈訟〉卦的「中吉」，〈彖傳〉即謂「中吉，剛來而得中也。」〈夬〉卦的「中行」，〈象傳〉曰：「中行無咎，中未光也。」

《易傳》的「中」字，僅以各卦〈彖〉、〈象〉，以及〈繫辭傳〉各章來統計，便有七十四筆，遠較《易經》為多，主要是《易傳》不僅針對《易經》原有的「中」字作解釋外，更從二五爻位來闡發其「中道」思想。如〈夬〉九二：「惕號，莫夜有戎，勿恤。」〈象〉曰：「有戎勿恤，得中道也。」〈井〉九五：「井洌，寒泉食。」〈象〉曰：「寒泉之食，中正也。」又如：〈訟〉九五：「訟，元吉。」〈象〉

6 此十二筆如下：(1)〈屯〉六三：「即鹿無虞，惟入于林中；君子幾，不如舍。往吝。」(2)〈復〉六四：「中行獨復。」(3)〈訟〉：「有孚、窒、惕、中吉，終凶。利見大人，不利涉大川。」(4)〈師〉九二：「在師中，吉，無咎，王三錫命。」(5)〈泰〉九二：「包荒，用馮河；不遐遺，朋亡。得尚于中行。」(6)〈家人〉六二：「無攸遂，在中饋，貞吉。」(7)〈夬〉九五：「莧陸夬夬，中行，無咎。」(8)〈豐〉：「亨。王假之，勿憂，宜日中。」(9)〈豐〉六二：「豐其蔀，日中見斗，往得疑疾，有孚發若，吉。」(10)〈豐〉九三：「豐其沛，日中見沫；折其右肱，無咎。」(11)〈豐〉九四：「豐其蔀，日中見斗，遇其夷主，吉。」(12)〈中孚〉：「豚魚吉。利涉大川，利貞。」

曰：「訟元吉，以中正也。」我們可以如此理解，《易經》原有存在但隱沒不彰的中道思想，在春秋戰國時代，藉由《易傳》的闡發，變為更具體明確，幾乎充斥於各卦之中。

2　《易經》與《易傳》的「正」字義涵

《易經》的「正」字，在全書中僅出現一筆，如〈无妄〉卦辭：「元亨，利貞。其匪正，有眚。不利有攸往。」惟《易經》中幾乎無卦無之的「貞」字，[7]依《說文》作「卜問」，[8]但《易傳》在詮釋義理上，則將「貞」字解為「正」，如〈師〉：「貞，丈人吉，無咎。」〈彖〉曰：「師，眾也；貞，正也。能以眾正，可以王矣。」於是表現在《易傳》中，「正」字幾無卦無之。如：〈屯〉卦初九：「，磐桓，利居貞，利建侯。」〈象〉曰：「雖磐桓，志行正也。以貴下賤，大得民也。」〈需〉九五：「需于酒食，貞吉。」〈象〉曰：「酒食貞吉，以中正也。」〈頤〉：「貞吉。觀頤，自求口實。」〈彖〉曰：「頤貞吉，養正則吉也。」於是「貞」（正）字儼然成為《周易》衡量事務是否合宜的重要依據。

《周易》原為占筮之書，按理宜通貫天（神）人，富含「意志天」的色彩；而其成書於西周初年，去殷未遠，按理應繼承商人崇神祀鬼的精神，惟觀《易經》到《易傳》，廣泛地，從德性之正來闡發卦爻辭。如：〈无妄卦〉所云：「其匪正有眚，不利有攸往」，又如〈繫辭〉下傳第七章，三陳九卦論述反身脩德以處憂患之事，更將《周易》的道德意識發揮至極。

7　六十四卦惟〈大有〉〈復〉〈大過〉〈睽〉〈震〉〈豐〉〈夬〉七卦無「貞」字。
8　《說文》：「貞，卜問也。从卜，貝以為贄。一曰鼎省聲。京房所說。」

3 《易經》與《易傳》的「中正」字義涵

《易經》無「中正」一辭，「中正」二字始見《尚書・呂刑》：「哀敬折獄，明啟刑書胥占，咸庶中正。其刑其罰，其審克之。」不過，《尚書》全書中亦只見此一例，未能有較多的闡揚。《易經》中雖無「中正」一辭，不過，其卦爻辭中所蘊涵的思想，配合著時位與吉凶，透過《易傳》對《易經》的詮釋，在〈彖〉〈象〉〈文言〉中開始大量出現與使用，高達十七處之多，不僅成為《周易》重要的哲學命題，更形成其思想的核心。在十七例中，除〈艮〉六五：「艮其輔，言有序，悔亡。」〈象〉曰：「艮其輔，以中正也」，不合易例所謂第五爻中正宜為陽爻居陽位（即九五）的要求外，其餘均合於易例，惟六二、九五兩爻方可稱為「中正」之例。如：

> 〈需〉九五：「需于酒食，貞吉。」〈象〉曰：「酒食貞吉，以中正也。」〈晉〉六二：「晉如愁如，貞吉，受茲介福于其王母。」〈象〉曰：「受茲介福，以中正也。」

由上述諸例的〈象傳〉，均從其以中正之德而獲吉，可見《易經》卦爻辭本身所蘊涵的道德性，到了《易傳》，藉由儒家對「中正」思想的闡發，已充分地呈顯。我們可以說整部《易經》六十四卦，一言以蔽之，惟「中正」二字而已。由於從《易經》到《易傳》，「中正」義涵由隱晦到彰顯，可看出儒家在德教上的努力。《帛書周易・要》記載孔子云：「「《易》，我後其祝卜矣，我觀其德義耳也」[9]，也得到另一旁證。

---

9 《帛書周易・要》載：「子曰：《易》，我後其祝卜矣，我觀其德義耳也。」

（三）中正與吉凶的關係

雖然表面上來看，易例的「中」，是以各卦上下兩經卦的中爻而得名。不過，易例從卦爻辭所歸納出來的「中」，並非著重其所在的位置，而是指其行事得宜之意。因為惟合於中道，則合於〈繫辭〉所說的：「一陰一陽之謂道。」《周易》所追求者無非是陰陽的和諧與平衡，在《易經》中，能達到如此剛柔合宜者，每為最佳的狀態，就合於「中」，或「得中」的要求。例如：〈蠱〉卦九二：「幹母之蠱，不可貞」，蠱有敗壞之意，幹蠱即有拯治敗壞之意，拯治固然須用剛，然在行事過程中則不能一味用剛，故爻辭戒以「不可貞」[10]，宜兼採陰柔，如此方能剛柔合宜。本爻九二陽爻雖為剛，然由於居處陰位，故爻辭雖有告誡之意，然終能以剛而不過而獲吉。又如《易經》〈大壯〉卦，大壯者，陽剛壯盛之意。本卦二陰而四陽，四剛決去二柔，有過剛之嫌，故爻辭多以用剛為戒。高懷民教授曾指出：「執中用權」的概念，並謂：

> 即不以「中」為一固定點。依照大易哲學，宇宙萬物為流行不息的作用，從不曾有，也永不會有任何固定不變之點。在萬物流轉中，因時乘位，得其自然，於道無忤，是為「中」。[11]

學《易》者大多知道爻辭以二、五爻為佳，《周易．繫辭上》也這麼說：「二多譽，三多凶，四多懼，五多功」。今人黃沛榮教授曾說：「六十四卦384爻，二、五爻為吉，佔47.06；凶，佔13.94。」[12]不

---

10 意即不可固執於用剛。

11 高懷民：《大易哲學論》（臺北：成文出版社，1978年），頁350。

12 黃沛榮：〈遨遊《易經》的天地——初學者如何研讀《易經》〉，《國文天地》第6卷第11期（1991年4月），頁43-49。

過，個人將六十四卦384爻分別排列統計後，深覺卦爻的吉凶，恐難得出精準的數據，不能簡單地就字面吉凶來判斷，例如：〈臨〉卦六五，以爻位言，合於「中」，爻辭亦云：「知（智）臨，大君之宜，吉。」表面看來是吉，但《易經》為憂患之書，本爻有提醒國君宜以智慧監臨天下，如此自然得吉，反之則凶。又如〈遯〉卦為處困之卦，九三：「畜臣妾，吉」，亦只是告誡占者，若處此困境，當有「畜臣妾」之心則吉，反之則凶。不能單就字面來決定吉凶，而是要心存憂患，時時儆醒。

雖然如此，經統計《易經》六十四卦卦爻辭與吉凶的關係，仍然可以明顯看出來，六十四卦三百八十四爻的吉象，的確以二、五較佳，至於凶象，則以三、上為多，前者與「中」有關，後者則以其分處於上下卦的爻位之極有關。

至於「正」（當位）與否，與吉凶的關係，似乎不太明顯。在《易經》中往往剛卦宜柔，柔卦宜剛，處蹇宜柔，濟難宜剛。因此，「正」與吉凶的關係，反而與各卦的主題，與時機、時宜（時）的把握，更為重要。例如：〈否〉卦九五：「休否，大人吉；其亡其亡，繫于苞桑。」〈象〉曰：「大人之吉，位正當也。」〈履〉卦九五：「夬履，貞厲。」〈象〉曰：「夬履貞厲，位正當也。」兩卦九五在易例上均為中正，同為「位正當也」，前者因為拯濟危難，故吉；後者強調處世宜柔，惟九五以剛決行事，故凶。

從上述研究亦可見，二、五爻的吉象與「中」確實存有密切的關係，但是爻位是否得「正」（即既中且正），就第五爻而言（即九五或六五），似無太大的差異。不過，對第二爻而言，則失位（不得正）的九二，反而較得位的六二（既中且正）為吉者多，可見易道雖然在許多地方，強調剛柔並濟，但就第二爻而言，似乎「剛中」又較「柔中」為吉，可見易道主剛[13]，確有一定的道理。

四　《周易》中正思想對中華文化的影響

先秦經典中對對於「正」的重視，隨處可見，如《易經・師卦》:「師出以正」、《尚書・洪範》:「三德：一曰正直，二曰剛克，三曰柔克。」《老子》:「以正治國」、《墨子・尚賢中》:「今王公大人欲王天下，正諸侯，夫無德義將何以哉」、《韓非子.飾邪》:「人臣有私心，有公義。修身潔白而行公行正，居官無私，人臣之公義也。」先秦各家對於「正」的詮釋，容或不同。但對於「正」的要求，基本上，是無分軒輊。

《易經》無「中正」一辭，大量的使用與闡發，不能不待諸《易傳》。《易傳》為儒家在春秋戰國時期對《易經》的詮釋。[14]，由於「中正」一辭，大量出現在《易傳》中的〈彖〉〈象〉〈文言〉三部分，而此三者撰作時代，又較《易傳》其他各篇為早。因此，我們可確定「中道」、「中正」思想的闡發，誠為儒家所專擅。《易傳》中大量的「中道」、「中正」思想，正可反映儒家於春秋戰國時代，在此議題上發展出其一套特有的中庸哲學。[15]

《論語》一書無「中正」二字，不過，孔子卻曾提到「中行」、「中庸」、「允執其中」等語。[16]到了戰國初年的子思作《中庸》，其書

---

13 鄭吉雄：〈論易道主剛〉，《臺大中文學報》第26期（2007年6月），頁89-118。

14 《易傳》撰作時代，眾說紛紜，本文採用較多共識，為春秋戰國時期儒門弟子的集體創作。

15 先秦諸子的經典文獻中，固然也曾使用「中道」一辭，不過，都只是路途之意。

16 如《論語・子路》：子曰：「不得中行而與之，必也狂狷乎！狂者進取，狷者有所不為也。」《論語・雍也》子曰：「中庸之為德也，其至矣乎！民鮮久矣。」《論語・堯曰》堯曰：「咨！爾舜！天之曆數在爾躬。允執其中。四海困窮，天祿永終。」

「中正」二字雖僅見一處，如《中庸》三十一章：「齊莊中正，足以有敬也。」不過，書中頗闡述「用中」的哲學，更把《易經》的中道思想，發揮得十分透徹。[17]《中庸》一書，原是孔子之孫孔伋（子思）在孔子的「中道」基礎上，正式展開儒家的中庸思想。

孟子繼承子思的學說，繼續發揚中庸之旨，《孟子》一書雖未言及「中正」一辭。不過，談論「中道」思想頗多，如《孟子・盡心下》孟子曰：「孔子『不得中道而與之，必也狂狷乎！狂者進取；狷者有所不為也。』孔子豈不欲中道哉? 不可必得，故思其次也。」又如《孟子・盡心下》孟子曰：「中也養不中，才也養不才，故人樂有賢父兄也。如中也棄不中，才也棄不才，則賢不肖之相去，其間不能以寸。」

孟子更從孔子的「權變」思想[18]、子思的「執兩用中」思想[19]，發展出「經權」思想。如《孟子・盡心上》孟子曰：「子莫『執中』，執中為近之。執中無權，猶執一也。」又如《孟子・離婁上》孟子曰：「男女授受不親，禮也。嫂溺援之以手者，權也。」孟子的「經權」思想，近乎「中正」，蓋經者，乃常道、正道之意，近乎「正」；權者，權宜，權衡之意，近乎「中」。「權」原為古人量物輕重所使用的稱錘，藉由不斷挪移斟酌取得平衡，此即用權之意。故「中」是平衡點之意，不是兩端中間的那一點，而是要視每一當下處境，在兩端

---

17 如第二章：「君子中庸，小人反中庸。君子之中庸也，君子而時中」、第三章：「中庸其至矣乎」、第八章：「回之為人也，擇乎中庸」、第十章：「中立而不倚」、第二十章：「誠者，不勉而中，不思而得，從容中道，聖人也」、第三十一章：「齊莊中正，足以有敬也」等等。

18 《論語・子罕》子曰：「可與共學，未可與適道；可與適道，未可與立；可與立，未可與權。」

19 《中庸・第六章》子曰：「道其不行矣夫。」子曰：「舜其大知也與！舜好問而好察邇言，隱惡而揚善，執其兩端，用其中於民，其斯以為舜乎！」

中尋找最適當的平衡點。這當中自然便需要作智慧的判斷，以用中為原則（執中），去衡量處境的適當位置，有如用秤桿上的秤錘（用權），不斷移到平衡的位置，方能達到最合適的狀態。

行正道而不知合於中道，則所行未必得正。所以宋代程頤《易傳》曾謂：「中則必正，正不必中」，即說明了「中」的重要性。藉由「中」（合宜），可規範「正」的可靠性，以避免可能的後遺症。

孟子之後，先秦儒家典籍中論及「中正」者，僅見於《荀子》、《禮記》、《公羊傳》。試列舉如下：

> 《荀子・勸學》：故君子居必擇鄉，遊必就士，所以防邪僻而近中正也。
>
> 《禮記・樂記》：中正無邪，禮之質也。
>
> 《禮記・儒行》：儒有居處齊難，其坐起恭敬，言必先信，行必中正。
>
> 《公羊傳・宣公》：什一者天下之中正也。

其他經典論及「中正」者蓋寡。至於論及「中」者，道家於此也略有著墨，如：

> 《老子》：「多言數窮，不如守中」、「道中而用之或不盈」
>
> 《莊子・人間世》：彼是莫得其偶，謂之道樞。樞始得其環中，以應無窮
>
> 《莊子・人間世》：且夫乘物以遊心，託不得已以養中。
>
> 《莊子・則陽》：冉相氏得其環中以隨成，與物無終無始，無幾無時。
>
> 《莊子・列禦寇》：凶德有五，中德為首。何謂中德？中德也者，有以自好也而吡其所不為者也。

不過，道家的「中」，或等同於「虛」，或指「內在」，未必等同儒家的中道思想。孔子、子思、孟子的中道思想，固然是承襲了《易經》的中道思想，自孔、孟以後的儒家學說，也莫不皆然。由於宋代以來，儒者特別重視《周易》與《中庸》，於是《周易》的「中正」思想，遂獲得進一步的闡發。如北宋五子周敦頤於《通書．道第六》云：「聖人之道，仁義中正而已矣。」[20]而張載（橫渠）和邵雍（康節），更把易經的中正之道，推擴為「大中至正」的哲學。張載，不僅有易學著作《橫渠易說》外，另撰有〈中正篇〉，其中論道：

> 中正然後貫天下之道，此君子之所以大居正也。蓋得正則得所止，得所止則可以弘而致於大。[21]

又如：

> 大中至正之極，文必能致其用，約必能感其通。未至於此，其視聖人，恍惚前後，不可為像，此顏子之歎乎![22]

與張載同為理學大家的程頤，其易學有《伊川易傳》，書中以闡發儒理為主要釋《易》方式，其中又以「理」為其思想核心。試觀程子所說：

> 卜筮之能應，祭祀之能享，亦只是一箇理。蓍龜雖無情，然所以為卦，而卦有吉凶，莫非有此理。以其有是理也，故以是問

20 〔宋〕周敦頤撰：《周濂溪集》（上海：商務印書館，1936年），第2冊，卷5。

21 〔清〕黃宗羲撰，全祖望補訂：《宋元學案．橫渠學案》（北京：中華書局，1986年），卷17上。

22 〔清〕黃宗羲撰，全祖望補訂：《宋元學案．橫渠學案》，卷17上。

焉，其應也如響。[23]

由上文可知二程認為「卜筮能應」、「祭祀能享」、「處藥治病」，只是一箇理。宇宙萬事萬物之所以可能，之所以存在，無非只是一箇理，故「理」之一字，可謂為程頤思想義理的核心與根源。又說：「命之曰《易》，便有理」[24]，由於易理即天理，故卦爻始立，義理即寄寓其中，能「盡天理，斯謂之易」，至於「理」的性質為何？程頤復進一步闡述：

> 理有盛衰，有消長，有盈益，有虛損。順之則吉，逆之則凶。君子隨時所尚，所以事天也。[25]

又云：

> 理善莫過於中。中則無不正者，而正未必得中也。[26]

依程子之意，君子隨時所尚，即所以事天，即合於中道，倘合於中道，便能合於「理」，蓋「理善莫過於中」也。其門人游酢〈孫莘老易傳序〉云：

> 自伏羲至於仲尼，則《易》之書不遺餘旨矣。蓋將領天下於中

---

23 王孝魚點校：《二程集（上）．河南程氏遺書卷第二下．二先生語二下．附東見錄後》（北京：中華書局，2004年），頁51-52。

24 王孝魚點校：《二程集（上）．河南程氏遺書卷第二上．元豐己未呂與叔東見二先生語》，頁32。

25 王孝魚點校：《二程集（下）．河南程粹言卷第一．論道篇》，頁1175。

26 王孝魚點校：《二程集（下）．河南程粹言卷第一．論道篇》，頁1175。

正之塗，而要於時措之宜也。[27]

按游酢的說法，聖人作《易》的目的，即在「領天下於中正之塗」，而達最恰到好處的狀態。

張載、程頤之後，對「中正」思想，亦有獨到者，如南宋易學家楊萬里，其易學著作——《誠齋易傳》，其中廣引史事以證《易》，並欲從古往今來萬事萬變中，尋求一不變的至道，然此至道為何？萬里特揭「中正」以言之。例如：其《易傳‧自序》云：

> 《易》者，聖人通變之書也。其窮理盡性，其正心修身，其齊家治國，其處顯，其傃窮，其居常，其遭變，其參天地，合鬼神，萬事之變方來，而變通之道先立，變在彼，變在此，得其道，蚩可哲，慝可淑，眚可福，危可安，亂可治，致身聖賢而躋世泰和，猶反手也。斯道何道也？中正而已矣。唯中為能中天下之不中；唯正為能正天下之不正。中正立而萬變通。此二帝三王之聖治，孔子顏孟之聖學也。[28]

夫《易》有三義：「變易、不易、易簡」，於上文中，「萬事之變方來」，此「變易」也。「變通之道先立」，此「不易」也。而此變通之道，即指「中正」，「中正立而萬變通」，此則「易簡」也。由「變易」以識「不易」，得「不易」以馭「變易」，故〈繫辭傳〉云：「易簡則天下之理得矣。」萬里深明易變之道，並援引史事以證《易》，希望吾人了悟人事、時空，雖瞬息萬變，然而吾輩自處之道，則亙古不變。是故得此道者，足以致身聖賢而躋世泰和，失此道者，則日趨

27 〔宋〕呂祖謙編：《宋文鑑》（北京：中華書局，1992年），頁1300。

28 〔宋〕楊萬里：《誠齋易傳‧序》，臺北：成文出版社影乾隆46年武英殿聚珍本。

下流，敗德喪身。然而此道為何？萬里特揭「中正」而已！而「中正」之道，於何求之，最後萬里則以一「心」字作結。他在《誠齋易傳・易傳自序》談道：

> 然則學者將欲通變，於何求通？曰道。於何求道？曰中。於何求中？曰正。於何求正？曰《易》。於何求《易》？曰心。[29]

惟心當如何修持而不至昏憒，依萬里所言，則在體「天地之心」而已。

蘊含於《易經》的「中正」思想，經春秋戰國儒家推闡於前，再經宋儒接踵於後，於是「中正」思想成為中華民族，乃至於東亞各民族的的行為準則，影響不可不謂深遠。

五　中正思想的實踐進路

《周易》的中道思想，透過《易傳》與《中庸》的闡發，久矣成為中國文化的特質，說我們是一個「尚中」的民族，一點也不為過。孔子說：「不得中行而與之，必也狂狷乎，狂者進取，狷者有所不為也。」可見「中行」乃是最妥切的行為標準。儒家所強調的「君子」形象，無論文勝質的「史」，或質勝文的「野」，都不是最理想的狀態，惟文質彬彬者，方為君子的典範。

由於行事追求「中」，於是也能達到「雙贏」的局面，與「和諧」的要求。孔子說：「禮之用，和為貴，先王之道斯為美，小大由之。」中華民族號稱為「禮義之邦」、「愛好和平民族」。當代著名哲學家張立文先生一生談和合，追求「和合」精神，誠能把握住中國文

---

29 〔宋〕楊萬里：《誠齋易傳・序》。

化的優良特質。然而要躋此「和」的境界，若少了「中」，則無以致之。因此，和的前提，則是「中」。《中庸》云：「君子而時中」，惟能隨時處其中道，先致「中」而後能「和」，方能尋求人與萬物最合宜的狀態。

中華民族向來是秉持《周易》「保合大和」的精神，和《中庸》「萬物並育而不相害」的和平政策。因此，中國歷代以來，幾乎罕見西方帝國主義的掠奪性格與慘烈的屠殺手段，這也是西方人始終難以理解的中國和合精神。

《易經》從〈乾〉卦「元亨利貞」開始，六十四卦中，「正」或「貞」字，幾乎無所不在。尤其〈師〉卦云：「能以眾正，可以王矣」、〈无妄〉卦云：「其匪正有眚」，更清楚地揭示「正」的重要性。孔子說：「子率以正，孰敢不正」；老子講「以正治國，以奇用兵」；韓非子講「正直之道可以得利」。《論語》不僅提到「割不正不食，席不正不坐」，即使射箭所用箭靶，亦講究「中正」的精神。《中庸》曾云：「射有似乎君子；失諸正鵠，反求諸其身」，文中所謂「正」即指在布上畫上同心方的方形箭靶。此即《周禮・射人》所說的「五正」之侯，也是《周禮・梓人》所說的「五采之侯」，即用五種正色分別畫在五個同心的正方形上。何以稱此箭靶為「正」？主因「射箭」在先秦非僅止於狩獵攻伐戰陣之用，更是觀德取士，嫻習禮樂的方式。依鄭玄的說法，「正之言，正也」。若射者內在心志醇正，則其射箭必能中的，即俗語所說的「心正矢直」。可見「正」的要求，不僅為先秦諸子的共識，更是傳統以來，中國文化的普世價值。時至今日，我們仍然可以常聽到「正人君子」、「正派經營」、「正字標記」等等名詞，顯然，「正」乃為人處事的的基本要求與做人的根本。孔子曾說：「我欲仁，斯仁至矣!」的確，行仁由我，而由乎人哉？同樣地，我欲中正，中正自然至矣!不過，人雖立志行善，然而行善卻往往由不得我，其故安在？因為，一切行事的果效，皆由心出發。但人心實在太軟弱，不夠剛強。因此，仍須要有實踐的真知正見與具體的功夫。茲分述如下：

（一）正宜從起心動念始

《周易・乾・文言》曾云：「知進退存亡而不失其正」。如上文所言，「正」乃為人處事的的基本要求與做人的根本，也是放諸四海皆準的普世價值。人從出生到死亡，無論家庭教育、學校教育與社會教育，無非教導人們宜有規規矩的態度、正正當當的行為。唯社會上仍不乏傷風敗俗，為非作歹之徒，而且有日趨嚴重之勢。可見我們的教育未能真正的落實，其中原因值得我們思考反省。

「中正」不僅是行為規範，更為人格精神的寫照，所以理應成為道德教育重要的原則。相較法治教育強調由外而內的行為規範，道德教育則是著重於由內而外的心靈規範。所謂「導之以法，齊之以刑，民免而無恥；導之以德，齊之以禮，有恥且格」。如果人們只是外在行為合於規範，未能從內在的道德做起，則僅能「革面」而難「洗心」。

《論語・先進》載子張問善人之道，子曰：「不踐跡，亦不入於室。」這句話說明了即使要成為一個善人，都得從踐跡（學習聖賢的行事作為）入手，否則無法學習到味。不過，踐跡只是學習了聖賢外在的行為，至於要成為聖人，則單靠「踐跡」仍是不夠的，還得從內在工夫入手不可。此內在工夫即是「起心動念」，亦即《大學》所說的「誠意」。因為，惟「意誠而后心正」，意不誠、心不正，只是外在行為合於「正」，仍只是暫時性、假象性的循規蹈矩，難以真正有效阻絕偏差行為的發生。

《周易・蒙卦・彖》：「蒙以養正，聖功也」，可見成聖須從「養正」做起。但「養正」又得從「養心」開始（即起心動念）。《論語・學而篇》記載曾子說：「吾日三省吾身；為人謀而不忠乎？與朋友交而不信乎？傳不習乎？」謀事、交友、傳習，這是在談外在的行為態度。

《六祖壇經・行由品第一》說：「身是菩提樹，心如明鏡台；時時勤拂拭，勿使惹塵埃。」這是在談內在的修省工夫。其實無論外在行為態度，或內在的修省工夫，皆從「心」出發，惟有「真心」方為真工夫，才有真果效。否則至多只是「善人」，難躋「聖人」的境界。無怪乎，《大學》、《中庸》在談論內聖工夫時，都同時強調「慎獨」的重要。《中庸》一書為儒家最重要的修養心法，在首章中，即強調戒慎於如此「不睹不聞」的「慎獨」工夫。

（二）正宜以時中來規範

《荀子・解蔽》曾提到「蔽」的由來，有時並不是沒有知識，而是執著於其所接受的「假知識」，以致形成了「蔽」，而終身不解。反而不如一個無知者，透過啟蒙的工夫，容易從無知變為有知。《莊子・齊物論》亦提到「彼亦一是非，此亦一是非」，說明萬事萬物的是非，原難以分判。因此，在「正道」的實踐中，如何確保我們所行的「正」，不是失正之「正」，本身即是個大學問。

歷史上執著於其所認識的「正」，而幹出「不正」的行為者，不知凡幾。俗語說：「貪官可恨，清官可怕。」即因為貪官不過愛財，尚有融通之處，清官不愛財，當他執著自己的「是非」，誤以為「正」，則判死則死，判生則生，完全無融通之餘地，此即清官之可怕。近代許多野心家，如希特勒者，即同患此「蔽」。

因此，在實踐「正道」的過程中，宜保持實踐的合理與合宜，藉由「中」來權衡監督，確實有其必要性。《周易》中曾提及「時中」，如〈蒙・彖〉:「蒙,山下有險,險而止,蒙。蒙亨,以亨行時中也。」《中庸》亦云:「君子而時中」、「執其兩端,用其中於民」,均在闡明君子的行事作為,宜隨時處於中道,並在事物的兩端之間,權衡出最合宜的方式,施用於民。

《周易》卦爻辭的吉凶判準,往往以中為貴。不僅,如上下卦之中的二五爻為吉者,比例甚高,往往爻位不得正者,亦能獲吉,其癥結所在,即以「得中」。所以程頤特揭示「中則正矣,正不必中」的說法[30],暢言「中」的重要性。

(三)中宜以順天為依歸

實踐「正道」的過程中,固宜藉由「中」來確保實踐的適當合宜,惟如何能達於「中」(即合宜)?「中」的依據又是如何?《中庸》曾云:「愚者好自用,賤者好自專」,可見「自用」與「自專」,往往造成「正道」在實踐過程的不確定性,特別是負面性。如前所述的希特勒者流。所以,《中庸》在談到治理天下的三要:「議禮」、「制度」、「考文」時,特別強調要以「建諸天地而不悖,質諸鬼神而無疑,百世以俟聖人而不惑」三點,來作為施政的原則。上述三原則,前兩者蓋以「天」為依歸,後者蓋以百世之後的聖人,對於今日的施政都無所疑惑為依歸。

但我們仍可繼續追問,那百世的聖人,其評斷依據的標準又是什麼?我們可觀察先秦典籍的論述。《尚書・泰誓》:「天視自我民視,天聽自我民聽」,《尚書・皐陶謨》亦載「天聰明,自我民聰明。天明畏,自我民明威。」《老子》說:「聖人無常心,以百姓心為心。」(49

30 黃忠天:《周易程傳注評・損卦九二》(石家莊:花山文藝出版社,2016年),頁328。

章）孔子也說：「如有博施於民，而能濟眾……堯舜其猶病諸」[31]，可見聖人所思所慮者，無非是以天下蒼生為念。

為政者果能以民為依歸，即使未必成聖，亦必為仁民愛物的賢君。但是古往今來打著以「以天下蒼生為念」、「為民喉舌」，假公濟私的政客，卻如過江之鯽，可見以民為依歸，往往亦不甚可靠。惟以天為依歸，方為真理之所在。所以無論儒道二家，都強調法天的思想，惟有順天而後能應人。《易傳》：「天地之大德曰生」、「生生之謂易」，聖人所措意於百姓者，亦無非在此事上。

《周易》為貫通天人之書，不僅在六十四卦以乾坤天地為首，在闡發《易》理時，亦環繞此天人議題，尤其在〈彖傳〉中其法天思想更隨處可見[32]。在《周易》中，但用「應天」、「順天應人」，未曾使用過「順人」的語詞。即使在《繫辭傳》僅見的「黃帝、堯、舜」，亦仍是在說明此三人效法天地的情形[33]，在在印證了《周易》濃厚的法天思想。藉由「效天法地」進而與天地合其德，達於天人合一的境界。合於天道，自然也契合了人道，這也是中國傳統哲學中所追求人與自然和諧統一的基本精神。職是之故，為實踐「正道」使其契合於「中」（即合宜），宜以「順天」為最後的依歸。

---

31 《論語・雍也》子貢曰：「如有博施於民，而能濟眾，何如？可謂仁乎？」子曰：「何事於仁？必也聖乎！堯、舜其猶病諸！夫仁者，己欲立而立人；己欲達而達人。」

32 如：〈大有〉彖：「其德剛健而文明，應乎天而時行，是以元亨」、〈剝〉彖：「君子尚消息盈虛，天行也」、〈恆〉彖：「日月得天而能久照，四時變化而能久成，聖人久於其道而天下化成」、〈觀〉彖：「觀天之神道，而四時不忒；聖人以神道設教，而天下服矣」、〈革〉彖：「天地革而四時成，湯武革命順乎天而應乎人。革之時大矣哉」、〈兌〉彖：「剛中而柔外，說以利貞，是以順乎天而應乎人」等等。

33 《繫辭傳》：「神農氏沒，黃帝、堯、舜氏作。通其變，使民不倦；神而化之，使民宜之。《易》，窮則變，變則通，通則久。是以自天祐之，吉無不利。黃帝、堯、舜垂衣裳而天下治，蓋取諸乾、坤。」

六　結語

綜合上述的研究，雖然，《易經》卦爻辭中並無「中正」一辭，但透過《易傳》在〈彖〉〈象〉〈文言〉中，開始大量對《易經》所蘊含的「中正」思想加以闡揚發揮，使得「中正」思想，不僅成為《周易》重要的哲學命題，更成為其思想的核心。整部《易經》六十四卦，一言以蔽之，惟「中正」二字而已。由《易經》到《易傳》對「中正」的闡發，可看出儒家對一部原本卜筮之書，所賦予的道德意義，使《周易》成為一部深具哲理的經典，在先秦從原始宗教邁向人文化的過程中，作出了偉大的貢獻。

雖然《春秋繁露》有所謂「《易》無達占」之說，[34]按各卦卦爻辭的實際情況來看，合於「中」、「正」或「中正」者，未必都吉。但不可諱言，不合於「中」、「正」、或「中正」者，往往獲凶較多。我們不得不承認，《易經》中的確隱含著濃厚的「中正」思想，也對中華文化，無論在思想義理、命名取義、行為模式等等，均產生深遠的影響。

「中正」不僅是行為規範，更為人格精神的寫照，也是道德教育的一環。在實踐的進路上，宜講求「正宜從起心動念始」、「正宜以時中來規範」、「中宜以順天為依歸」，此為「中正」實踐的三部曲，否則便無法真正的落實。

「中」華民族，是一個尚「中」的民族，今天在此重新來探討「《周易》的中正思想及其現代價值」，確實有其必要性。藉此可以讓我們重新省思「中正」的概念，不至因政治人物一時曾經用以命名取義，導致「中正」二字從此竟成為違礙或敏感字辭。

---

34 〔清〕蘇輿：《春秋繁露義證．精華》：「詩無達詁，易無達占，春秋無達辭。」（臺北：河洛出版社，1975年），卷3，葉20。

歷史人物的功過，後代自有定評，但做為中華文化的核心價值——「中正」，卻亙古而彌新。一個地方保有其主體性，是絕對必要的，讓南通像南通，讓蘇州像蘇州，但在追求地方的主體性時，不必、也不應該與其文化的母體相互切割悖離。不僅是臺灣，甚至鄰近的國家，如韓國與日本，均深受中華文化的影響，文化的屐痕，處處可見。如果一旦撇開離棄了中華文化，原有的地方文化也會頓然失去其根本，缺乏了深厚的底蘊。

參考文獻

一　原典文獻

〔宋〕周敦頤撰：《周濂溪集，上海：商務印書館，1936年。

〔宋〕楊萬里撰：《誠齋易傳》，臺北：成文出版社影乾隆四十六年武英殿聚珍本。

〔宋〕呂祖謙編：《宋文鑑》，北京：中華書局，1992年。

〔清〕黃宗羲撰，全祖望補訂：《宋元學案》，北京：中華書局，1986年。

〔清〕蘇輿撰：《春秋繁露義證》，臺北：河洛出版社，1975年。

王孝魚點校：《二程集》，北京：中華書局，2004年。

黃忠天：《周易程傳注評》，石家莊：花山文藝出版社，2016年。

二　近人論著

高懷民：《大易哲學論》，臺北：成文出版社，1978年。

蕭　兵：《中庸的文化省察》，武漢：湖北人民出版社，1997年。

陳立夫：《易學應用之研究》，臺北：臺灣中華書局，2015年。

三　期刊論文

黃沛榮：〈遨遊《易經》的天地——初學者如何研讀《易經》〉，《國文天地》第6卷11期（1991年4月），頁43-49。

鄭吉雄：〈論易道主剛〉，《臺大中文學報》第26期（2007年6月），頁89-118。

尤韶華：〈〈呂刑〉的穆呂之爭：《尚書・呂刑》性質辨析〉，《江蘇警官學院學報》第27卷第2期（2012年3月）。

梁燕城：〈千變萬化中的中正哲學〉，加拿大溫哥華文化更新研究中心《文化中國》2016年第4期（總第91期），頁96-103。

探析《周易・履卦》如何以禮而「履危而安」

馮穎冉
威爾士三一聖大衛大學漢學院碩士研究生

摘要

《周易》作為群經之首，大道之源，蘊含了古代先賢的崇高智慧與對宇宙萬物的本質洞察。書中共有六十四卦，講述了六十四件事，其中被朱子稱為「憂患九卦」之一的履卦，對我們的人生有著深刻的啟示作用。卦辭以「履虎尾」為意象，揭示了充滿危機的人生旅途。「履虎尾」而又「不咥人」，可稱得上是行履的效果和功用。此外，履與禮的關係歷來都是十分密切的。那麼，履卦最終如何達到「履危而安」呢？在這個過程中，禮又起著什麼樣的作用？在這樣的疑問下，本文試著從個人和國家兩個層面來探析解決這些問題。

關鍵詞：禮、履卦、履危而安

Analysis on How to Use Etiquette *To Achieve A Safe Result in A Dangerous Environment* 履危而安 in *The book of changes.* Lv 履 Hexagram

Ying-ran Feng

MA Student of the Academy of Sinology, University of Wales Tinity Saint David

Abstract

The book of changes, as the first of the classics and the source of the Great Dao, contains the profound wisdom of the ancient sages and the insight into the nature of everything in the universe. There are sixty-four hexagrams in the book, which narrates sixty-four events. Among them, Lv 履 hexagram, one of the *nine suffering hexagrams* 憂患九掛 called by Zhu Zi 朱熹, has a profound enlightenment effect on our lives.The image of *Stepping on the tiger's tail* 履虎尾 in hexagram-records reveals a life journey full of crises. *Stepping on the tiger's tail* 履虎尾 and *The tiger do not bite person* 不咥人, reveals the effect and function of Lv 履 hexagram. In addition, the connection between Lv 履 and etiquette has always been very close. Then, how to achieve the ultimate goal, *To achieve a safe result in a dangerous environment* 履危而安? What role does etiquette play in this process? Therefore, this paper tries to analyze and solve these problems from the individual and national levels.

Keywords: Etiquette, Lv 履 hexagram, *To achieve a safe result in a dangerous environment* 履危而安

一　前言

《周易》作為五經之首，取象天地自然以喻人事。這部書的內容包羅萬象，上涉天文，下及地理。「德人亞斯貝爾斯有「軸心時代」一說，而先秦諸子之繁榮，於西元前五百年前後所創華夏文明之軸心時代，其與《周易》多有淵源。」[1]《周易》以八卦為基本卦象，兩兩相重後形成六十四卦。每一卦都主要圍繞一件事，從初爻到上爻來看，體現的是同一主題的不同時位。因此，一卦中有吉有凶，正是不同時期體現的結果。其中，卦辭的內容是一卦的核心，也是這一卦的主要精神。在諸多卦的排列中，本文選擇履卦來進行探析。《周易・繫辭下》「《易》之興也，其於中古乎？作《易》者，其有憂患乎？是故履，德之基也。」[2]履卦所代表的意涵作為德行的基石被放在第一位，可見履卦的重要性。那麼，履卦講述的是什麼主題呢？歷來解說都把履卦與禮緊密相連，甚至在馬王堆出土的帛書《易經》中，履卦卦名就是「禮」。因此，對履卦的探析離不開禮的範疇。

對履卦的闡釋基本集中在彖辭、象辭的分析上，大多論述履卦與禮之間的內在聯繫。本文在這個基礎上，進一步探析履卦想要達到的目的。這就從卦辭中可以得出，「履虎尾，不咥人，亨」虎尾是一個相對抽象的概念，歷來也有對虎尾的不同詮釋，在下文也會提及。現代也有人從星象數術入手分析虎尾的來源，如周興生〈《周易・履》卦禮法系統考源——「虎」的星象數術說新論〉不論虎尾的意象具體映射在卦爻還是卦辭中，我們可以直觀地看出履卦所描述的是很危險

1　丁汝雄、袁滢：〈《周易・履卦》中所蘊含的底線思維〉，《淮南職業技術學院學報》2019年第3期，頁150-152。

2　〔魏〕王弼註，〔唐〕孔穎達疏：《周易正義》（北京：北京大學出版社，2000年），頁368。

的情境。當一個人在踩到老虎的尾巴時，就處於進退兩難的局面，這也象征了人們日常生活與人際關係中會面對的種種考驗。最後能夠不被老虎咬傷，也就是從危險的環境中安然脫離，不會引發禍患而危及自身。因此，本文認為履卦的目的就是要達到「履危而安」。想要達成這樣理想的結果顯然是很困難的事。《周易·繫辭》「履，和而至……履，以和行」[3]正是踐履的過程中以「和」處事，才能與老虎相安無事，不會因為眼前的禍患受到傷害。「和」是化解危險的樞紐，禮以和而為貴，以「和」而行正是禮的內在要求。因此，本文通過對《周易》原本及與禮相關經典的研究，進一步探討踐履之道中可能會遇到的危險，並分析禮的核心與功用，從而探究在個人和國家兩個層面如何以禮而「履危而安」。

二　「履危而安」與禮的關係

（一）履卦的核心是禮的實踐

《說文解字》中對履的解釋為「足所依也。從尸從彳從夊，舟象履形。」[4]既然是足所依，那麼履指的是人們穿的鞋子，同樣，踐履引申之就是實踐的意思。履卦的含義也與此有關。那麼，實踐的對象是什麼呢？孔穎達《周易正義》「履，禮也，在下以承事於上。」[5]下以承上是對象辭的解釋，「上天下澤，履」[6]上卦為乾，下卦為澤，下以悅事上。可見尊卑有序，正是禮強調的部分。此外，《周易·序

3　〔魏〕王弼註，〔唐〕孔穎達疏：《周易正義》，頁369。

4　〔漢〕許慎撰，〔清〕段玉裁註許惟賢整理：《說文解字註》，（南京：鳳凰出版社，2007年），頁705。

5　〔魏〕王弼註，〔唐〕孔穎達疏：《周易正義》，頁75。

6　〔魏〕王弼註，〔唐〕孔穎達疏：《周易正義》，頁74。

卦》也明確指出了「物畜然後有禮，故受之以履」[7]，履卦之前的一卦是小蓄卦，由卦象上來看，風天小畜，天澤為履，小蓄卦和履卦互為綜卦。因此二者關聯緊密，在物質豐足的小蓄時，就要以禮來教化人民，不然就會像《孟子・滕文公上》所述，「飽食、暖衣、逸居而無教，則返於禽獸。」[8]在滿足物質需求之後，就要繼續建設精神文明，這樣民眾才不會缺乏教化而類於禽獸。可見，禮是履實踐的核心。「不學禮，無以立。」[9]無論社會還是個人，沒有禮節的約束和教化，就沒有辦法立足，更加沒有辦法良性發展。《荀子・修身》「人無禮則不生，事無禮則不成，國無禮則不寧。」[10]更是從三個角度證明了禮的重要性。個人失去禮的規範就無法生存，做事沒有禮的調度就很難成功，國家沒有禮的教化就不得安寧。既然禮對從上至下的國家和個人都如此重要，那麼對禮的實踐就是重中之重，這也是踐履的深刻含義。

(二)「履虎尾」的意象解析

履卦的卦辭是「履虎尾，不咥人，亨。」[11]首先這寓意了很危險的情況，踩在老虎的尾巴上，象征著人們陷入進退兩難的局面，在這樣艱難的時刻卻不會被老虎咬傷，可以看出最後有驚無險。卦辭是對卦的解釋，因此對卦辭的分析也就體現出一卦的主要精神，踩到老虎尾巴而不至於被咬，這就是履卦要達到的目標「履危而安」。那麼，

---

7 〔魏〕王弼註，〔唐〕孔穎達疏：《周易正義》，頁394。

8 〔漢〕趙岐註，〔宋〕孫奭疏：《孟子註疏》（北京：北京大學出版社，2000年），頁174。

9 〔魏〕何晏註，〔宋〕邢昺疏：《論語注疏》（北京：北京大學出版社，2000年），頁308。

10 〔戰〕荀子著，方勇譯註：《荀子》（北京：中華書局，2011年），頁15。

11 〔魏〕王弼註，〔唐〕孔穎達疏：《周易正義》，頁74。

卦辭中的虎尾是指什麼？如何能夠做到「履危而安」呢？

以爻言之，履卦一卦五個陽爻，只有六三是陰爻，柔履剛就是指六三履九二，處於危險之中。王弼認為「三為履主，以柔履剛，履危者也」[12]王弼認為一卦的主要含義集中在其中的一爻上，用這個思路去看，六三就是履卦的主爻。那麼它就是履虎尾的動作發出者，六三位於九二之上，那麼踩到的虎尾就是九二。孔穎達《周易正義》「以六三為主。六三以陰柔踐履九二之剛，履危者也，猶如履虎尾，為危之甚。」[13]由此可以看出六三乘剛九二而危，六三又為卦主，因此代表了履卦的履虎尾之象。蘇軾的《東坡易傳》中認同了這個說法，「履」之所以為「履」就是因為六三履九二。「九二者，虎也，虎何為用於六三而莫之咥？以六三應乎乾也。」[14]除了以爻來解釋卦辭中的「履虎尾」，還可以從卦象來分析。履卦卦象乾上兌下，即為上剛下柔。彖辭「履，柔履剛也。說而應乎乾，是以履虎尾，不咥人。」[15]下守柔而應上。但是虎尾具體指的是上卦還是下卦，歷來有不同說法。《周易集解》引郭璞《洞林》，「白虎東走」[16]，注釋認為白虎指的是兌卦。因為白虎是西方星宿，兌也正好在正西，從方位上看此說可通。不過就具體卦爻來看，九四位於六三之上，履虎尾變成由上至下，與由下至上的爻位順序不符。《周易集解》引了另外一種說法「兌剛鹵非柔也」[17]這也是採取了《說卦傳》中「兌……其於地也為剛鹵」[18]認為兌既然非柔，與彖辭「柔履剛」不相應，所以，此說未

12 〔魏〕王弼著，樓宇烈校釋《王弼集校釋》上（北京：中華書局，2009年），頁272。

13 〔魏〕王弼註，〔唐〕孔穎達疏：《周易正義》，頁76。

14 〔宋〕蘇軾著：《东坡易传》卷2，明刻朱墨套印本。

15 〔魏〕王弼註，〔唐〕孔穎達疏：《周易正義》，頁74。

16 〔清〕李道平撰，潘雨廷點校：《周易集解纂疏》（北京：中華書局，1994年），頁155。

17 〔清〕李道平撰，潘雨廷點校：《周易集解纂疏》，頁155。

18 〔魏〕王弼註，〔唐〕孔穎達疏：《周易正義》，頁393。

必準確。同樣也有認為乾為虎的，「宋代沈該、馮椅、趙以夫，明代何楷，清代李光地，近代尚秉和、金景芳等認同此說。」[19]不論從卦象還是卦爻來看，從不同的角度展現了不同的解說，也都有自己的道理。不過這些方面的探討只是表象，《易》的成書是為了取法天地而運用於人事。那麼，卦辭中所言的「履虎尾，不咥人，亨」就是履卦要達到的目標，也就是達成「履危而安」的結果。

從卦辭來看，從這樣危險的境地中脫離出來而不受傷害也是不易的事情，之前說明了履卦與禮的緊密聯繫。履卦宗旨就是對禮的實踐，那麼如何運用禮達成這樣的結果就成了關鍵。實際上，履卦所闡述的危險可以從個人與國家兩個層面來解讀，區別就是人數的多少，但核心都是圍繞著人來分析的。個人會面對社會上錯綜複雜的人際關係，那麼如何以禮保全自身就是一個重要的問題。同樣，當人們群聚起來，如何管理人民從而使得社會正常運轉，就是另一個重要的問題。無論國家還是個人，都離不開禮，否則都無法良性發展。如《禮記・禮運》「故壞國、喪家、亡人，必先去其禮」[20]可見禮的不可替代的作用。經過禮的調節以後，無論個人還是國家都可以安然有序地生產生活，這就是「履危而安」能夠實現的現實意義。

三　依禮而行，以敬為本

（一）禮的核心是敬

禮是傳統儒家思想體系中核心的觀念，對個人的修身，思想行為具有規範和指導的作用。因此，對於個人而言，可以把它看作是維護

19 孫亞麗：〈《周易・履》卦爻辭詮解理路〉，《衡水學院學報》2019第5期，頁82-88。
20 〔漢〕鄭玄註，〔唐〕孔穎達疏：《禮記正義》（北京：北京大學出版社，2000年），頁826。

和提升道德的方法。正如《禮記·曲禮》「道德仁義，非禮不成。」[21]仁義是儒家最核心的價值觀念，而禮就是根本，是必須實踐的部分，不然就無法達到仁義的境界，由此可見禮是奠基仁義道德的基石。那麼，禮既然如此重要，那麼明白禮的核心就是首要做的事情了。只有將這個概念辨析清楚，才能知道如何運用禮而使個人「履危而安」。

在講述儒家禮教的主要書目《禮記》中，根據統計，「《禮記》49篇文章中含有敬字的多達36篇，敬字共出現231次。」[22]由此可見「敬」在禮中的重要性。這樣的敬意源自對天地自然的敬畏，對逝去先人的追思懷念。《周禮·大司徒》記載：「施十有二教焉。一曰以祀禮教敬，則民不苟。」[23]賈公彥在《周禮註疏》中解釋「一曰以祀禮教敬，則民不苟者，凡祭祀者，所以追養繼孝，事死如事生。……故《禮》云「祭，極敬也」」[24]祭祀之禮是中國古代重大的禮儀，其中體現了後代子孫對於祖先的哀思與崇敬。《禮記·禮運》「故禮義也者……所以養生、送死、事鬼神之大端也，所以達天道、順人情之大竇也。」[25]人們把禮作為養生送死及敬事鬼神的第一要事，其中包含了人們對生死神靈的極敬之意。因此，禮以敬為根本，這也是《禮記·曲禮》開篇所講「毋不敬」，對於一切所接觸的人事物都要懷有敬意，這是禮最核心的內在要求。至於其他繁複的外在禮節，並不是禮最重要的部分，正如孔子感慨，「禮云禮云，玉帛云乎哉？樂云樂云，鐘鼓云乎哉？」[26]春秋時期權貴生活奢侈，禮樂已經流於形式，

---

21 〔漢〕鄭玄註，〔唐〕孔穎達疏：《禮記正義》，頁16。

22 賴換初：〈《禮記》「敬」「讓」思想探析〉，《倫理學研究》2012年第3期，頁40-44+141。

23 〔漢〕鄭玄註，〔唐〕賈公彥疏：《周禮註疏》（北京：北京大學出版社，2000年），頁290。

24 〔漢〕鄭玄註，〔唐〕賈公彥疏：《周禮註疏》，頁291。

25 〔漢〕鄭玄註，〔唐〕孔穎達疏：《禮記正義》，頁826。

26 〔魏〕何晏註，〔宋〕邢昺疏：《論語注疏》，頁271。

但是禮的核心精神已經丟失。如果沒有內在的誠敬之心，那麼即使外在的形式與器物再怎麼華美也並沒有太大的意義。孔子明確表示對為禮不敬的感慨，「居上不寬，為禮不敬，臨喪不哀，吾何以觀之哉？」[27]因此，即便禮儀的形式與器物簡潔一些，只要內心的敬意是真誠的，那麼這樣的禮就有意義。正如孔子所說，「禮，與其奢也，寧儉；喪，與其易也，寧戚。」[28]這是禮之本，即使朝代更迭，時空變換亦不會更改的內在精神。

（二）敬慎以守本

如前文所述，既然已經明了禮是以敬為內在根本的要求，那麼以禮敬的態度來踐履就是履卦的內在要求了。因為內心敬慎的緣故，所以就不會忘失本分而做出可能招致危險的舉動。正如履卦初九的爻辭，「素履，往無咎。」[29]素有樸素、質樸的含義，這裡意味著初九為第一爻，處於最卑下的位置，也是做一件事最開始的階段，因此懷著敬慎的態度，不能魯莽行事，這樣就不會有遺憾。總觀履卦的卦象，只有六三一爻為陰，其餘五爻皆為陽，與乾卦的區別只是六三這一爻，因此可以將兩者對比觀察。乾卦初九就告誡「潛龍勿用」，這一爻所處的時位並不適合大展宏圖，應該隱藏起來等待時機。因此，履卦初九也有這樣的含義在裡面，初行踐履之道的人，應該踏踏實實地做好現前的工作，不能好高騖遠。初九也與九四不相應，因此上位的援助與賞識也並沒有傳遞下來，這個時候隱而不發才不會招致禍患。這樣的小心謹慎正是通過禮的約束，心存禮敬而知可為不可為之事，因此不會因為逾越本分而受到傷害。正是因為內心的敬意，才能客觀

27 〔魏〕何晏註，〔宋〕邢昺疏：《論語注疏》，頁50。

28 〔魏〕何晏註，〔宋〕邢昺疏：《論語注疏》，頁32。

29 〔魏〕王弼註，〔唐〕孔穎達疏：《周易正義》，頁75。

冷靜地分析自己當下的狀態，從而作出最好的回應。與此相反的就是六三，「眇能視，跛能履，履虎尾，咥人，凶。武人為于大君。」[30]六三陰處陽位，正好對應了爻辭裡描述的意象，眇是指看不清，跛是不良於行的人，這樣的情況下去觀察外界或者去行走，可以清楚看出這樣的做法是力有不逮的，已經超出了他們的能力範圍。這時「履虎尾」，就是在沒有認清形勢的情況下置身險境，最後被老虎咬到了，意味著沒有辦法「履危而安」。造成這個結果的原因就是小象所說的「武人為於大君，志剛也。」[31]明明知道自己能力不夠，但是卻仍舊逞匹夫之勇，這就是沒有敬慎的緣故，也是不知禮的結果。對於這樣的情況，孔子也是不讚成的，如《論語・述而》，「暴虎馮河，死而無悔者，吾不與也。」[32]初九和六三都是處於客觀環境並不有利的情況，但是一者「往無咎」，一者「咥人，凶」，就是因為二者內心有無敬慎的緣故。兩者對時局的判斷不同，做出不同的應對方式，自然也導致了不同的結果，由此可見禮敬存心以行事可使人「履危而安」。同樣，九四「履虎尾，愬愬，終吉。」[33]「愬愬」就是戰戰兢兢的樣子，九四所處的位置正是上下卦過渡的位置，「三多凶，四多懼」，九四守之以敬慎，所以最終的結果是吉祥的，這也同樣與六三形成對比，兩者都是「履虎尾」，但是一者「咥人」，一者「終吉」，可以看出敬慎之心的重要性，這正是踐履的核心精神，因此能夠奉行敬慎而不失不忘，就能夠在不利的客觀環境下，做出正確的判斷和應對方式，不至於讓自己深陷危險而不自知，最後可以像九四一樣「終吉」，這就是以禮而達到「履危而安」的方法。

---

30 〔魏〕王弼註，〔唐〕孔穎達疏：《周易正義》，頁76。

31 〔魏〕王弼註，〔唐〕孔穎達疏：《周易正義》，頁77。

32 〔魏〕何晏註，〔宋〕邢昺疏：《論語注疏》，頁97。

33 〔魏〕王弼註，〔唐〕孔穎達疏：《周易正義》，頁76。

敬慎的存心不僅僅是小心行事，不要因為莽撞而陷於危險之中。此外還意味著，不忘初心，始終如一。正如上九，「視履考祥，其旋元吉。」[34]其中「旋」是這一爻的重點。對於它的解釋，程頤在《周易程氏傳》中說，「旋，謂周旋完備，無不至也。人之所履，考視其終，若終始周完無咎，善之至也，是以元吉。」[35]宋胡瑗，明陳士元均從此意。這是對整個履卦卦意的升華，上九處於一卦之終，物極必反，常常並沒有很好的結果。而這裡的爻辭「元吉」，這是比「大吉」更好的結果，因為大吉可能跟著的就是大凶，而「元吉」之吉是純粹的，預示著之後的發展也是順利而沒有遺憾。此時上九回返過來檢視自己，處於踐履之終，那麼與最開始的理想和抱負是否有異，是否始終如一？「復返說的是一事物存在的表層與底層、枝葉與根基間的相互作用關係。」[36]因此上九雖然位於履之終，但踐履之道並沒有終止，通過對一路走來歷程的回顧與反思，不斷提升並堅固自己的理想，符合《周易・雜卦》「履，不處也」[37]的描述與要求，同時也是踐履之後能達到泰卦的根基。究其原因，上九最後能獲得「元吉」是因為其始終踐行禮的核心意義，就是心存敬慎，即使到了最後也不懈怠。敬慎則不慢，上九始終也是謙敬的，並不因為自己的高位而自傲，這也是上九處於這個危險的位置而能「元吉」的原因。履的錯卦就是謙卦，因此履與謙的聯繫也是很緊密的。為人處世敬慎而謙，這就是依禮踐履而能「履危而安」的原因和方法。

34 〔魏〕王弼註，〔唐〕孔穎達疏：《周易正義》，頁77。

35 〔宋〕程頤：《周易程氏傳》（北京：中華書局，2011年），頁63。

36 王慶節：《解釋學、海德格爾與儒道今釋》（北京：中國人民大學出版社，2004年），頁217。

37 〔魏〕王弼註，〔唐〕孔穎達疏：《周易正義》，頁401。

四　禮別上下，節制人情

（一）禮具有調節人情的作用

前文中提到，履卦中「履虎尾」的危險始終都是圍繞在人的身上，小到個人，大到到國家都會面臨這樣的危險。因此本文從這兩個面向來解釋如何以禮而「履危而安」。想要釐清這個問題，首先要了解的就是危險從何而來。實際上，一個國家的問題占絕大部分的都是內部的矛盾，外在的環境惡劣或者有強國環伺等看似嚴重的問題，實際上所占的比重並不如人們認為的多。因此，國家想要安定的根本措施是讓民心安穩，各安其分，這樣自然各行各業都能井井有條，不會有人犯上作亂，人們也不會希求超出自己本分之外的事物。那麼，人民為什麼不能安穩呢？這就有很多的原因可以解釋，但是歸根結底討論到人心的問題上，可以歸納為兩個要點。第一個就是人情如水，不加節制就會氾濫成災。一個人的情感尚且複雜多變，難以測量，更何況是成千上萬乃至更多人口聚集起來呢？如果人心不能安穩，那麼人心起伏愈大，社會必然愈會動蕩，這也會從根本上動搖一個國家的根基，從國家層面來說，這就是一個隱藏的巨大危險。因此，能夠合理地疏導民眾的情感，讓人民安心生產生活是治國理政中最基本的考量。正如《淮南子·主術訓》「法生於義，義生於眾適，眾適合於人心，此治之要也。」[38]這也是履卦象辭中所說，「君子以辨上下，定民志」的要求。

人有七情，喜怒哀樂愛惡欲，這些情感都是出自本心，且從人降生以來就存在的，不需要經過後天的學習，也並不需要被外界或他人要求而產生。既然這是一個客觀事實，那麼人情就是自然而然的存

---

38 〔漢〕劉安著，陳廣忠譯註：《淮南子》（北京：中華書局，2023年），頁527。

在，想要調節人情，首先需要承認這個事實，不能強制要求去除這個部分。正如朱熹提倡的「存天理，滅人欲」，就是與人的自然情感相悖，所以被後世清儒詬病。因此，對於人的情感與欲望，需要做的是調節使其不至於氾濫，將它控制在一個合理的範圍之內。不然如果過度宣洩就是招致危險的原因。孔子說，「恭而無禮則勞，慎而無禮則葸，勇而無禮則亂，直而無禮則絞」[39]可見如果沒有禮的節制，那麼恭敬、謹慎、勇猛、正直這些本來美好的品質也會因為過度而帶來負面的影響，更何況是其他的情感與欲望呢？因此，禮對於人情發揮調和的作用非常重要。然而，禮並不是不近人情的約束與規定。《禮記・問喪》，「孝子之志也，人情之實也，禮義之經也，非從天降也，非從地出也，人情而已矣。」[40]可見人情與禮的關係，禮的制定是建立在人情之上的，《禮記・坊記》「禮者，因人之情而為之節文。以為民坊者也。」[41]「坊」同防，即制禮以防治人情。司馬遷在《史記・禮書》中也同樣認為，禮是源自人情而制定的，這其實正是禮可以作為調和方法的原因。因為禮順應人情，就有了被民眾接受的基礎。同時禮可使人情有所節度，這樣人們知有所止就不會肆意做事。上至天子，下至庶民，都在禮的範圍之內，這也是古代社會可以廣泛實施，惠澤萬民，使得從老至幼的民眾都能夠信而奉行的方法。

具體實施出來，就是根據人情而制定不同的禮，以安人心。如《漢書・禮樂志》「人性有男女之情，妒忌之別，為制婚姻之禮；有交接長幼之序，為制鄉飲之禮；有哀死思遠之情，為制喪祭之禮……」[42]

---

39 〔魏〕何晏註，〔宋〕邢昺疏：《論語注疏》，頁112。

40 〔漢〕鄭玄註，〔唐〕孔穎達疏：《禮記正義》，頁1793。

41 〔漢〕鄭玄註，〔唐〕孔穎達疏：《禮記正義》，頁1635。

42 〔漢〕班固撰，〔唐〕顏師古註：《漢書》（北京：中華書局，1999年），卷22，頁885。

《淮南子・泰族訓》「民有好色之性，故有大婚之禮；有飲食之性，故有大饗之誼；有喜樂之性，故有鐘鼓管弦之音；有悲哀之性，故有衰絰哭踴之節。」[43]因為人們天然有男女之情，好色之性所以制婚禮以安夫婦之心，有長幼之序，對先祖的追思之情，所以有鄉飲酒禮和喪祭之禮以表達人們內心的情感。同樣，人也有喜樂悲傷的情感，所以也有對應的方法來調節使其不至於過度而傷身。可見，禮在其中的調和功用不可或缺，如果失去禮的節度，那麼情感就沒有了限制會肆意氾濫，這樣就會如《漢書・禮樂志》所述，「故婚姻之禮廢，則夫婦之道苦，而淫辟之罪多；鄉飲之禮廢，則長幼之序亂，而爭鬥之獄蕃；喪祭之禮廢，則骨肉之恩薄，而背死忘先者眾……」[44]因此孔子說，「安上治民，莫善於禮。」禮基於人情而制，順應人情的同時也起到了調節的作用，使得人們在合理抒發內心感情的同時不會過分而產生負面後果。人心如猛虎，稍有不慎就會釀成大禍，因此治理國家也是在「履虎尾」的境遇中，如果沒有禮的調和，那麼很快就會衰敗下去。《禮記・禮運》「故壞國、喪家、亡人，必先去其禮」[45]這就是失禮而產生的嚴重後果。因此，依禮踐禮而「履危而安」就是以禮而疏導人情，有所節制而合乎中道。

（二）禮別異而安民志

除了以禮來調節人情使民心安穩之外，禮還有一個重要功用是別物之異。《禮記・樂本》「樂者為同，禮者為異。同則相親，異則相敬。」[46]禮可以區分人與人之間的差異，區別出社會階層的尊卑貴

43 〔漢〕劉安著，陳廣忠譯註：《淮南子》，頁1187。

44 〔漢〕班固撰，〔唐〕顏師古註：《漢書》，卷22，頁885。

45 〔漢〕鄭玄註，〔唐〕孔穎達疏：《禮記正義》，頁826。

46 〔漢〕鄭玄註，〔唐〕孔穎達疏：《禮記正義》，頁1264。

賤，使得民眾各安本分，互相敬愛，這也是履卦卦象中體現的道理，天在上而澤在下，上下尊卑分明，各安其分就是踐履之道。尊卑長幼之序也是禮核心的部分，有人認為這樣的區分是不公平的，把人分成三六九等是封建社會不平等的等級制度。筆者並不認同這樣的說法。聖人制禮作樂是為了社會安定和諧，這樣的區別正是取法自然。《孟子．滕文公》「物之不齊，物之情也。」[47]自然界中物各有異，尺有所長寸有所短，這些並不是人為後天造成的結果。「人生於天地之間，天地是人類無法超越的界限，天地本身即具有形而上的意義。」[48]《禮記．樂記》「天尊地卑，君臣定矣。卑高已陳，貴賤位矣。……在天成象，在地成形；如此，則禮者天地之別也。」[49]禮的出現正是順應天地自然的結果，禮在原本就有的區別上加以分辨說明，如此人們就可以明白自身所處的位置，承擔相應的義務和責任，社會運轉就會井然有序。其實，禮所區別的是人們的社會屬性，而在自然屬性方面，每個人的人格是平等的，無論王侯將相還是販夫走卒都沒有分別。這也是人人可以通過修學提升道德品格達到聖賢境界的先決條件。因此，禮區分出的尊卑上下是保證社會正常運轉的前提，對於一個國家而言有不同的社會職能和不同的社會需求，自然就對應了不同的人群，當人們承擔起自己的義務和責任時，就能保障有序的社會環境。如此踐行禮自然就會得到安泰，如《周易．序卦》「履而泰，然後安，故受之以泰。」[50]

禮所分別出的尊卑上下不但可以讓人們明白自身所處的位置，也有使人知其所止的作用。《大學》「知止而後有定，定而後能靜，靜而

47 〔漢〕趙岐註，〔宋〕孫奭疏：《孟子註疏》，頁178。

48 蔡傑、翟奎鳳：〈由易觀禮——《周易》履卦大象辭詮釋〉，《國學論衡》2018第00期，頁78-97。

49 〔漢〕鄭玄註，〔唐〕孔穎達疏：《禮記正義》，頁1275。

50 〔魏〕王弼註，〔唐〕孔穎達疏：《周易正義》，頁395。

後能安，安而後能慮，慮而後能得。」[51]「知止」不僅是個人道德修養的先決條件，也是達到人心安穩的重要基礎。為什麼這樣說呢？「知止」對應的人的貪欲，《荀子·榮辱》「人之情，食欲有芻豢，衣欲有文繡，行欲有輿馬，又欲夫餘財蓄積之富也；然而窮年累世不知不足，是人之情也。」[52]可見人情中貪欲是經年累世也無法滿足的，如果不加節制，那麼必然會給社會帶來混亂並招致禍患，這也是「履虎尾」的另一層含義。《禮記·禮運》「飲食男女，人之大欲存焉；死亡貧苦，人之大惡存焉。故欲惡者，心之大端。人藏其心，不可測度也。」[53]飲食男女是人們內心最深的欲望，對死亡貧苦的厭惡也深植於心。當人們日夜思考這些事情時，內心的想法不可測度，因此除了禮沒有更好的辦法來探尋並節制的了。在禮的規定中，不同的社會階層所能享用的物質有多寡不同，在下位者不能僭越自己所在的階級而享用超出規格的物品，「知有所止」正是禮對人們貪欲節制的保障。從社會階層來看，有所節度才能更好地保障人們的合理需求。如果人人都不加節制，那麼有限的社會資源就會很快消耗殆盡，禮規定出的範圍就能保障可持續發展，這也是可以達到「履危而安」的原因。

五　結論

履卦歷來都和禮密不可分，這也是普遍而公認的詮釋。履卦的卦象為上天下澤，體現了尊卑分明的特點，這也是禮的重要功用，即區分出差異來讓人們明白不同的職能劃分。在基於這一點的認知之上，再研究履卦的目標和禮的核心與根本，就可以更進一步，更加深入地

---

51 〔漢〕鄭玄註，〔唐〕孔穎達疏：《禮記正義》，頁1859。

52 〔戰〕荀子著，方勇譯註：《荀子》，頁49。

53 〔漢〕鄭玄註，〔唐〕孔穎達疏：《禮記正義》，頁802。

探究踐履之道。履卦不僅在卦辭中有「履虎尾」的意象，在爻辭中也出現了兩次，分別是六三和九四。「履虎尾」具體是以爻分析還是以卦來分析，諸家有不同的見解。但是不論哪種說法，其實這都體現了履卦所處的環境，就是時刻會面臨危險。以此來映射到人事之中，說明我們在紛繁複雜的社會生活、人際關係中經常會面臨考驗。那麼，雖然考驗時刻都有，履卦所要達到的就是在踩到老虎尾巴這樣危險的情況下，也不會被老虎咬傷，寓意著我們面臨考驗最終可以安全通過。因此，「履危而安」就是履卦追求的目標。那麼，想要達成這個目的就要理解並掌握禮的核心精神。禮雖然在漫長的社會生活中一直更新迭代，以適應不同的時代和不同的人群，但是有一個中心是不變的，那就是誠敬的內在心態。對於個人而言，行為處事時刻不忘失內心的誠敬，就可以始終客觀而冷靜地看清楚自己所處的位置和環境，從而作出合適的應對。這樣即使「履虎尾」，處在危險的環境中，最後也能「終吉」，達成「履危而安」的良好結果。

然而，履卦所講的「履虎尾」的危險情況並不在個人的生活中會出現，從國家層面來說，其實也隱含著巨大的危險。這樣的危機來自於人情，因為它是天生就存在的，並不受後天的影響而改變存在的必然性。在確認這個客觀前提下，也就明白它不受約束，肆意氾濫可能帶來的後果。人情是缺乏理性的，如果不加節制就會釀成很大的禍患。所以禮源自人情並具有調節人情的作用，讓人們的情感宣洩可以維持在一個合理的範圍，這樣不但滿足人的天然需求，還可以以情感為紐帶將社會上人與人的關係維繫起來，形成秩序井然的社會環境，人們可以各司其職，各安其分，那麼各行各業都能有條不紊地運行，受益的就是社會的全體民眾。禮的根本就是區分差異，使人們知其所止。這就很好地調節了人情中的貪欲，它同樣不受控制並且也是國家的巨大隱患。因此，禮發揮的別異之用就可以讓人們不逾矩，人人知道自己的位置和本分，人心安穩，就實現了履卦大象中所說「君子以辨上下，定民志」的美好社會願景，因此國家能夠「履危而安」，達到人心思定的效果，在禮教社會中人人知禮、行禮、守禮，因此人民安居樂業，社會太平久治。

參考文獻

一　古籍專書

〔戰〕荀子著，方勇譯註：《荀子》，北京：中華書局，2011年。

〔漢〕劉安著，陳廣忠譯註：《淮南子》，北京：中華書局，2023年。

〔魏〕王弼註，〔唐〕孔穎達疏：《周易正義》，北京：北京大學出版社，2000年。

〔漢〕鄭玄註，〔唐〕賈公彥疏：《周禮註疏》，北京：北京大學出版社，2000年。

〔漢〕趙岐註，〔宋〕孫奭疏：《孟子註疏》，北京：北京大學出版社，2000年。

〔魏〕何晏註，〔宋〕邢昺疏：《論語注疏》，北京：北京大學出版社，2000年。〔漢〕鄭玄註，〔唐〕孔穎達疏：《禮記正義》，北京：北京大學出版社，2000年。

〔宋〕程頤：《周易程氏傳》，北京：中華書局，2011年。

〔宋〕蘇軾：《東坡坡易傳》，明刻朱墨套印本。

〔漢〕許慎撰，〔清〕段玉裁註，許惟賢整理：《說文解字註》，南京：鳳凰出版社，2007年。

〔清〕李道平撰，潘雨廷點校：《周易集解纂疏》，北京：中華書局，1994年。

二　現代專書

〔魏〕王弼著，樓宇烈校釋：《王弼集校釋（上）》，北京：中華書局，2009年。

王慶節：《解釋學、海德格爾與儒道今釋》，北京：中國人民大學出版社，2004年。

三　期刊

賴換初：〈《禮記》「敬」「讓」思想探析〉，《倫理學研究》2012年第3期，頁40-44+141。

周興生、馬治國：〈《周易·履》卦禮法系統考源——「虎」的星象數術說新論〉，《西安交通大學學報》（社會科學版）2014年第6期，頁110-117。

蔡傑、翟奎鳳：〈由易觀禮——《周易》履卦大象辭詮釋〉，《國學論衡》2018第00期，頁78-97。

丁汝雄、袁瀅：〈《周易·履卦》中所蘊含的底線思維〉，《淮南職業技術學院學報》2019年第3期，頁150-152。

孫亞麗：〈《周易·履》卦爻辭詮解理路〉，《衡水學院學報》2019第5期，頁82-88。

韓少玉：〈《周易·履卦》的禮學內涵分析〉，《普洱學院學報,2022年第1期，頁32-35。

陳　贇：〈天經·地義·人情：具體普遍性的結構〉，《中山大學學報》（社會科學版）2023年第3期，頁110-125。

《詩經・邶風・擊鼓》詩旨章義析論

葉語詩
威爾士三一聖大衛大學漢學院碩士班一年級研究生

摘要

《詩經》作為傳統五經之一，對後世影響深遠。其中〈擊鼓〉一詩頗有特色，在民間流傳甚廣，然關於其詩旨，諸說紛紜，莫衷一是；對於章義，究竟為「將士之盟」亦或「室家之約」，漢儒、宋儒、清儒也各有見解。故本文採用比較法與分析法，根據諸家注疏對原詩詩旨、章旨進行探析；並對於相關詞義進行訓詁。對其中爭議之處，進行辨析，提出已說，以期更全面客觀的瞭解此詩。

就本詩詩旨論之，主要以《毛詩》「州吁伐鄭說」，姚際恆「穆公救陳說」及方玉潤「戍卒思歸說」三說為主。經詳考共時材料後，本文認為毛詩說為信。就本詩章義論之，主要分為「將士盟誓」及「室家之約」兩說，各有其理，不過「室家之約」於脈絡情感上更顯連貫合宜，故本文從室家之說。而本詩所傳達的戰爭之下人民的苦難及對和平的渴望，亦可見之。

關鍵詞：詩經、擊鼓、詩旨、室家、契闊

The Analysis of the Theme and Chapter Meaning of *Jigu* in *the Book of Poems*

Yu-shi Ye

MA Student of the Academy of Sinology, University of Wales Tinity Saint David

Abstract

The Book of Poems was one of the Five Classics, which had a profound influence on later ages in ancient China, *Jigu* is one poem of Beifeng in Fifteen Guofeng of *the Book of Poems*. It is special and has spread widely among the people. However, there are various opinions for the theme of the poem, and different understandings from the Han, Song and Qing dynasties for the chapter meaning. So this article uses the methods of comparison and analysis to explore the original theme and chapter meaning on the basis of different ancient annotations. Also, this article explains some related words, analyses controversial points, and puts forward some suggestions, to have a more comprehensive and objective understanding of the poem.

For the theme, there are three main viewpoints on its background, including Zhou Xu of Wei State attacking Zheng State in 719 BCE in Maoshi's opinion, Duke Mu of Wei State attacking Song State in 597 BCE in Yao Jiheng's opinion, and garrison soldiers missing their family in Fang Yurun's opinion. After a detailed examination of the synchronic material, this article considers that the viewpoint of Maoshi is more credible. For the chapter meaning, there are two main arguments, including 'a pledge between soldiers' and 'a vow between couple'. Although both have their reasons, the argument of 'a vow between couple' is more coherent and appropriate in structure and expression of feelings. So this article approves the latter one. Besides, it can also be seen that the sufferings of people under war and their desires for freedom and peace.

Keywords: T*he Book of Poems*, *Jigu*, Theme of Poem, Couple, Qikuo

一　前言

《詩經》是中國最古老的詩歌總集，共三〇五篇，分為風、雅、頌，其中十五國風為諸國之歌謠。《詩經・邶風・擊鼓》（按：為省篇幅，以下逕稱〈擊鼓〉）一詩在民間流傳甚廣，蓋述戰爭行役之悲。然此詩歷代注解諸多，眾說紛紜，莫衷一是；字詞、章句之訓詁，亦有可考之處。故本文欲對〈擊鼓〉一詩進行探析：一者探析詩旨，提出己說；二者探索章義，辨析主旨；三者分析詞義，疏通章句。通過對諸家注解的梳理、辨析，對此詩有一個全面的探究。

現代學術界對〈擊鼓〉一詩的研究諸多。相關書籍，如屈萬里先生《詩經釋義》[1]，裴普賢《詩經評注讀本》[2]，均有較深入全面的釋義與辨析。相關學術論文，對於詩旨的探析，如李治中〈詩經擊鼓為怨陳宣公考〉[3]認為〈擊鼓〉為怨陳宣公時期之詩，而相關研究對「州吁伐鄭說」、「穆公救陳說」的考辨則較少。且對本詩的研究多集中在字詞的辨析：如徐銀萍〈詩經・邶風・擊鼓「平」字釋義〉[4]。字詞辨析中，對「契闊」一詞的討論猶多，如戴螢〈契闊考釋〉，呂昱衡〈從詩經擊鼓論契闊諸義〉[5]以及楊青華〈詩經擊鼓死生契闊釋義〉[6]。雖則討論合理，但較少提及「契闊」為連綿詞。另有少部分

1　屈萬里：《詩經詮釋》，新北：聯經出版事業公司，1983年。

2　裴普賢編著：《詩經評注讀本》，臺北：三民書局，2016年。

3　李治中：〈詩經擊鼓為怨陳宣公考〉，《中州學刊》2014年第2輯（總第206輯），頁147-151。

4　徐銀萍：〈詩經邶風擊鼓平字釋義〉，《哈爾濱學院學報》2017年第2輯（總第38輯），頁96-99。

5　呂昱衡：〈從詩經擊鼓論契闊諸義〉，《文學教育（上）》2021年第6輯（總第544輯），頁96-97。

6　楊青華，柴方召：〈詩經擊鼓死生契闊釋義〉，《廣西職業技術學院學報》2013年第5輯（總第6輯），頁79-82，86。

論文有對章旨的討論，如張可〈從執子之手意義探析詩經邶風擊鼓詩旨〉[7]認為是男子將士之間的盟誓。不過筆者以為「將士之盟」與「室家之約」的爭議，仍有可斟酌之處。因此本文在前人論著的基礎上，參考歷代注疏，採用比較法，分析法，對全詩詩旨、詞義與章旨有爭議處，進行辨析，提出己說，以期對本詩有一個全面、客觀的研究與賞析。

二　詩旨考辨

本文首先會對〈擊鼓〉一詩的詩旨進行探析，全詩文本如次：

> 擊鼓其鏜，踊躍用兵。土國城漕，我獨南行。
> 從孫子仲，平陳與宋。不我以歸，憂心有忡。
> 爰居爰處？爰喪其馬？于以求之？于林之下。
> 死生契闊，與子成說。執子之手，與子偕老。
> 于嗟闊兮，不我活兮。于嗟洵兮，不我信兮。[8]

關於本詩詩旨，歷代諸家說法各異，主要分為〈詩序〉的「州吁伐鄭說」，清姚際恆的「穆公救陳說」，以及清方玉潤的「戍卒思歸說」三說為主。前代儒者多從〈詩序〉之說，而清儒以後，則對詩旨有較多分歧。本文對諸家觀點進行分類歸納，具體如次：

一、州吁伐鄭說。〈詩序〉曰：「州吁用兵暴亂，使公孫文仲將而

7　張可：〈從執子之手意義探析詩經邶風擊鼓詩旨〉，《漢字文化》2017年第18輯（總第188輯），頁62-63。

8　〔漢〕毛亨傳，〔漢〕鄭玄箋，〔唐〕孔穎達疏：《毛詩正義》（臺北：藝文印書館影印阮元校勘本，2001年），卷1，頁80-81。

平陳與宋，國人怨其勇而無禮也。」[9]宋儒蘇轍[10]從之，朱熹以為「恐或然也」[11]，基本同意此說。清儒王夫之[12]，胡承珙[13]，陳奐[14]，王先謙[15]；近人陳子展[16]，周振甫[17]，日人竹添光鴻亦從之[18]。

二、**穆公救陳說**。姚際恆曰：「衛穆公背清丘之盟救陳，為宋所伐，平陳、宋之難，數興軍旅，其下怨而作此詩也。」[19]近人余冠英從之。[20]

三、**戍卒思歸說**。清方玉潤曰：「衛戍卒思歸不得。」[21]近人裴普賢從之：「這是衛國的人民，被徵召遠征陳宋兩國之後，又戍守邊疆，久不得歸，思念家室之詩。」[22]王靜芝亦從之[23]。

對於詩旨究竟應從〈詩序〉之說，還是後兩說的觀點，本文進行如下的考辨。

---

9 〔漢〕毛亨傳，〔漢〕鄭玄箋，〔唐〕孔穎達疏：《毛詩正義》，卷1，頁80。

10 〔宋〕蘇轍撰，曾棗莊、舒大剛主編：《三蘇全書・詩集傳》（第2冊）（北京：語文出版社，2001年），頁288。

11 〔宋〕朱熹集注：《詩集傳》，卷2，頁28。

12 《詩廣傳》曰：「州吁弒君兄以立，臣民無詞以相誹毒，眾不戢而後擊鼓之詩作。」〔明〕王夫之撰，湖湘文庫編輯出版委員會編：〈詩廣傳〉《船山全書》（第3冊）（湖南：嶽麓書社，2011年），卷1，頁321。

13 〔清〕胡承珙撰，郭全芝校點：《毛詩後箋》（合肥：黃山書社，1999年），頁157。

14 〔清〕陳奐著：〈邶鄘衛弟二冊〉《詩毛氏傳疏》（北京：中國書店，1984年），頁14。

15 〔清〕王先謙撰；吳格點校：《詩三家義集疏》（北京：中華書局，1987年），頁150-151。

16 陳子展撰述：《詩經直解》（上海：復旦大學出版社，1983年），頁95。

17 周振甫譯注：《詩經譯注》（北京：中華書局，2002年），頁45。

18 〔日〕竹添光鴻撰：《毛詩會箋》（臺北：臺灣大通書局，1975年），頁219-223。

19 〔清〕姚際恆著，顧頡剛點校：《姚際恆著作集（一）詩經通論》（臺北：中央研究院中國文哲研究所，2004年），頁77。

20 余冠英選注：《詩經選》（北京：人民文學出版社，1979年），頁28。

21 〔清〕方玉潤撰；李先耕點校：《詩經原始》（北京：中華書局，1986年），頁128。

22 裴普賢編著：《詩經評注讀本》，頁74。

23 王靜芝：《詩經通釋》（新北；輔仁大學中國文學系，2016年），頁88-89。

（一）「州吁伐鄭」考

〈詩序〉對於〈擊鼓〉一詩的歷史背景，認為是魯隱公四年（西元前719），衛國州吁攻打鄭國的事。依據《左傳》記載，衛莊公之正妻名莊姜，有賢德，美而無子。後莊公娶陳女戴嬀，生子名完，莊姜以為己子。[24]完立，是為衛桓公。桓公之弟名州吁，為莊公嬖妾之子，性驕奢。〈邶鄘衛譜〉孔疏曰：「十六年，州吁襲殺桓公而自立。九月殺州吁于濮，迎桓公子晉與刑而立之，是為宣公。」[25]州吁為奪位，殺害了衛桓公，其後治理國家方面，也多用兵暴亂，人民怨聲載道。且他得位不正，在位不到一年，就被大夫石碏用計殺死，後來改立桓公之子晉，即衛宣公。

州吁伐鄭之事，據《左傳・隱公四年》記載：

> 宋公、陳侯、蔡人、衛人伐鄭。秋，翬帥師會宋公、陳侯、蔡人、衛人伐鄭[26]

〈左丘明傳〉：

> 宋殤公之即位也，公子馮出奔鄭，鄭人欲納之，及衛州吁立，

---

24 《春秋左氏傳》載：「衛莊公娶于齊東宮得臣之妹，曰莊姜。美而無子，衛人所為賦〈碩人〉也。又娶于陳，曰厲嬀，生孝伯，早死。其娣戴嬀，生桓公，莊姜以為己子。公子州吁，嬖人之子也，有寵而好兵。公弗禁，莊姜惡之。」（隱公三年，卷3，頁90-92）又曰「戊申，衛州吁弒其君完」（隱公四年，卷3，頁95）〔周〕左丘明傳，〔晉〕杜預注，〔唐〕孔穎達正義：《春秋左傳正義》（十三經注疏整理委員會整理）（北京：北京大學，2000年）。

25 〔漢〕毛亨傳，〔漢〕鄭玄箋，〔唐〕孔穎達疏：《毛詩正義》，卷1，頁73。

26 〔周〕左丘明傳，〔晉〕杜預注，〔唐〕孔穎達正義：《春秋左傳正義》（十三經注疏整理委員會整理）（北京：北京大學出版社，2000年），卷3，頁97。

> 將脩先君之怨於鄭，而求寵於諸侯，以和其民。使告於宋曰：「君若伐鄭以除君害，君為主，敝邑以賦與陳、蔡從，則衛國之願也。」宋人許之。於是陳、蔡方睦於衛。[27]

隱公四年，州吁初即位，欲和其民，且報「二年鄭人伐衛之怨」[28]，正好宋殤公也欲除去出奔到鄭國的公子馮，因此衛國聯合陳、蔡兩國，為宋國攻打鄭國提供軍隊。

因此〈擊鼓〉一詩的內容作為隱公四年，為衛國州吁聯合宋國、陳國、蔡國攻打鄭國的史實，是有根據且可信的。且州吁用兵暴亂，人民對他的怨言，對戰爭的厭惡，也符合詩文的情感。

不過因為伐鄭進行了兩次，一者為隱公四年，宋、陳、蔡、衛四國伐鄭，「五日而還」；二者為當年秋，再次伐鄭，「取其禾而還。」[29]〈擊鼓〉一詩作於哪一次尚不好定論，但根據以上文本材料，且據詩文「不我以歸」來看，初伐五日而還的可能性偏小，或作於再伐之時。

（二）「穆公救陳」考

姚際恆則認為詩文曰「平陳與宋」，並未提到伐鄭。認為〈擊鼓〉一詩的背景，是衛穆公背清丘之盟，救陳之事，為魯宣公十二年（西元前597）。姚際恆曰：

> 穆公之背盟爭搆，師出無名，輕犯大國致釁，兵端相尋不已，故軍士怨之以作此詩。[30]

---

27 〔周〕左丘明傳，〔晉〕杜預注，〔唐〕孔穎達正義：《春秋左傳正義》，卷3，頁99-100。

28 〔周〕左丘明傳，〔晉〕杜預注，〔唐〕孔穎達正義：《春秋左傳正義》，卷3，頁99。

29 〔周〕左丘明傳，〔晉〕杜預注，〔唐〕孔穎達正義：《春秋左傳正義》，卷3，頁100。

30 〔清〕姚際恆著，顧頡剛點校：《姚際恆著作集（一）詩經通論》，頁78。

考之《左傳・魯宣公十二年》：

> 晉人、宋人、衛人、曹人同盟于清丘。宋師伐陳，衛人救陳。[31]

杜預注曰：

> 晉、衛邶盟，故大夫稱「人」。宋華椒承群偽之言，以誤其國，宋雖有守信之善，而椒猶不免譏。[32]

魯宣公十二年，宋國因清丘之盟伐陳，卻反被違背盟約的衛國攻打，後來又招致楚國的攻打。即姚際恆對〈詩序〉隱公四年的背景持懷疑態度，認為「平陳與宋」應為宣公十二年，衛國攻宋救陳的歷史背景。

姚際恆《詩經通論》也直以六事與經不合，否定毛序之說。今略陳其大者：

一、「平陳與宋」。姚氏云：「平者，因其亂而平之，即伐也。」姚氏認為詩文既言：「平陳與宋」，應為攻打之義。即攻打宋國，救陳國。

二、首次伐鄭五日而還，然詩言「不我以歸」。姚氏認為州吁伐鄭五日就返回，時間既短，詩文怎會言「不我以歸」？

三、《左傳・閔公二年》載：「立戴公以廬于漕。」[33]若州吁時已城漕，戴公至漕，不必野處也。[34]姚氏認為詩中言「土國城漕」，若州

---

31 〔周〕左丘明傳，〔晉〕杜預注，〔唐〕孔穎達正義：《春秋左傳正義》，卷23，頁727。

32 〔周〕左丘明傳，〔晉〕杜預注，〔唐〕孔穎達正義：《春秋左傳正義》，卷23，頁727。

33 〔周〕左丘明傳，〔晉〕杜預注，〔唐〕孔穎達正義：《春秋左傳正義》，卷11，頁356。

34 姚際恆曰：「按此事與經不合者六。當時以伐鄭為主，經何以不言鄭而言陳、宋？一也。又衛本要宋伐鄭，而陳、蔡亦以睦衛而助之，何為以陳、宋並言，主、客無

吁時衛國漕地已經建好，那衛戴公（？-西元前660）到漕地不應還住在廬屋中。也就是反向說明，州吁至戴公時期漕城皆未建好，所以戴公至漕棲息鄉野。所以姚氏認為詩中言「土國城漕」不是作於州吁伐鄭時。

不過對於姚氏之說，陳子展則持反對意見，認為：「此詩與《春秋左傳》正合。後來學者尠有爭論，而清儒毛奇齡《國風省篇》，姚際恆《詩經通論》疑之，非也。」[35]筆者也認同陳氏觀點，詳考如次：

一、「平陳與宋」之疑。毛序之「平」或非「伐」義，當為「和」之義。如《詩集傳》：「平，和也；和二國之好也。」[36]胡承珙引姜炳璋說云：「州吁連伐鄭，推宋為主。『平陳與宋』者。連合陳宋之謂。」[37]周振奮亦釋「平」為「和好」之義。[38]若平為聯合陳宋兩國，與之交好，則「平陳與宋」毛序之說可通。至於為何不直言鄭國，而言陳、宋二國，原因或為上古詩歌押韻的考慮。因為「仲」「宋」「忡」皆為上古「中」部。[39]故言「平陳與宋」可與後文「憂心有忡」押韻。

分？二也。且何以但言陳而遺蔡？三也。未有同陳、宋伐鄭而謂之『平陳與宋者』。平者，因其亂而平之，即伐也。若是乃伐陳、宋矣。四也。隱四年下，衛伐鄭，《左傳》云：『圍其東門，五日而還』，可謂至速矣。經何以云『不我以歸』，及為此『居、處、喪馬』之辭，與死生莫保之嘆乎？絕不相類，五也。閔二年，衛懿公為狄所滅，宋立戴公以廬于曹。其後僖十二年《左傳》曰：『諸侯城衛楚丘之郛』。定之方中食，文公始徙楚丘，『升虛望楚』。毛、鄭謂升漕墟，望楚丘。楚丘與漕不遠，皆在河南。夫《左傳》曰：『廬』者，野處也，其非城明矣。州吁之時不獨漕未城，即楚丘亦未城，安得有『城漕』之語乎？六也。」〔清〕姚際恆著，顧頡剛點校：《姚際恆著作集（一）詩經通論》，頁77。

35 陳子展撰述：《詩經直解》，頁95。

36 〔宋〕朱熹集注：《詩集傳》（北京：中華書局，2017），卷2，頁28。

37 〔清〕胡承珙撰，郭全芝校點：《毛詩後箋》，頁157。

38 周振甫譯注：《詩經譯注》，頁45。

39 依照董同龢上古音系統。董同龢著：《漢語音韻學》（2版）（北京：中華書局，2011），頁206-207。

二、「不我以歸」之疑。有三方面解釋，一者如鄭玄說：「與我南行，不與我歸期。兵，凶事，懼不得歸。」[40]伐宋行軍必有死傷，故難知歸期。即這裏的「不我以歸」可能是出行時所作，表達出外行軍，死生難測的感慨。二者胡承珙引姜炳璋說云：「兩次雖未曠日持久，方其『踊躍用兵』，必不先計往返之速。」[41]又引王總聞說云：「夏還而秋再舉，當是征夫不得還家。」[42]即兩次興兵，夏還秋舉，間隔時間很短，因此士兵們沒有機會回國歸家，故內心怨之。三者，如前所說，本詩也可能是秋季再伐時所作。

三、「戴公廬漕」之疑。依竹添光鴻說法，州吁為君未至一年，又兩次興兵，未恤百姓，九月見殺，可能城漕一事未畢，或此後旋廢。[43]竹添光鴻仍認同「州吁伐鄭」的說法，認為州吁在位不到不年，而且在位期間就兩次興兵作戰，因此極有可能因時間短促和征役不足，漕城並未建好。此外，胡承珙則引姜炳璋說云：「居無宮室即謂之廬，不係乎有城無城也。」[44]因為衛戴公時，衛國已經被狄所滅，所以戴公所居的不是宮室，因此無關漕城是否建好，都應謂之「廬」，即杜預「舍」（止息）之義。[45]

綜上而言，「州吁伐鄭說」與《春秋左傳》的史實符合，前代儒者多從之，且依據信實。而清儒對〈詩序〉的懷疑，如姚際恆否定毛詩之六事，皆有反駁之正當理由，因此姚氏之說，或不足為據；而方玉潤之說，本文並未詳考，但因其未涉及具體歷史背景，無相關文本

---

40 〔漢〕毛亨傳，〔漢〕鄭玄箋，〔唐〕孔穎達疏：《毛詩正義》，卷1，頁81。

41 〔清〕胡承珙撰，郭全芝校點：《毛詩後箋》，頁157。

42 〔清〕胡承珙撰，郭全芝校點：《毛詩後箋》，頁157。

43 〔日〕竹添光鴻撰：《毛詩會箋》，頁217。

44 〔清〕胡承珙撰，郭全芝校點：《毛詩後箋》，頁157。

45 〔周〕左丘明傳，〔晉〕杜預注，〔唐〕孔穎達正義：《春秋左傳正義》，卷11，頁356。

依據，僅籠統言戍卒思歸，亦不如州吁伐鄭說可信。故本詩詩旨，當為「州吁伐鄭說」。

三　章旨探索

除詩旨外，〈擊鼓〉各章節的旨意，諸說也多有分歧。漢儒主要認為是將士盟誓之言，而清儒則多以為是室家男女之約。故本文對全詩五章，分別探析如下：

（一）「南行之事」與「南行之故」平議

首章「擊鼓其鏜，踊躍用兵。土國城漕，我獨南行」，主要言南行之事。孔疏曰：「言州吁初治兵出國，命士眾將行則擊此鼓，其聲鏜然，使士眾皆踊躍用兵也。」[46]鄭箋：「此言眾民皆勞苦也，或役土功於國，或脩理漕城，而我獨見使從軍南行伐鄭，是尤勞苦之甚。」[47]此章言人民行役勞苦，在國內筑城或修治漕城，本已是極為辛苦之事，但對於詩作者而言，能留在城中則是莫大的奢求，因他不得不南行打仗。也即一年兩次的兵征，讓百姓連在國內服役的機會都沒有，不得不離家遠行，行軍作戰。

次章「從孫子仲，平陳與宋。不我以歸，憂心有忡」，言南行之故，即說明南行的原因。鄭注：「兵，凶事，懼不得歸。」[48]孔疏：「戰有必死之志，故云凶也。」[49]即從軍者跟隨將軍孫子仲南行打仗，此行是聯合陳國、宋國（和蔡國）攻打鄭國，但因南行未知歸期，故憂心忡忡。

46 〔漢〕毛亨傳，〔漢〕鄭玄箋，〔唐〕孔穎達疏：《毛詩正義》，卷1，頁80。
47 〔漢〕毛亨傳，〔漢〕鄭玄箋，〔唐〕孔穎達疏：《毛詩正義》，卷1，頁80。
48 〔漢〕毛亨傳，〔漢〕鄭玄箋，〔唐〕孔穎達疏：《毛詩正義》，卷1，頁81。
49 〔漢〕毛亨傳，〔漢〕鄭玄箋，〔唐〕孔穎達疏：《毛詩正義》，卷1，頁81。

而關於孫子仲為何人，有二種說法：

一、依〈詩序〉之說。孫子仲為魯隱公時期衛國大夫，公孫文仲。竹添光鴻《毛詩會箋》云：「孫文仲衛大夫。孫公孫，子仲其字，文其謚。」[50]即孫文仲為衛國大夫，姓公孫，字子仲，謚號為文。王先謙亦考「公孫文仲與州吁俱武公孫，時代正合。」[51]

二、依姚際恆之說。為魯宣公時期衛國大夫。姚際恆《詩經通論》：「衛穆公時有孫桓字良夫，良夫之子文子林父。良夫為大夫，忠于國；林父嗣為卿。穆公亡後，為定公所惡，出奔。所云孫子仲者，不知即其父若子否也？」[52]姚氏認為孫子仲為衛穆公時期的大夫，孫桓子（字良夫），或者為其子，孫文子（字林父）。

依前文分析，本詩應作於隱公四年州吁伐鄭時期。且春秋時期多有「公孫」省稱「孫」者，「文」為其謚號，「仲」為其在家族排名第二，而「子仲」為其字。故孫子仲應為公孫文仲。

（二）「戰爭之景」與「訣別之辭」論點比較

關於後三章，歷來諸多紛紜，主要有兩種說法：漢儒多以為是「將士之盟」，即行軍打仗，將士之間豪情壯志的盟誓；而宋儒、清儒則多以為是「室家之約」，即將士行軍在外，對家中妻室的懷念，表達死生難測的悲哀。

第三章，「爰居爰處？爰喪其馬？于以求之？于林之下。」關於此章，因漢、宋、清儒說法不同，解釋亦有差異：

一者，言戰爭之景，陳怠慢之狀。如鄭注曰：「有不還者，有亡其馬者。……不還，謂死也，傷也，病也。今於何居乎，於何處乎，

50 〔日〕竹添光鴻撰：《毛詩會箋》，頁218。

51 〔清〕王先謙撰；吳格點校：《詩三家義集疏》，頁152。

52 〔清〕姚際恆著，顧頡剛點校：《姚際恆著作集（一）詩經通論》，頁77。

於何喪其馬乎。求不還者及亡其馬者，當於山林之下。」[53]認為此章是將士直言戰爭的慘烈。本句意思為：現在於何處居？於何處住？又是於何處丟失了戰馬？若我不得生還，你要尋我，只能在山林之下。因為軍隊行軍皆有秩序，自有常所，但戰爭令軍行失序，死傷喪馬，不知所蹤。如朱子言：「見其失伍離次，無鬥志也。」[54]行伍失序，也是一副戰敗，喪失鬥志的情景。

二者，為與室家訣別之辭。如歐陽修言：「王肅以下三章，衛人從軍者與其室家訣別之詞，云我此行未有歸期，亦未知於何居處，於何喪其馬。若求我與馬，當於林下求之。蓋為必敗之計也。」[55]歐陽修認為不是戰時景象，而是將士臨行前與家人訣別之言。因為「土國城漕」雖然辛苦，尚在國內。但是一旦出兵打仗，外出則性命未可知，將士知此行凶多吉少，未必能夠安然回返，故和家人訣別：不知我在哪裏安扎，在那裡居住，在哪裏喪失我的戰馬，若我未能安全回家，你們要找我，就去山林之下！何其悽愴與悲涼。

（三）「將士之盟」或「室家之約」論點比較

末兩章「死生契闊，與子成說。執子之手，與子偕老。于嗟闊兮，不我活兮。于嗟洵兮，不我信兮。」承襲第三章的脈絡，故二說分別為：一者將士盟誓；二者室家之約。今合末後兩章分別對二說進行討論：

第一說，將士之盟。鄭箋：

> 從軍之士與其伍約，死也生也，相與處勤苦之中，我與子成相

---

53 〔漢〕毛亨傳，〔漢〕鄭玄箋，〔唐〕孔穎達疏：《毛詩正義》，卷1，頁81。

54 〔宋〕朱熹集注：《詩集傳》，卷2，頁29。

55 裴普賢編著：《詩經評注讀本》，頁76。

> 說愛之恩，志在相存救也。執其手，與之約誓示信也。言俱老者，庶幾俱免於難。[56]

因為前面陳述戰爭之景，生死難測，而戰友間情誼亦深，故眾將士彼此盟誓：大家都要存活下去，不要馬革裹屍、戰死沙場。

而後章則有不能遂期望之嘆。孔疏：

> 既臨伐鄭，軍士棄約而乖散，故其在軍之人歎而傷之，云：于嗟乎，此軍伍之人，今日與我乖闊兮，不與我相存救而生活兮。又重言之，云：于嗟乎，此軍伍之人，與我相疏遠兮，不與我相存救，使性命得申極兮。[57]

雖盟誓之言猶在，但戰場無情，死生無常，將士們在這場戰役中必多有死傷，故此章為存活將士感慨之言：「為何約定都要活下去，你們卻失約了呢？」何其悲涼！亦是感慨戰爭之殘酷。

第二說，室家之約。末後兩章承第三章之言，大多以為是「追敘前盟」[58]，即將士在必敗之際，自感死生難測，而憶及與妻子的室家之約，產生無限的悲哀與感慨。如嚴粲曰：

> 我往者初昏之時，與子成其約誓之言，執子之手，期於偕老，不謂今者便為死生之別。怨辭也。

---

56 〔漢〕毛亨傳，〔漢〕鄭玄箋，〔唐〕孔穎達疏：《毛詩正義》，卷1，頁81。

57 〔漢〕毛亨傳，〔漢〕鄭玄箋，〔唐〕孔穎達疏：《毛詩正義》，卷1，頁81。

58 牛運震曰：「此卻追敘始出門時，篇法倒得妙。」又方玉潤曰：「有此一章追敘前盟，文筆始曲。」裴普賢編著：《詩經評注讀本》，頁76-77。

又朱道行曰：

> 死生離合，決不相忘。此成說也。執手二句即成說時丁寧，但有生合無死離，其矢願如此。」[59]

成說，為成其約誓之言。而「執子之手，與子偕老」一句就是當初的誓言，此誓與〈上邪〉「山無陵，江水為竭，冬雷震震，夏雨雪，天地合，乃敢與君絕！」同意。故朱熹亦注曰：

> 從役者念其室家，因言始為室家之時，期以死生契闊，不相忘棄，又相與執手，而期以偕老也。[60]

將士想到家中妻室，念及當初生死不離、白頭偕老的誓言。

追敘前盟後，念及當前戰場狀況，死生尚未可知，如何踐行當初的誓言？朱子言：

> 言昔者契闊之約如此，而今不得活；偕老之信如此，而今不得伸。意必死亡，不復得與其室家遂前約之信也。[61]

方玉潤亦曰：

> 有此一章追敘前盟，文筆始曲，與陳琳《飲馬長城窟行》機局相似。[62]

---

59 裴普賢編著：《詩經評注讀本》，頁76。

60 〔宋〕朱熹集撰，趙長征點校：《詩集傳》，卷2，頁29。

61 〔宋〕朱熹集撰，趙長征點校：《詩集傳》，卷2，頁29。

62 〔清〕方玉潤撰；李先耕點校：《詩經原始》，頁130。

到末章詩文之義也到達高潮：「海誓山盟仍在耳畔，但人生離散，我不能活著回來見你；我們相隔睽遠，無法見你最後一面，也無法完成曾經白頭偕老的諾言。」既表現出對室家妻子的懷念與內心的悲痛，也是對戰爭無情的控訴，體現了各國征伐之下人民的苦難。

綜上言之，前者將士盟誓之說，合於毛詩，漢儒多從之。本詩題名〈擊鼓〉，亦喻戰爭之苦、戰場之事。後者室家約定之說，宋儒、清儒多從之。追憶男女誓言，將士在外，死生難測，深感戰爭之下，百姓離散之苦。兩種說法皆可通，亦有其理。如竹添光鴻箋云：「偕老，與之俱老也，故可施之夫婦，亦可施之朋友。」[63]認為或可不泥於一說。

因此關於〈擊鼓〉一詩究竟為「國事」還是「家事」，究竟為將士之盟，抑或室家之約，歷代爭論不休，各執其是。不過筆者仍從室家之約。原因有三：

一者，雖毛傳以將士之盟解釋，後三章也能自成其理，但如《詩傳綱領》引張載言：

> 求詩者貴平易，不要崎嶇求合。蓋詩人之情性，溫厚平易老成。今以崎嶇求之，其心先狹隘，無由可見。[64]

也就是詩經本就是各國民風歌謠，其貴平實，切合生活，故衛國士卒從軍打仗不得以歸，繼而懷念室家，內心悲痛，後三章的訣別之辭、追敘前盟、失約之歎，整體的情感脈絡順暢連貫，一氣呵成，若一定要認為是將士之盟，則至為崎嶇，或非詩本意。

63 〔日〕竹添光鴻撰：《毛詩會箋》，頁222。

64 〔宋〕朱熹集撰，趙長征點校：《詩集傳》（北京：中華書局，2017年），頁10。

二者，所謂「詩無達詁」[65]，但也需以意逆志，去體會作詩者所要傳達的本意。〈擊鼓〉一詩所以能在民間傳播如此廣泛，也正是許多人為其中「死生契闊，與子成說，執子之手，與子偕老」所傳達出的真誠情意所感動。詩詞的傳達本沒有那麼複雜，男女之情本為自然，所謂詩言志，因此大眾直觀、切實對〈擊鼓〉的感受，又怎能說不是此詩所傳達的情意？因此若回歸其本源的義涵、直截的情意，亦當為室家之歎。

三者，雖然「執手」一詞在古代未必局限於男女的關係，如兩漢到六朝之間的文學作品中，如題名李陵送蘇武詩即有「良時不再至，離別在須臾。屏營衢路側，執手野踟躕。」曹植〈贈白馬王彪詩〉：「離別永無會，執手將何時」。執手可用於同儕、友人之間表達情意。但是先秦作品中也不乏用之於伴侶、家人的詩句，如漢樂府《孔雀東南飛》:「執手分道去，各各還家門。」東漢蔡琰《胡笳十八拍》:「夢中執手兮一喜一悲。覺後痛吾心兮無休歇時。」[66]因此「執手」一詞在古代或不限於男女[67]，需依文義判斷、分析所言對象。本文中將士之間縱「死生契闊，與子成說」的盟誓尚可通，但「執子之手，與子偕老」一句，雖然將士之間也可執手，但將士之間何以約之「白頭偕老」？常理而言，偕老之約用於男女室家，更為恰當合宜。

因此依前所論，本文認同室家之說。此說在整體脈絡、情感表達均更顯連貫、合宜，亦體現出誓言之貞，離別之悲。總結以上諸家之說，列表如次：

---

65 〔漢〕董仲舒撰，張祖偉點校，王承略等主編：《春秋繁露》（濟南：山東人民出版社，2018年），頁26。

66 檢索「執手」一詞，朝代「先唐」，所得之詩詞。搜韻網：〈詩詞檢索〉，https://sou-yun.cn/QueryPoem.aspx，2023年8月3日。

67 如「子」字義涵為兒女，既可指兒子，也可指女兒，而不僅限兒子之義。

諸家說法	詩旨				章義	
	州吁用兵（隱公四年）	衛穆公用兵（宣公十二年）	衛戍卒思歸	百姓從軍打仗	室家之約	將士之誓
〔漢〕〈詩序〉	＋	－	－	＋	－	＋
〔宋〕朱熹	±	－	－	＋	＋	－
〔清〕姚際恆	－	＋	－	＋	／	／
〔清〕方玉潤	－	－	＋	－	＋	－
〔日〕竹添光鴻	＋	－	－	＋	±	±

備注：＋有此義，－無此義，±此義或可，／未有述及）

四　結語

根據本文以上的論述，認為〈擊鼓〉的詩旨，為隱公四年「州吁伐鄭說」，述衛國州吁，聯合陳蔡兩國，協助宋國伐鄭之事，符合史實，依據信實。而方玉潤否定毛詩之六事，皆有反駁之理；姚際恆之說，則無相關文本依據。而文中孫子仲，應為衛大夫公孫文仲。

關於章義，主要分為「將士盟誓」及「室家之約」兩說。前者將士盟誓之說，合於毛詩，漢儒多從之。本詩題名〈擊鼓〉，亦喻戰爭之事。後者室家之說，為追憶男女誓言，亦表戰爭之下死生難測的感慨，宋儒、清儒多從之。兩種說法皆有其理，不過相較而言，室家之說於脈絡情理上更顯合宜，亦體現出誓言之貞，離別之悲，故本文從室家之說。

孔穎達〈毛詩正義序〉：「夫詩者，論功頌德之歌，止僻防邪之訓，雖無為而自發，乃有益於生靈。」[68]戰爭是苦難的，故先王聖哲用之惟謹。而州吁踊躍用兵，使人民飽受其苦，故百姓怨刺，他亦未

68 〔漢〕毛亨傳，〔漢〕鄭玄箋，〔唐〕孔穎達疏：《毛詩正義》，卷1，頁3。

能善終。[69]不論是將士的生死之盟，還是家人間的相伴之誓，面對戰爭與離別，都令人傷痛。而我們通過〈擊鼓〉一詩，亦可見百姓對和平安定的渴望，這或許也是此詩更為深遠的意義。

附論

除了整體的詩旨、章義考辨外，本詩第四章「死生契闊，與子成說」中之「契闊」一詞，歷來訓詁纂繁，並整理如次：

關於「契闊」二字，依《說文》言：「契，大約也。」[70]段注：「約取纏束之義。……苦計切。」[71]「闊，疏也。」[72]段注：「疏，通也。……苦括切。」[73]「契闊」歷代主要有四種解釋：

一、約束。《韓詩》曰：「契闊，約束也。」[74]王先謙認為「契闊」是「挈括」的假借。[75]胡承珙則曰：「《韓詩》闊既作括，契疑當作絜。」[76]即「契」或許為「絜」的假借。胡氏認為「絜」、「括」都義為「麻一耑」，故有約束義。

二、隔遠，隔絕。朱傳：「契闊，隔遠之意。」[77]高本漢同朱熹之說。[78]

---

69 〔日〕竹添光鴻撰：《毛詩會箋》，頁217。

70 〔漢〕許慎撰，〔清〕段玉裁注：《新添古音說文解字注》（臺北：洪業文化公司，2016年），頁497。

71 〔漢〕許慎撰，〔清〕段玉裁注：《新添古音說文解字注》，頁497。

72 〔漢〕許慎撰，〔清〕段玉裁注：《新添古音說文解字注》，頁597。

73 〔漢〕許慎撰，〔清〕段玉裁注：《新添古音說文解字注》，頁597。

74 〔清〕王先謙撰；吳格點校：《詩三家義集疏》，頁153。

75 〔清〕王先謙撰；吳格點校：《詩三家義集疏》，頁150-151。

76 〔清〕胡承珙撰，郭全芝校點：《毛詩後箋》，頁160。

77 〔宋〕朱熹集注：《詩集傳》，卷2，頁29。

78 〔瑞典〕高本漢著，董同龢譯：《高本漢詩經注釋》（上海：中西書局，2012年），頁80。

三、勤苦。《毛詩正義》引王肅曰：「言國人室家之志，欲相與生至死，契闊勤苦而不相離，相與俱老。」[79]如鄭注：「契闊，勤苦也。」[80]《集韻・屑韻》曰：「契，契闊，勤苦也。」[81]

四、離合聚散。孫奕《履齋示兒編》云：「契，合也；闊；離也。謂死生離合，與汝成誓言也。」[82]竹添光鴻箋云：「契闊與死生相對成文，猶云合離聚散耳。觀下章單承闊字，則有離而無合矣。」[83]

歷代注解對「契闊」一詞，多以傳統析字拆解的方式進行解釋。但實際「契闊」一詞不可拆分解釋，如胡承珙曰：「該契闊者，以雙聲為義……《集傳》因之，以契闊為隔遠，……誤矣。」[84]根據後儒的研究，發現「契闊」實為連綿詞，即是由只代表音節的兩個漢字組成，表示一個整體意義的雙音詞，屬於聲音造詞。

考察「契闊」的聲音關係：二字《說文》反切「契」「闊」分別為：「苦計切」、「苦括切」，同為段氏十五脂部，聲母、韻部皆同。依董同龢系統的上古擬音，「契」「闊」二字上古擬音分別是：[kʰiæd]、[kʰuɑt]，聲母發音相同，韻尾雖不同，但也同為「祭」部，即有雙聲疊韻的聲音關係。

又戴瑩〈契闊考釋〉認為「契契」、「契闊」、「竭蹶」都表勤苦、憂苦之義。[85]「竭」「蹶」上古擬音分別為：[gʰjăt]、[kjuăt]，聲母與

---

79 〔漢〕毛亨傳，〔漢〕鄭玄箋，〔唐〕孔穎達疏：《毛詩正義》，卷1，頁90。

80 〔漢〕毛亨傳，〔漢〕鄭玄箋，〔唐〕孔穎達疏：《毛詩正義》，卷1，頁91。

81 趙振鐸校：《集韻校本》（上海：上海辭書出版社，2012年），卷9，頁1452。

82 〔南宋〕孫奕撰，侯體健點校：《履齋示兒編》（北京：中華書局，2014年），頁43。

83 〔日〕竹添光鴻撰：《毛詩會箋》，頁219。

84 〔清〕胡承珙撰，郭全芝校點：《毛詩後箋》，頁159-160。

85 此文引朱廣祁《詩經雙音詞論稿》認為「契闊」由《小雅・大東》「契契寤歎」訓「憂苦」轉化而來。又引《荀子・議兵》：「遠者竭蹶而趨之。」楊注：「竭蹶：顛仆，猶言匍匐也。」與「勤苦」義近。戴瑩：〈契闊考釋〉，《北京大學學報》（哲學社會科學版）1996年第3期，頁117-118。

「契闊」發音部位相同，都是[g]、[k]舌根塞音，韻尾也同為「祭」部，故「竭蹶」與「契闊」有聲音關係。因此「契闊」一詞有聲音關係，又字形不定，可判斷「契闊」一詞為雙聲連綿詞，表憂苦義。「死生契闊，與子成說」義為死生勤苦，不論生死勞苦，皆死生相隨、不離不棄的誓言。[86]附表如次：

字	今音	反切（說文）	段氏十七部	上古韻部（董同龢系統）	上古擬音（董同龢系統）[87]
契	ㄑㄧˋ qì	苦計切	十五脂部	祭	kʰiæd
闊	ㄎㄨㄛˋ kuò	苦括切	十五脂部	祭	kʰuɑt
竭	ㄐㄧㄝˊ jié	渠列切	十五脂部	祭	gʰjăt
蹶	ㄐㄩㄝˊjué	居月切	十五脂部	祭	kjuăt

此外「契闊」作為連綿詞，二字共同構成一個含義，不可拆解，故孫奕析分之解釋或不適宜。而竹添光鴻所提及下章的「吁嗟闊兮」的闊，不宜解釋為「有離而無合」，應為該字的單獨含義。如《說文》曰：「闊，疏也」[88]，《爾雅・釋詁》曰「闊，遠也」[89]，也就是闊為「遙遠」之義。

其次是關於「不我信兮」的詞義，該詞出現在第五章「吁嗟闊兮，不我信兮。」依《說文》言：「信，誠也。」[90]此字有兩種解釋，

86 按：如戴瑩說法，「契闊」一詞為一音多義，前三種解釋約束、隔遠、勤苦，都是連綿詞的解釋義涵，只是這三種解釋各自語源不同，與契闊音近而被使用。「契闊」一詞詞義後期的演變也隨三種義涵的演變而引申。不過本詩〈擊鼓〉中「契闊」義為勤苦。

87 本文上古擬音，依董同龢系統。小學堂文字學資料庫：〈漢字古今音資料庫〉，（https://xiaoxue.iis.sinica.edu.tw/ccr），2023年3月15日瀏覽。

88 〔漢〕許慎撰，〔清〕段玉裁注：《新添古音說文解字注》，頁497。

89 〔晉〕郭璞注，〔宋〕邢昺疏：《爾雅注疏》（北京，北京大學，2000），卷1，頁22。

90 〔漢〕許慎撰，〔清〕段玉裁注：《新添古音說文解字注》，頁93。

一者為本義，一者為假借義：

一、本義，誠也。即守諾之義。如鄭箋：「嘆其棄約，不與我相親信。」[91]

二、假借義，通「伸」，實現也。如毛亨傳曰：「信，極也。」鄭箋：「信即古伸字也。」[92]段注也曰：「古多以為屈伸之伸。」[93]

雖然本義的「誠」為遵守諾言之說，也有一定道理。但「信」作為「伸」字的假借，如段氏所言，在古籍中非常常見，如《禮記・儒行》：「起居竟信其志。」[94]「信」即「伸」之義，義為伸展、實現。而這裏根據上下文，「不我信兮」將其解釋為不能實踐舊約，也更合宜。所以今從其假借義，依從鄭氏之說，把它當作古「伸」字的假借。即「不我信兮」中「信」應解釋為「伸」，義為不能實踐舊約[95]。

91 〔漢〕毛亨傳，〔漢〕鄭玄箋，〔唐〕孔穎達疏：《毛詩正義》，卷1，頁81。

92 〔漢〕毛亨傳，〔漢〕鄭玄箋，〔唐〕孔穎達疏：《毛詩正義》，卷1，頁81。

93 〔漢〕毛亨傳，〔漢〕鄭玄箋，〔唐〕孔穎達疏：《毛詩正義》，卷1，頁81。

94 〔漢〕鄭玄注，〔唐〕孔穎達正義：《禮記正義》（杭州：浙江大學出版社，2019），卷66，頁1386。

95 裴普賢編著：《詩經評注讀本》，頁77。

參考文獻

一　古籍專書

〔周〕左丘明傳，〔晉〕杜預注，〔唐〕孔穎達正義：《春秋左傳正義》，十三經注疏整理委員會整理，北京：北京大學，2000年。

〔漢〕毛亨傳，〔漢〕鄭玄箋，〔唐〕孔穎達疏：《毛詩正義》，臺北：藝文印書館影印阮元校勘本，2001年。

〔漢〕董仲舒撰，張祖偉點校，王承略等主編：《春秋繁露》（濟南：山東人民出版社，2018）年。

〔漢〕鄭玄注，〔唐〕孔穎達正義：《禮記正義》，杭州：浙江大學出版社，2019年。

〔漢〕班固撰，〔唐〕顏師古注：《漢書》，北京：中華書局，1962年。

〔漢〕許慎撰，〔清〕段玉裁注：《新添古音說文解字注》，臺北：洪業文化事業公司，2016年。

〔晉〕皇甫謐撰，劉曉東等點校：《帝王世紀》，濟南：齊魯書社，2000年。

〔晉〕郭璞注，〔宋〕邢昺疏：《爾雅注疏》，北京，北京大學，2000年。

〔宋〕蘇轍撰，曾棗莊、舒大剛主編：《三蘇全書・詩集傳》，第2冊，北京：語文出版社，2001年。

〔宋〕朱熹集撰，趙長征點校：《詩集傳》，北京：中華書局，2017年。

〔南宋〕孫奕撰，侯體健點校：《履齋示兒編》，北京：中華書局，2014年。

〔明〕王夫之撰，湖湘文庫編輯出版委員會編：〈詩廣傳〉《船山全書》（第3冊）（湖南：嶽麓書社，2011）年。

〔清〕姚際恆著，顧頡剛點校：《姚際恆著作集（一）詩經通論》，臺北：中央研究院中國文哲研究所，2004年。
〔清〕陳奐著：《詩毛氏傳疏》，北京：中國書店，1984年。
〔清〕方玉潤撰；李先耕點校：《詩經原始》，北京：中華書局，1986年。
〔清〕顧炎武著，〔清〕黃汝成集釋，欒保群等校點：《日知錄集釋：全校本》，上海：上海古籍出版社，2013年。
〔清〕胡承珙撰，郭全芝校點：《毛詩後箋》，合肥：黃山書社，1999年。
〔清〕王先謙撰；吳格點校：《詩三家義集疏》，北京：中華書局，1987年。

二　現代專書

王靜芝：《詩經通釋》，新北；輔仁大學中國文學系，2016年。
余冠英：《詩經選》，北京：人民文學出版社，1979年。
周振甫：《詩經譯注》，北京：中華書局，2002年。
屈萬里：《詩經詮釋》，新北：聯經出版社，1983年年。
陳子展：《詩經直解》，上海：復旦大學出版社，1983年。
馬瑞辰：《毛詩傳箋通釋》，北京：中華書局，1989年。
董同龢著：《漢語音韻學》（2版），北京：中華書局，2011年。
趙振鐸：《集韻校本》，上海：上海辭書出版社，2012年。
裴普賢：《詩經評注讀本》，臺北：三民書局，2016年。
劉曉東等，《逸周書》，二十五別史，濟南：齊魯書社，2000年。
糜文開，裴普賢：《詩經欣賞與研究》，臺北：三民書局，1958年。
〔日〕竹添光鴻：《毛詩會箋》，臺北：臺灣大通書局，1975年。
〔瑞典〕高本漢，董同龢譯：《高本漢詩經注釋》，上海：中西書局，2012年。

三　期刊論文

戴　螢：〈契闊考釋〉，《北京大學學報》（哲學社會科學版）1996年第3期，頁117-118。

楊青華，柴方召：〈詩經擊鼓死生契闊釋義〉，《廣西職業技術學院學報》2013年第5輯（總第6輯），頁79-82，86。

李治中：〈詩經擊鼓為怨陳宣公考〉《中州學刊》2014年第2輯（總第206輯），頁147-151。

張　可：〈從執子之手意義探析詩經邶風擊鼓詩旨〉，《漢字文化》2017年第18輯（總第188輯），頁62-63。

徐銀萍：〈詩經邶風擊鼓平字釋義〉《哈爾濱學院學報》2017年第2輯（總第38輯），頁96-99。

呂昱衡：〈從詩經擊鼓論契闊諸義〉，《文學教育（上）》2021年第6輯（總第544輯），頁96-97。

葉語詩：〈詩經．邶風．擊鼓探析〉，威爾士三一聖大衛大學論文，2021年。

四　網絡資料

小學堂文字學資料庫：〈漢字古今音資料庫〉，（https://xiaoxue.iis.sinica.edu.tw/ccr），2023年3月15日瀏覽。

搜韻網：〈詩詞檢索〉，https://sou-yun.cn/QueryPoem.aspx，2023年8月3日。

《左傳》字詞釋證五則

——以莊公至僖公為主要範圍

黃聖松
國立成功大學中國文學系教授

摘要

本文以莊公至僖公為範圍，釋證《左傳》五則字詞。(一)「夕室」與「窀穸」涉及楚國墓葬記載，「夕室」乃墓冢。「穸」增「穴」表「夕室」，「窀」從「穴」、「屯」聲，與出土資料之「宔」、「埨」皆從「屯」聲。「窀」表封土而「穸」專指墓室，「窀穸」可表墓葬主要特徵。(二)「儉，德之共也」與「先君有共德」之「共」，俞樾讀「洪」訓「大」，謂與傳文「侈，惡之大也」、「大惡」對舉。《左傳會箋》從《春秋經傳集解》，言「恭」訓「肅」有「收攝斂約之義」，與「儉」義近。「德之共也」之「共」訓「肅」有縮限義，與「惡之大也」之「大」呈反義關係。(三)《左傳》多處「能」字，《左傳會箋》曰「順適」，《春秋左傳注》釋「得」。「能」當從《釋名．釋言語》訓「該」而謂包舉兼容，可詮諸處傳意。(四)《春秋經傳集解》釋「間執讒慝之口」僅言「間執猶塞也」，《左傳會箋》讀「間」為「閑」訓「防」，有防阻、禁止義。「執」可讀「縶」，作動詞有拘束義，「間執讒慝之口」言禁止與拘束「讒慝之口」。(五)《左傳會箋》解「以相及也」曰「同盟相俱死亡之」，《左傳》見「不相及也」與

「罪不相及」，言父子兄弟之罪刑不相牽連。援此而解「以相及也」，謂彼此牽延罪禍或死亡。

關鍵詞：《左傳》、字詞、《春秋經傳集解》、《左傳會箋》、《春秋左傳注》

Explanations and Proofs of Five Vocabularies in "Zuo Zhuan"

──Taking the reign of Lu Zhuang-gong to Lu Xi-gong as the main scope

Sheng-sung Huang

Professor, Department of Chinese Literature, National Cheng Kung University.

Abstract

This article takes the reign of Lu Zhuang-gong to Lu Xi-gong as the scope to explain and prove the five vocabularies in "Zu0 Zhuan". (1) The two vocabularies "夕室" (xi shi) and "窀穸" (zhun xi) refer to the tomb records of Chu State. The vocabulary "xi shi" refers to the tomb. The vocabulary "穸" (xi) puts "穴" (xue) on the top and it means "夕室" (xi shi); the vocabulary "窀" (zhun) also has "穴" (xue) on the top and its pronunciation sounds like combining "穴" (xue) and "屯" (tun). Moreover, from unearthed materials, the vocabularies "宆" (tun)and "坉" (tun) both pronounce like "屯" (tun). The vocabulary "窀" (zhun) means the heaping earth over the grave and "穸" (xi) specifically refers to the tomb chamber; therefore, "窀穸" (zhun xi) can represent the main features of the tomb. (2) Senior scholar Yu Yue read the word "hong" as the word "gong" in the following two sentences "Jian, de zhi gong ye" and "Xian jun you gong de" and it means the word "da" (the adjective "most"). He showed two examples by the sentence "Chi, e zhi da ye" and the vocabulary "da e". The two classics "Zuo Zhuan Hui Jian" and "Chun Qiu Jing Zhuan Ji Jie" both are mentioned that the word "gong" also has the meaning of the word "su" which means pinching and saving. It is similar meaning to the word "jian" (thrifty). The word "gong" in the sentence "Jian, de zhi gong ye" and the word "da" in the sentence "Chi, e zhi da ye" are antonymy. (3) The word "neng" is used in many places in "Zuo Zhuan". In "Zuo Zhuan Hui Jian", "neng" is to conform to something and in "Chun Qiu Zuo Zhuan Zhu", "neng" is to gain something. The word "neng" should be taken from the explanation in "Shi Ming - Shi Yan Yu". It should be compatible with all kinds of examples, which can communicate with everyone. (4) In "Chun Qiu Jing Zhuan Ji Jie", the sentence "Jian zhi you sai ye" is a little different from the sentence "Jian zhi chan te zhi kou". In "Zuo Zhuan Hui Jian", the word "jian" read as the word "xian" and it has the meaning of to prevent & to prohibit. The word "zhi" can be read as "縶" (zhi), as a verb, it has the meaning of restraint. The interpretation of the sentence "Jian zhi chan te zhi kou" is to prohibit and restrain someone from slandering to others. (5) The sentence "Yi xiang ji ye" in "Zuo Zhuan Hui Jian" explains that all alliances will disappear one by one; however, the two sentences "Bu xiang ji ye" and "Zui bb xiang ji" in "Zuo Zhuan" means no collateral punishment between fathers & sons or brothers. Therefore, the sentence "Yi xiang ji ye" can be explained that both parties implicate each other in a crime or they got the punishment to die.

Keywords: "Zuo Zhuan, vocabularies, "Chun Qiu Jing Zhuan Ji Jie", "Zuo Zhuan Hui Jian", "Chun Qiu Zuo Zhuan Zhu"

一　前言

訓解《左傳》於有清一朝達至巔峰，如顧炎武（1613-1682）《左傳杜解補正》、沈彤（1688-1752）《春秋左傳小疏》、惠棟（1697-1758）《左傳補注》、齊召南（1703-1768）《春秋左傳注疏考證》、梁履繩（1748-1793）《左傳補釋》、馬宗璉（1757-1802）《春秋左傳補注》、焦循（1763-1820）《春秋左氏傳杜氏集解補疏》、李富孫（1764-1843）《春秋左傳異文釋》與劉文淇（1788-1854）、劉毓崧（1818-1867）、劉壽曾（1838-1882）等合著《春秋左氏傳舊注疏證》等，至今仍具影響力。近世考訂《左傳》，專著部分以日本人竹添光鴻（1842-1917）《左傳會箋》（以下簡稱《會箋》）、章炳麟（1869-1936）《春秋左傳讀》（以下簡稱《左傳讀》）、楊伯峻（1909-1992）《春秋左傳注》（以下簡稱《左傳注》）、趙生群《《左傳》疑義新證》、許子濱《楊伯峻《春秋左傳注》禮說斠正》，與瑞典人高本漢（Klas Bernhard Johannes Karlgren, 1889-1978）《左傳注釋》等最受屬目，單篇論文則不可勝數。今不揣譾陋，以〈《左傳》字詞釋證五則——以莊公至僖公為主要範圍〉為題，釋證莊公十九年「夕室」與襄公十三年「窀穸」，莊公二十五年「德之共也」與「共德」之「共」，僖公九年「入而能民」、僖公十年與成公十一年「又不能於狄」、文公十六年「不能其大夫」、襄公二十一年「不相能」、襄公二十六年「所謂不能也」、昭公十一年「不能其民」、昭公三十一年與昭公三十二年「不能外內」之「能」，僖公二十八年「間執讒慝之口」之「執」，僖公二十八年「以相及也」之「相及」等字詞，就教於方家。

二　莊公十九年「夕室」與襄公十三年「窀穸」

莊公十九年《左傳》載楚大夫鬻拳將楚文王「葬諸夕室」，晉人杜預（222-285）《春秋經傳集解》（以下簡稱《集解》）謂「夕室，地名。」[1]唐人陸德明（550？-630）《經典釋文》（以下簡稱《釋文》）卷十五「夕室」條言「朝夕之夕」，[2]將「夕」解作「朝夕」之「夕」。劉文淇、劉毓崧、劉壽曾循《釋文》之說，云「夕室」「猶如後世所謂夜臺。」[3]清人沈欽韓（1775-1831）主張「夕室非地名」，舉《晏子春秋・內篇雜下・景公成柏寢而師開言室夕晏子辨其所以然》為證。彼時齊景公新成柏寢之臺，「使師開鼓琴，師開左撫宮，右彈商，曰『室夕。』」齊景公問師開何以知之，答曰「東方之聲薄，西方之聲揚。」[4]沈氏又舉《呂氏春秋・季夏紀・明理》「夫有天賞得為主，而未嘗得主之實，此之謂大悲。是正坐於夕室也，其所謂正，乃不正矣。」漢人高誘（？-？）《注》言「夕室，以喻悲人也。言其室邪夕不正，徒正其坐也。」[5]沈氏云「玩《呂覽》文，則死者之所謂夕室」，[6]主「夕室」乃墳冢。《左傳讀》舉《荀子・禮論》「故壙壠，其

1　〔晉〕杜預集解，〔唐〕孔穎達正義：《春秋左傳正義》（臺北：藝文印書館，據清嘉慶二十年〔1815〕江西南昌府學版影印，1993年），頁160。為簡省篇幅及便於讀者閱讀，下文徵引本書時，逕於引文後夾注頁碼，不再以注腳呈現。

2　〔唐〕陸德明著，黃焯斷句：《經典釋文》（北京：中華書局，1983年，據北京圖書館藏宋元兩朝遞修本為底本對刊清人徐乾學《通志堂經解》本影印），卷15，頁17。

3　〔清〕劉文淇、劉毓崧、劉壽曾：《春秋左氏傳舊注疏證》，收入《續修四庫全書》編輯委員會：《續修四庫全書》（上海：上海古籍出版社，2002年，據上海圖書館藏稿本影印），第126冊，頁394。

4　題〔周〕晏嬰著，張純一校注，梁運華點校：《晏子春秋》（北京：中華書局，2014年，據清湖北書局刻元刻本為底本點校排印），頁282。

5　〔秦〕呂不韋編，陳奇猷校釋：《呂氏春秋校釋》（臺北：華正書局，1998年，據清畢沅《呂氏春秋校正》本為底本校釋排印），頁357-360。

6　〔清〕沈欽韓：《春秋左氏傳補注》，收入〔清〕王先謙：《續經解春秋類彙編》（臺北：藝文印書館，1986年），冊3，頁2505。

貌象室屋也」，與《毛詩・唐風・葛生》「百歲之後，歸于其室」為證，漢人毛亨（？-？）《傳》謂「室猶居也」，漢人鄭玄（127-200）《箋》云「室猶冢壙。」[7]《左傳讀》謂「即謂壙壟為室，以其在西方，故謂之夕室」；[8]仍主「夕室」乃墳冢。《會箋》亦言「夕室蓋楚先君冢墓」；[9]《左傳注》贊同沈、章二氏之見，謂「夕室」「蓋楚國君主冢墓所在之稱。」[10]諸家之見本無疑慮，唯墓冢何以又言「夕室」，似未能詳述。沈、章二氏釋「夕」與西方聯繫，認為墓冢應置西方為宜。然西方、東方係相對位置，某地之西亦為另一地之東，以方位釋「夕室」仍有疑慮。

襄公十三年《左傳》載楚共王之語，言卒後「唯是春秋窀穸之事、所以從先君於禰廟者。」《集解》云「窀，厚也；穸，夜也；厚夜猶長夜。春秋謂祭祀，長夜謂埋葬。」（頁555）唐人孔穎達（574-648）《春秋正義》（以下簡稱《正義》）引《國語・晉語四》「屯，厚也」與《說文解字・夕部》（以下簡稱《說文》）「夕，莫也」為說，[11]清人段玉裁（1735-1815）《說文解字注》（以下簡稱段《注》）謂「長夜者言夜不復明、死不復生，故長夜謂葬埋也。以其事施於葬，故今字皆從穴。」《說文・穴部》言「窀，窀穸，葬之厚夕也」；「穸，窀

7 〔周〕荀況著，〔清〕王先謙集解，沈嘯寰、王星賢點校：《荀子集解》（北京：中華書局，1997年，據清光緒十七年辛卯〔1891〕王先謙刻本為底本點校排印），頁369。〔漢〕毛亨傳，〔漢〕鄭玄箋，〔唐〕孔穎達正義：《毛詩注疏》（臺北：藝文印書館，1993年，據清嘉慶二十年〔1815〕江西南昌府學版影印），頁228。

8 章炳麟：《春秋左傳讀》（臺北：學海出版社，1984年），頁198。

9 〔日本〕竹添光鴻：《左傳會箋》（臺北：天工書局，1998年），頁247。

10 楊伯峻：《春秋左傳注》（北京：中華書局，2000年），頁211。

11 〔題周〕左丘明著，〔三國吳〕韋昭注：《國語韋昭註》（臺北：藝文印書館，1974年，據天聖明道本・嘉慶庚申〔1800〕讀未見書齋重雕本影印），頁264。〔漢〕許慎著，〔清〕段玉裁注：《說文解字注》（臺北：黎明文化事業公司，1994年，據經韵樓藏版影印），頁318。

穸也」；[12]其意大抵與上揭《集解》、《正義》一致。《會箋》概言「窀穸之事即身後之事」，《左傳注》云「窀穸指安葬」，[13]大致無誤，唯「窀穸」本義及與「夕室」關係可再深究。

拜新出材料之賜，對「夕室」之理解亦有發展。宋華強依《新蔡楚簡》地名「上郊」與「下郊」重申《集解》之說，主張「郊」是地名「夕」之專字，[14]唯宋氏之說未獲學界回響。《清華大學藏戰國竹簡（壹）》收錄《楚居》，記楚王酓繹遷至夷屯而有「夜而納𡰥，抵今曰𥛚=，必夜」之事。原整理者讀「𥛚」為「夕」，「𥛚必夜」言「夜裡行祭」，[15]此見可從。袁金平聯繫「𥛚」與「夕室」之「夕」，云「就楚人認知來說，『夕室』之『夕』的本字應當為『𥛚』。」[16]陳偉主張「𥛚」可能與漢晉人「夕牲」有關，陳民鎮舉《楚辭・九歌》記楚人「夜祭」之事，[17]讀者可參看。然「夕室」之意及與「窀穸」之關聯，諸家未予討論。

《釋文》訓「夕室」之「夕」為「朝夕」之「夕」當無疑義，夕夜之幽暗以喻往生後長埋地下如黑夜而不見天日，「夕室」之「夕」乃「朝夕」之「夕」之引申。「夕室」之「室」應指〈葛生〉「百歲之

---

12 〔漢〕許慎著，〔清〕段玉裁注：《說文解字注》，頁350。

13 〔日本〕竹添光鴻：《左傳會箋》，頁1067。楊伯峻：《春秋左傳注》，頁1001。

14 宋華強：《新蔡葛陵楚簡初探》（武漢：武漢大學出版社，2010年），頁363-365。宋華強：〈據新出楚簡校讀《左傳》（二則）〉，《文史》2010年第3輯（2010年8月），頁251-252。

15 清華大學出土文獻研究與保護中心編，李學勤主編：《清華大學藏戰國竹簡（壹）》（上海：中西書局，2010年），頁181、185。

16 袁金平：〈《左傳》「夕室」考辨——讀清華簡《楚居》小札〉，《深圳大學學報（人文社會科學版）》第29卷第2期（2012年3月），頁56-57。

17 陳偉：〈清華簡《楚居》「楩室」故事小考〉，武漢大學簡帛研究中心網站，2011年2月3日，網址：http://www.bsm.org.cn/show_article.php?id=1398。陳民鎮：〈清華簡《楚居》集釋〉，復旦大學出土文獻與古文字研究中心網站，2011年9月23日，網址：http://www.gwz.fudan.edu.cn/SrcShow.asp?Src_ID=1663。

後，歸于其室」之「室」，係冢壙、墓室之意。總之，「夕室」當指墓冢，取義為百年之後如永夜般安居之所。至於「窀穸」之「穸」，《說文》、《集解》、《正義》皆讀「夕」訓「夜」，其義與「夕室」之「夕」同。至於從「穴」作「穸」，段《注》謂墓室葬於地穴，增「穴」表之。裘錫圭釋形聲字加注意符有三種情況，其一是「為明確引申義而加意符」。[18]「夕室」之「夕」既是「朝夕」之「夕」之引申，故「穸」增「穴」旁以彰顯引申義與墓葬關涉。「窀」從「穴」、「屯」聲，清人朱駿聲（1788-1858）《說文通訓定聲》言「以惇為訓」，[19]故《說文》釋「厚」。近世所見《楚居》記楚地名「臺宅」，原整理者謂乃「史書中的丹陽，近於鄀」[20]，李學勤、趙平安同之。[21]復旦大學讀書會釋「臺宅」為「夷陵」，[22]陳偉、陳民鎮同之。[23]李家浩列《戰國策》與《史記》「燒夷陵」之事，[24]以《史記・楚世家》「燒先王墓夷

18 裘錫圭：《文字學概論》（臺北：萬卷樓圖書公司，1995年），頁174。

19 〔清〕朱駿聲：《說文通訓定聲》（北京：中華書局，1984年，據臨嘯閣刻本影印），頁799。

20 清華大學出土文獻研究與保護中心編，李學勤主編：《清華大學藏戰國竹簡（壹）》，頁181、185。

21 李學勤：〈論清華簡《楚居》中的古史傳說〉，《中國史研究》2011年第1期（2011年1月），頁53-58。趙平安：〈《楚居》的性質、作者及寫作年代〉，清華大學出土文獻研究與保護中心網站，2011年7月28日，網址：http://www.ctwx.tsinghua.edu.cn/publish/cetrp/6831/2011/20110728153207990961710/20110728153207990961710_.html。

22 復旦大學出土文獻與古文字研究中心研究生讀書會（蔣文執筆）：〈清華簡《楚居》研讀劄記〉，復旦大學出土文獻與古文字研究中心網站，2011年1月5日，網址：http://www.gwz.fudan.edu.cn/SrcShow.asp?Src_ID=1353。

23 陳偉：〈讀清華簡《楚居》劄記〉，武漢大學簡帛研究中心網站，2011年1月8日，網址：http://www.bsm.org.cn/show_article.php?id=1371。陳民鎮：〈清華簡《楚居》集釋〉，復旦大學出土文獻與古文字研究中心網站，2011年9月23日，網址：http://www.gwz.fudan.edu.cn/SrcShow.asp?Src_ID=1663。

24 《戰國策・秦策三・蔡澤見逐於趙》「白起率數萬之師，以與楚戰，一戰舉鄢、郢，再戰燒夷陵。」又〈秦策四・頃襄王二十年〉「頃襄王二十年，秦白起拔楚西陵，或拔鄢、郢、夷陵，燒先王之墓。」又〈中山策・昭王既息民繕兵〉「君前率數萬之眾

陵」與《戰國策・中山策・昭王既息民繕兵》「拔鄢、郢，焚其廟」對舉，謂「燒先王墓夷陵」與「焚其廟」為一事。李氏言「夷陵有祭祀楚國先王的宗廟，所以〈楚世家〉等說『燒夷陵』，〈中山策〉說『燒其廟』」，依此則《楚居》之「亖宅」即史書之「夷陵」。李氏又以《包山楚簡・廷志》之「坉」為據，「坉」已證為楚王埋葬之地。[25]「宅」、「坉」皆從「乇」聲，「亖宅」即傳世文獻之「夷陵」，則「宅」、「坉」當具陵墓之意。[26]李氏之見合證出土材料與先秦史籍，言之有據而可為確論。

「窀穸」之「窀」與《楚居》之「宅」、《廷志》之「坉」同從「屯」聲，且援上述「穸」增益「穴」旁之理，「窀」從「穴」亦表墓葬義。由是推論「窀穸」之「窀」乃楚人陵墓專字，「穸」指「夕室」。張明東指出「古代中國墓葬的高大封土一直是高等級墓葬的標志物」，「中原地區出現封土是在春秋時期。」[27]至於楚國墓葬形式，郭德維整理考古發掘楚墓，春秋時代均無封土，戰國時代「中層以上

入楚，拔鄢、郢，焚其廟，東至竟陵。」見〔漢〕劉向：《戰國策》（臺北：里仁書局，1990年，據清嘉慶八年〔1803〕黃丕烈《士禮居叢書》本點校排印），頁216、241、1187。《史記・楚世家》「二十一年，秦將白起遂拔我郢，燒先王墓夷陵。」又〈白起王翦列傳〉「其明年，攻楚，拔郢，燒夷陵，遂東至竟陵。」又〈平原君虞卿列傳〉「一戰而舉鄢郢，再戰而燒夷陵，三戰而辱王之先人。」又〈范雎蔡澤列傳〉「白起率數萬之師以與楚戰，一戰舉鄢郢以燒夷陵，再戰南并蜀漢。」又〈六國年表〉「二十一。秦拔我郢，燒夷陵，王亾走陳。」見〔漢〕司馬遷著，〔南朝宋〕裴駰集解，〔唐〕司馬貞索隱，〔唐〕張守節正義，〔日〕瀧川龜太郎考證：《史記會注考證》（高雄：復文圖書出版社，1991年），頁649、914、932、957、291。

25 黃錫全：《湖北出土商周文字輯證》（武漢：武漢大學出版社，1992年），頁194。林澐：〈讀包山楚簡札記七則〉，《江漢考古》1992年第4期（1992年12月），頁83-85。何琳儀：〈包山楚簡選釋〉，《江漢考古》1993年第4期（1993年12月），頁55-63。

26 李家浩：〈談清華戰國竹簡《楚居》的「亖宅」及其他——兼談包山楚簡的「坉人」等〉，收入清華大學出土文獻研究與保護中心編，李學勤主編：《出土文獻》第2輯（上海：中西書局，2011年），頁55-66。

27 張明東：《商周墓葬比較研究》（北京：中國社會科學出版社，2016年），頁119-120。

的貴族墓，墓坑之上都有封土。」[28]楚墓無論是否有封土，定然有墓坑——即放置棺槨之空間，即「夕室」與「窀穸」之「穸」。「陵」指墓葬封土應無疑慮，唯「宅」、「埢」、「窀穸」之「窀」既與「陵」意義相通，當亦謂封土為是。「屯」於先秦典籍有「厚」義，如上引〈晉語四〉「屯，厚也」即是一例。又《周易・序卦》「屯者，盈也」；[29]《周易・屯》之「屯」《釋文》卷二「屯」條訓「盈也」，[30]是「屯」又有「盈」義。又「屯」尚有「聚」義，如《毛詩・召南・野有死麕》「白茅純束」，鄭玄《箋》「純讀如屯」，[31]《釋文》卷五「如屯」條言「屯，聚也。」[32]又《楚辭・離騷》「飄風屯其相離兮」，宋人洪興祖（1090-1155）《楚辭補注》云「屯，聚也。」[33]「屯」之「厚」、「盈」、「聚」諸義有積累厚實之意，與陵墓封土形象類同。總之，「窀」應與封土關涉，故出土材料之「宅」、「埢」乃言墓葬。「穸」謂墓穴之「夕室」，爾後「窀穸」則代指墓葬。

學者或許質疑：上文既謂春秋楚墓尚無封土，「窀穸」之「窀」如何與墓葬封土關涉？筆者認為《楚居》與《廷志》皆戰國文獻，「宅」、「埢」之義足以反映戰國楚墓葬形。再者，李立真表示封土露於地表，二千年來是否遭風化或人為破壞已難推斷，況且考古報告記錄墓葬是否有封土亦未全面，故難確知春秋楚墓定無封土。[34]「窀

28 郭德維：《楚系墓葬研究》（武漢：湖北教育出版社，1995年），頁14-17。

29 〔三國魏〕王弼、〔晉〕韓康伯注，〔唐〕孔穎達正義：《周易注疏》（臺北：藝文印書館，1993年，據清嘉慶二十年〔1815〕江西南昌府學版影印），頁187。

30 〔唐〕陸德明著，黃焯斷句：《經典釋文》，卷2，頁2。

31 〔漢〕毛亨傳，〔漢〕鄭玄箋，〔唐〕孔穎達正義：《毛詩注疏》，頁66。

32 〔唐〕陸德明著，黃焯斷句：《經典釋文》，卷5，頁9。

33 〔周〕屈原等著，〔漢〕劉向集錄，〔漢〕王逸章句，〔宋〕洪興祖補注：《楚辭補注》（臺北：大安出版社，1995年），頁40。

34 李立真著，石蘭梅指導：《東周楚國喪葬禮俗之研究》（臺北：國立臺灣師範大學歷史學系碩士論文，2019年8月），頁48。

穸」一詞諸襄公十三年《左傳》，已屬春秋中期。益為重要者為，目前學界普遍主張《左傳》成書約在戰國初期，如《左傳注》推測在西元前四〇三年魏斯為侯之後，周安王十三年（西元前389）以前。[35]故《左傳》除記載春秋時代史事，部分文詞保存戰國語料尚合情理。

總上所述，以為本節結束。莊公十九年《左傳》之「夕室」與襄公十三年《左傳》之「窀穸」涉及楚國墓葬，「夕室」之「夕」當與方位之西無涉，其意應是「朝夕」之「夕」，以夜夕喻往生者長埋地下而不復見天日。「室」謂墓室，「夕室」指墓冢。「窀穸」之「穸」從「穴」、「夕」聲，增益形符「穴」以表「夕室」。「窀」從「穴」、「屯」聲，與《清華大學藏戰國竹簡（壹）》收錄《楚居》一篇之「宔」，及《包山楚簡》收錄《廷志》一篇之「埨」皆從「屯」聲。「宔」、「埨」皆指陵墓，推測「窀」亦復如是。三字所從「屯」聲於先秦典籍有「厚」、「盈」、「聚」義，應指陵墓之封土。「窀穸」之「窀」表封土而「穸」專指墓室，二字可體現墓葬主要特徵。

三　莊公二十五年「德之共也」與「共德」之「共」

莊公二十四年《左傳》記魯莊公「丹桓公之楹」（頁171）與「刻其桷」（頁172），《左傳》稱其舉「皆非禮也。」（頁172）魯大夫御孫諫莊公曰「儉，德之共也；侈，惡之大也」；又言「先君有共德，而君納諸大惡，無乃不可乎？」《集解》謂「以不丹楹、刻桷為共」（頁172），讀「共」為「恭」。清人俞樾（1821-1907）援《爾雅·釋詁》「洪，大也」為證，[36]主張「共」讀「洪」訓「大」。俞氏言「德之共

35 楊伯峻：《春秋左傳注》，頁41。

36 〔晉〕郭璞注，〔宋〕邢昺疏：《爾雅注疏》（臺北：藝文印書館，1993年，據清嘉慶二十年〔1815〕江西南昌府學版影印），頁7。

也」猶「德之大也」，「先君有共德」乃「先君有大德」，與「惡之大也」及「納諸大惡」對舉。[37]《左傳注》同俞氏之見，謂「舊讀共為恭，不妥。」[38]《左傳注》於近世影響頗鉅，坊間譯本多從此說，讀「共」為「洪」而訓「大」。[39]

《會箋》循《集解》讀「共」為「恭」，謂「恭作肅，是恭宜作收攝斂約之義說之，恭德即儉德也。」《會箋》舉成公十二年《左傳》「共儉以行禮」(頁459) 為證，云「『共儉』字出〈周語〉、〈表記〉、〈樂記〉、《孟子》。」[40]《會箋》言「恭儉」既成一詞，則「儉，德之共也」之「共」仍應讀「恭」釋「肅」。[41]實則「恭儉」屢見先秦典籍，是東周文獻常見語彙，反觀「洪」與「儉」或「德」之聯繫不見文獻。俞氏之說雖與傳文後句「侈，惡之大也」對舉，唯缺乏典籍支持。《國語・晉語九》記晉大夫郵無正敘晉卿趙武之事，歷數趙武因

37 〔清〕俞樾：《春秋左傳平議》，收入〔清〕王先謙：《續經解春秋類彙編》(臺北：藝文印書館，1986年)，冊2，頁2250。

38 楊伯峻：《春秋左傳注》，頁229。

39 《左傳譯文》譯作「節儉，是善行中的大德。……先君有大德。」見沈玉成：《左傳譯文》(臺北：洪葉文化事業有限公司，1995年)，頁56。《左傳正宗》譯作「勤儉是最好的美德。……先君有最好的美德。」見李索：《左傳正宗》(北京：華夏出版社，2011年)，頁74。《新譯左傳讀本》譯作「節儉，是德行中的最大的。……我國先君具有大德。」見郁賢皓、周福昌、姚曼波譯著，傅武光校閱：《新譯左傳讀本》(臺北：三民書局股份有限公司，2017年2版)，頁236。

40 《國語・周語中》「敬恪恭儉，臣也。」又〈周語下〉「其中也，恭儉信寬，帥歸於寧。」見題〔周〕左丘明著，〔三國吳〕韋昭注：《國語韋昭註》，頁57、85。又《禮記・表記》「是故君子恭儉以求役仁。」又〈樂記〉「恭儉而好禮者宜歌小雅。」見〔漢〕鄭玄注，〔唐〕孔穎達正義：《禮記注疏》(臺北：藝文印書館，1993年，據清嘉慶二十年〔1815〕江西南昌府學版影印)，頁913、701。又《孟子・滕文公上》「是故賢君必恭儉禮下。」又〈離婁上〉「侮奪人之君，惟恐不順焉，惡得為恭儉？恭儉豈可以聲音笑貌為哉？」見〔漢〕趙岐注，〔宋〕孫奭疏：《孟子注疏》(臺北：藝文印書館，1993年，據清嘉慶二十年〔1815〕江西南昌府學版影印)，頁91、134。

41 〔日〕竹添光鴻：《左傳會箋》，頁264。

「有孝德以出在公族，有恭德以升在位，有武德以羞為正卿，有溫德以成其名譽。」[42]「恭德」與「孝德」、「武德」、「溫德」並列，可證「共德」可讀「恭德」。

《會箋》釋「德之共也」之「共」有「肅」義，言「宜作收攝斂約之義說之」，已得傳文要旨。「共」可讀「恭」，「恭」另有「肅」義。《說文・心部》「恭，肅也。」[43]又《大戴禮記・曾子立事》「朝廷而不恭」，清人王聘珍（？-？）《大戴禮記解詁》言「恭，肅也。」[44]又《廣雅・釋言》「恭，肅也。」[45]疊字「肅肅」亦有「恭」義，如《爾雅・釋訓》「肅肅、翼翼，恭也。」[46]「肅」字有「戒」義，如《禮記・祭統》「宮宰宿夫人」，鄭玄《注》「宿讀為肅，肅猶戒也，戒輕肅重。」[47]「肅」又有「整」義，如《國語・周語中》「寬肅宣惠」，三國吳人韋昭（201-273）《注》言「肅，整也。」[48]「肅」又有「縮」義，如《毛詩・豳風・七月》「九月肅霜」，毛亨《傳》云「肅，縮也，霜降而失縮萬物。」[49]又《禮記・月令》「草木皆肅」，鄭玄《注》曰「肅謂枝葉縮栗。」[50]總之，「肅」、「戒」、「整」、「縮」大凡有戒慎、整飭、縮限之意，與「儉」之節約、克制、收束義近。

---

42 題〔周〕左丘明著，〔三國吳〕韋昭注：《國語韋昭註》，頁354。

43 〔漢〕許慎著，〔清〕段玉裁注：《說文解字注》，頁508。

44 〔漢〕戴德編，〔清〕王聘珍解詁：《大戴禮記解詁》（臺北：漢京文化事業公司，據清光緒十三年〔1887〕廣雅書局刻本為底本點校排印，1987年），頁75。

45 〔三國魏〕張揖輯，〔清〕王念孫疏證，鍾宇訊點校：《廣雅疏證》（北京：中華書局，2004年，據清嘉慶年間王氏家刻本影印），頁163。

46 〔晉〕郭璞注，〔宋〕邢昺疏：《爾雅注疏》，頁55。

47 〔漢〕鄭玄注，〔唐〕孔穎達正義：《禮記注疏》，頁832。

48 題〔周〕左丘明著，〔三國吳〕韋昭注：《國語韋昭註》，頁57。

49 〔漢〕毛亨傳，〔漢〕鄭玄箋，〔唐〕穎達正義：《毛詩注疏》，頁286。

50 〔漢〕鄭玄注，〔唐〕孔穎達正義：《禮記注疏》，頁305。

《逸周書・皇門》有「罔不茂揚肅德」之句，[51]「共德」解「肅德」可由此為證。「儉，德之共也」，謂「儉」是「德」整肅、敬戒之體現。「共」訓「肅」有縮限之意，與後句「侈，惡之大也」之「大」呈反義關係。

總上所述，以為本節結束。莊公二十四年《左傳》「儉，德之共也」與「先君有共德」之「共」，《集解》讀「恭」而無說。俞樾讀「共」為「洪」訓「大」，謂「儉，德之洪也」、「洪德」與傳文後句「侈，惡之大也」、「大惡」對舉。《會箋》從《集解》之釋，言「恭」訓「肅」有「收攝斂約之義」，其說可從。「肅」有戒慎、整飭、縮限之意，不僅與「儉」義近，且「共德」訓「肅德」又有文獻之證。再者，「德之共也」解「肅」有縮限之意，可與「惡之大也」之「大」呈反義關係。總之，《集解》讀「共」為「恭」訓「肅」，仍勝俞樾之說。

四　僖公九年「入而能民」、僖公十年與成公十一年「又不能於狄」、文公十六年「不能其大夫」、襄公二十一年「不相能」、襄公二十六年「所謂不能也」、昭公十一年「不能其民」、昭公三十一年與昭公三十二年「不能外內」之「能」

僖公九年《左傳》記晉大夫郤芮使晉公子夷吾重賂秦，郤芮曰「入而能民，土於何有？」《集解》謂「能得民，不患無土」（頁220），似釋「能」有「得」義。然昭公三十一年《春秋經》「公在乾侯」，《左

51　黃懷信、張懋鎔、田旭東著，李學勤審定：《逸周書彙校集注》（上海：上海古籍出版社，1995年，據《四部叢刊》影印明嘉靖二十二年〔1543〕四明章檗校刊本為底本點校排印），頁584。

傳》釋《春秋經》書法「言不能外內也。」《集解》云「公內不容於臣子，外不容於齊、晉，所以久在乾侯。」（頁929）《集解》訓「能」為「容」，較符上下文意。《會箋》解上引僖公九年與昭公三十一年《左傳》之「能」為「順適也」，《左傳注》則訓本節標題諸處之「能」為「得」。[52]《左傳注》之見本於《說文通訓定聲》，朱氏舉《荀子・正名》「能有所合謂之能」為據，[53]言「能」「猶得也，故不相能猶言不相得、不相中也。」[54]趙生群同《左傳注》之說而列舉諸證，[55]如文公十七年《左傳》「寡君是以不得與蔡侯偕」（頁349），《英國國家圖書館藏敦煌遺書》「斯00085號」書「得」為「能」。[56]又《商君書・靳令》「雖有辯言，不能以相先也。」清人嚴萬里（？-？）曰「范本能作得。」[57]本節標題所引《左傳》諸處之「能」，當從《釋名・釋言語》「能，該也，無物不兼該也」之釋，[58]有包舉兼容之意。上揭《集解》已訓「能」為「容」，唯未予深論，申述於後。

《毛詩・大雅・民勞》「柔遠能邇，以定我王。」鄭玄《箋》云「能猶伽也。……安遠方之國，順伽其近者。」孔穎達《毛詩正義》言「伽」乃「順適其意也」，[59]上揭《會箋》釋「能」曰「順適也」乃本於此。「柔遠能邇」之「能」與「柔」對舉，毛亨《傳》既解「柔」

52 〔日〕竹添光鴻：《左傳會箋》，頁376。楊伯峻：《春秋左傳注》，頁330。

53 〔周〕荀況著，〔清王先謙集解，沈嘯寰、王星賢點校：《荀子集解》，頁413。

54 〔清〕朱駿聲：《說文通訓定聲》，頁175。

55 趙生群：《《左傳》疑義新證》（北京：人民文學出版社，2012年），頁79。

56 方廣錩、吳芳思主編：《英國國家圖書館藏敦煌遺書》（桂林：廣西師範大學出版社，2011年），第2冊，頁121。

57 〔題周〕鞅著，蔣禮鴻注：《商君書指錐》（北京：中華書局，1986年，據清乾隆五十八年〔1793〕嚴萬里校本為底本點校排印），頁80。

58 〔漢〕劉熙著，任繼昉校：《釋名匯校》（濟南：齊魯書社，2006年，據《四部叢刊・經部》影印江南圖書館層明嘉靖翻宋本為底本點校排印），頁183。

59 〔漢〕毛亨傳，〔漢〕鄭玄箋，〔唐〕孔穎達正義：《毛詩注疏》，頁631。

為「安也」，[60]則「能」亦當訓「安」，清人馬瑞辰（1782-1853）《毛詩傳箋通釋》即主此見且辨之甚詳。[61]清人王引之（1766-1834）《經義述聞》卷三「尚書上」之「柔遠能邇」條謂「能」有「善」義，主張本節標題所揭諸處之「能」當訓「善」。[62]然須注意者為，「能」之釋「善」實未符傳文句意。上揭《釋名・釋言語》曰「能」有「該」、「兼該」義，《說文・日部》言「晐，兼晐也。」段《注》謂「晐」是「正字，今字則該。」又《說文・秝部》曰「兼，并也」；[63]知「能」釋「兼」、「晐」有兼并、包容之意。

僖公九年《左傳》係郤芮建議公子夷吾割讓城池以賂秦，若能返國而「能民」則「不患無土。」「土於何有」乃「何有於土」之倒裝，[64]「能民」既與「有土」對舉，「能」釋「該」有包舉兼容之意，與「有」義近。若依王氏解「善」，則與郤芮原意不符。又僖公十年與成公十一年《左傳》所述為一事，皆言周王畿內之蘇子「叛王即狄」而「又不能於狄」，致使「狄人伐之」（頁221）而周襄王不救，蘇子國滅而奔衛。依傳文知蘇子因不容於狄而遭狄侵伐，王氏訓「能」為「善」或《會箋》解「順適也」，[65]皆未若訓「該」而有包容義。又文公十六年《左傳》記宋昭公謂己「不能其大夫至于君祖母以及國人」，《會箋》仍釋「能」曰「順適」（頁348），《左傳注》云「不能即不得，與諸人不睦。」[66]《左傳注》言「不能」乃「與諸人不

60 〔漢〕毛亨傳，〔漢〕鄭玄箋，〔唐〕孔穎達正義：《毛詩注疏》，頁631。

61 〔清〕馬瑞辰通釋，陳金生點校：《毛詩傳箋通釋》（北京：中華書局，1989年，據清光緒十四年〔1888〕《廣雅書局叢書》本為底本點校排印），頁921。

62 〔清〕王引之：《經義述聞》（臺北：廣文書局，1979年），頁75。

63 〔漢〕許慎著，〔清〕段玉裁注：《說文解字注》，頁311、332。

64 楊伯峻：《春秋左傳注》，頁330。

65 〔日〕竹添光鴻：《左傳會箋》，頁378、880。

66 〔日〕竹添光鴻：《左傳會箋》，頁660。楊伯峻：《春秋左傳注》，頁621。

睦」最符意旨，循此思之則與人不睦即不相包容，訓「能」為「該」最符文理。又襄公二十一年《左傳》載晉大夫范鞅因怨晉大夫欒黶，「與欒盈為公族大夫而不相能。」（頁591）《左傳注》既言此「不相能」乃「不能共處」，[67]實謂二人不能相容，亦符「能」訓「該」義。又襄公二十六年《左傳》記蔡大夫公孫歸生之語，言是時楚材晉用之情況係因楚對人才「所謂不能也」，《集解》曰「所謂楚人不用其材也。」（頁635）《左傳注》主張《集解》「增字太多而為訓，未必確」，認為「能借為耐，忍也，不能即不相忍。」[68]實則此「能」仍訓「該」而有包容義，言楚因「多淫刑」而不能相容。又昭公十一年《左傳》記晉大夫叔向論蔡靈公「獲罪於其君，而不能其民，天將假手於楚以斃之。」《集解》釋「獲罪於其君」謂「弒父而立」，解「不能其民」云「不能施德。」（頁785）傳文言蔡靈公因弒君「而不能其民」，句式與上述文公十六年《左傳》「不能其大夫至于君祖母以及國人」相仿，謂不見容於民。昭公三十一年與昭公三十二年《左傳》皆記魯昭公「不能外內」（頁929、931），《集解》之釋已見上文。《集解》訓「能」為「容」，最能通解文句。

總上所述，以為本節結束。本節所引諸處《左傳》之「能」，《會箋》解曰「順適」，《左傳注》釋為「得」。筆者以為「能」當從《釋名・釋言語》訓「該」而有包舉兼容之意，如此可詮諸處傳意。

五　僖公二十八年「間執讒慝之口」之「執」

僖公二十八年《左傳》記晉、楚城濮之戰前，楚令尹子玉遣伯棼向楚成王請戰，謂「非敢必有功也，願以間執讒慝之口。」《集解》云

67 楊伯峻：《春秋左傳注》，頁1058。
68 楊伯峻：《春秋左傳注》，頁1121。

「閒執猶塞也」（頁271），文句雖可通讀，然未究二字之意。《會箋》言「閒即防閑之閑，古字通用。」[69]《會箋》舉《毛詩・魏風・十畝之間》「桑者閑閑兮」，[70]《釋文》卷五「閒閒」條云「音閑，本亦作閑」為證。[71]《說文・門部》「閑，闌也，从門中有木」；段《注》言「閑」「引申為防閑。」[72]總之，「閑」有防阻、禁止之意，《會箋》之見可從。至於「執」字，《會箋》言「如執縛人之執，言不能動口也。」[73]意雖能通，然失之過簡。「執」應讀「縶」，猶馬之羈絆以縛其口，試申論於後。

《說文・馬部》「馽，絆馬足也，从馬○其足。……縶，馽或从糸、執聲。」[74]段《注》引《毛詩・小雅・白駒》「縶之維之」，毛亨《傳》言「縶，絆」；又〈周頌・有客〉「以縶其馬」，毛亨《傳》曰「縶，絆也。」[75]知「馽」與「縶」乃繫馬之物，即後世所謂馬韁繩。[76]《說文・网部》另有「罵」字，曰「馬絡頭也，从网、从馽；馽，馬絆也」；又言「罵或从革」而作「羈」。[77]學者或許質疑，《說文》既釋「馽」為「絆馬足」，「罵」與「羈」又是「馬絡頭」，《說文》又解「罵」所從「馽」為「絆也」，則「絆」究為繫馬之足或馬之首？段《注》云「馽」「既絆其足，又网其頭。」[78]易言之，「馽」與「縶」乃連結馬前足與馬絡頭之韁繩。近人沈文倬（1917-2009）

69 〔日〕竹添光鴻：《左傳會箋》，頁502。
70 〔漢〕毛亨傳，〔漢〕鄭玄箋，〔唐〕孔穎達正義：《毛詩注疏》，頁209。
71 〔唐〕陸德明著，黃焯斷句：《經典釋文》，卷5，頁30。
72 〔漢〕許慎著，〔清〕段玉裁注：《說文解字注》，頁595。
73 〔日〕竹添光鴻：《左傳會箋》，頁503。
74 〔漢〕許慎著，〔清〕段玉裁注：《說文解字注》，頁472。
75 〔漢〕毛亨傳，〔漢〕鄭玄箋，〔唐〕孔穎達正義：《毛詩注疏》，頁378、737。
76 陳克炯：《左傳詳解詞典》（鄭州：中州古籍出版社，2004年），頁937。
77 〔漢〕許慎著，〔清〕段玉裁注：《說文解字注》，頁360。
78 〔漢〕許慎著，〔清〕段玉裁注：《說文解字注》，頁360。

言「縶是馬絡頭的一部分，單稱縶也可以代表絡頭。」[79]「縶」是控制拘束馬首與馬前足之繮繩，作動詞有拘束義。如《禮記・月令》與《呂氏春秋・仲夏紀》皆見「則縶騰駒」；[80]又《大戴禮記・夏小正》「執陟攻駒。執也者，始執駒也。執駒也，離之去母也。」[81]沈氏以為〈夏小正〉之「執」應訓「縶」，「縶駒」即為駒「套上絡頭，便於管束。」[82]「間執讒慝之口」之「執」讀「縶」而作動詞，謂拘束「讒慝之口」猶為馬匹套上絡頭。「間」讀「閑」有防阻義，「執」讀「縶」更與「口」繫聯，此解益勝《集解》之說。

總上所述，以為本節結束。僖公二十八年《左傳》「間執讒慝之口」，《集解》僅言「間執猶塞也」，未申論二字。《會箋》讀「間」為「閑」訓「防」，有防阻、禁止義。「執」可讀「縶」，乃繫自馬首至前足之繮繩，轉品為動詞有拘束義，可與「讒慝之口」關涉。「間執讒慝之口」言禁止與拘束「讒慝之口」，益勝《集解》泛言二字乃「塞也」。

六　僖公二十八年「以相及也」之「相及」

僖公二十八年《左傳》記城濮之戰後，衛成公返國。衛卿甯武子與衛人盟，誓詞內容提及「有渝此盟，以相及也」，《集解》釋「以相及也」曰「以惡相及。」（頁275）《經義述聞》卷十七「以相及也」條主張「及當為反字之誤也，相反謂相違。」[83]《左傳讀》言「王說

---

79 沈文倬：〈「縶駒」補釋〉，《考古》1961年第6期（1961年6月），頁325-329。

80 〔漢〕鄭玄注，〔唐〕孔穎達正義：《禮記注疏》，頁317。〔秦〕呂不韋編，陳奇猷校釋：《呂氏春秋校釋》，頁242。

81 〔漢〕戴德編，〔清〕王聘珍解詁：《大戴禮記解詁》，頁36。

82 沈文倬：〈「縶駒」補釋〉，《考古》1961年第6期，頁325-329。

83 〔清〕王引之：《經義述聞》，頁418。

雖是，終嫌改字。」《左傳讀》另舉《荀子・儒效》「周公屏成王而及武王」為證，唐人楊倞（?-?）《注》云「及，繼。」[84]又莊公三十二年《公羊傳》「魯一生一及」，漢人何休（129-182）《春秋公羊傳解詁》「兄死弟繼曰及。」[85]《左傳讀》依此言「以相及也」謂「兄弟相及也」，[86]然《左傳注》認為「失之牽強。」針對王氏之說，《左傳注》亦云「改字無據」，僅言「及本有及于禍害之義。」[87]近世譯《左傳》者多未精確，[88]實有修定之必要。

筆者以為《會箋》之見最為允當，云「凡《傳》言『及』者，皆謂死亡。其自致死亡者單言『及』，此謂同盟相俱死亡之故，故云『相及也』。」[89]《會箋》駁《集解》「以惡相及」之說，謂《左傳》「及」作動詞，往往為災禍或死亡而非「惡」。如隱公元年《左傳》「無庸，將自及」;《集解》言「禍將自及。」（頁36）又桓公十年《左傳》「無厭，將及我」;《集解》云「將殺我。」（頁121）又文公七年《左傳》「不然，將及」;《集解》曰「禍將及己。」（頁318）《會箋》又謂「以相及」者，指參與此盟而違背誓詞者「相及」，故云「同盟相俱死亡之。」實則《左傳》尚有類似文句可資補述，如僖公三十三年《左傳》記晉大夫胥臣建請晉文公起復郤缺，敘及「〈康

84 〔周〕荀況著，〔清〕王先謙集解，沈嘯寰、王星賢點校：《荀子集解》，頁114。

85 〔漢〕公羊壽傳，〔漢〕何休解詁，〔唐〕徐彥疏：《春秋公羊傳注疏》（臺北：藝文印書館，1993年，據清嘉慶二十年〔1815〕江西南昌府學版影印），頁111。

86 章炳麟：《春秋左傳讀》，頁297。

87 楊伯峻：《春秋左傳注》，頁469-470。

88 《春秋左傳今註今譯》譯作「就會受到懲罰」，見李宗侗註譯，葉慶炳校訂：《春秋左傳今註今譯》（臺北：臺灣商務印書館，1993年），頁386。《左傳譯文》譯作「禍害就降臨到他頭上」，見沈玉成：《左傳譯文》，頁119。《左傳正宗》譯作「災禍降身」，見李索：《左傳正宗》，頁156。《新譯左傳讀本》譯作「災難就落到他的頭上」，見郁賢皓、周福昌、姚曼波譯著，傅武光校閱：《新譯左傳讀本》，頁462。

89 〔日〕竹添光鴻：《左傳會箋》，頁516。

誥〉曰『父不慈，子不祗，兄不友，弟不共，不相及也。』」《正義》謂「此雖言〈康誥〉曰，直引〈康誥〉之意耳，非〈康誥〉之全文也。」至於「不相及也」之意，《正義》云「不是罪子又罪父，刑弟復刑兄，是其不相及也。」（頁291）又見昭公二十年《左傳》載衛大夫苑何忌之語，「在〈康誥〉曰『父子兄弟，罪不相及。』」《正義》言「此非〈康誥〉之全文，引其意而言之。」「罪不相及」之意，《正義》云「刑不慈者，不可刑其父又刑其子。刑不孝者，不可刑其子又刑其父。是為『父子兄弟，罪不相及。』」（頁855）知《正義》釋「不相及也」與「罪不相及」，猶言罪刑不相牽連。近人呂思勉（1884-1957）援上揭《左傳》二段引文與《尚書》諸章，謂「連坐之罪，古者無之」；「雖軍刑，亦止及其身」，[90]其說甚是。上文已陳動詞之「及」有災禍臨身之意，「相」作副詞可解為「互相」。[91]「不相及也」與「罪不相及」結構與「以相及也」之別，僅在前者為否定用法。依詞例與文意，知「以相及也」當解作彼此牽延罪禍或死亡，即《會箋》所云「同盟相俱死亡。」

總上所述，以為本節結束。僖公二十八年《左傳》「以相及也」，《集解》云「以惡相及。」然《左傳》「及」作動詞常有災禍或死亡及身之意，《集解》未詮傳旨。《會箋》釋「相及」乃「同盟相俱死亡之」，此見可從。筆者增補僖公三十三年《左傳》「不相及也」與昭公二十年《左傳》「罪不相及」，二句言父子兄弟之罪刑不相牽連。援此而解「以相及也」，當謂彼此牽延罪禍或死亡。

---

90 呂思勉：《呂思勉讀史札記》（臺北：木鐸出版社，1983年），頁364。

91 楊伯峻：《古漢語虛詞》（北京：中華書局，1981年），頁210。

七　結語

本文以《左傳》莊公至僖公為範圍，釋證五則字詞，歸納結論於後。（一）莊公十九年《左傳》與襄公十三年《左傳》之「夕室」與「窀穸」涉及楚國墓葬記載，「夕室」之「夕」指「朝夕」之「夕」，以喻往生者長埋地下而不復見天日。「室」謂墓室，「夕室」指墓冢。「窀穸」之「穸」從「穴」、「夕」聲，增「穴」以表「夕室」。「窀」從「穴」、「屯」聲，《清華大學藏戰國竹簡（壹）·楚居》之「宔」與《包山楚簡·廷志》之「埦」皆從「屯」聲。「宔」與「埦」皆指陵墓，推測「窀」亦復如是。「屯」於先秦典籍有「厚」、「盈」、「聚」義，應指陵墓封土。「窀穸」之「窀」表封土而「穸」專指墓室，二字乃墓葬之主要特徵。（二）莊公二十四年《左傳》「儉，德之共也」與「先君有共德」之「共」，《集解》讀「恭」而無說。俞樾讀「共」為「洪」訓「大」，主張可與傳文「侈，惡之大也」、「大惡」對舉。《會箋》從《集解》之釋，言「恭」訓「肅」有「收攝斂約之義」，其說可從。「肅」有戒慎、整飭、縮限之意，不僅與「儉」義近，且「共德」訓「肅德」又有文獻之證。「德之共也」之解「肅」有縮限之意，與「惡之大也」之「大」呈反義關係。（三）僖公九年《左傳》「入而能民」、僖公十年《左傳》與成公十一年《左傳》「又不能於狄」、文公十六年《左傳》「不能其大夫」、襄公二十一年《左傳》「不相能」、襄公二十六年《左傳》「所謂不能也」、昭公十一年《左傳》「不能其民」、昭公三十一年《左傳》與昭公三十二年《左傳》「不能外內」之「能」，《會箋》曰「順適」，《左傳注》釋「得」。「能」當從《釋名·釋言語》訓「該」而釋曰包舉兼容，可詮諸處傳意。（四）僖公二十八年《左傳》「間執讒慝之口」，《集解》言「間執猶塞也」，未申論二字。《會箋》讀「間」為「閑」訓「防」，有防阻、禁止義。

「執」可讀「縶」，乃繫自馬首至前足之繮繩，為動詞有拘束義，「間執讒慝之口」言禁止與拘束「讒慝之口」。（五）僖公二十八年《左傳》「以相及也」，《集解》云「以惡相及。」《會箋》釋「相及」乃「同盟相俱死亡之」，此見可從。僖公三十三年《左傳》「不相及也」與昭公二十年《左傳》「罪不相及」，二句言父子兄弟之罪刑不相牽連。援此而解「以相及也」，當謂彼此牽延罪禍或死亡。

參考文獻

一　傳統文獻（依四部分類排序）

〔三國魏〕王弼、〔晉〕韓康伯注，〔唐〕孔穎達正義：《周易注疏》，臺北：藝文印書館，1993年，據清嘉慶二十年〔1815〕江西南昌府學版影印。

〔漢〕毛亨傳，〔漢〕鄭玄箋，〔唐〕孔穎達正義：《毛詩注疏》，臺北：藝文印書館，1993年，據清嘉慶二十年〔1815〕江西南昌府學版影印。

〔漢〕鄭玄注，〔唐〕孔穎達正義：《禮記注疏》，臺北：藝文印書館，1993年，據清嘉慶二十年〔1815〕江西南昌府學版影印。

〔晉〕杜預集解，〔唐〕孔穎達正義：《春秋左傳正義》，臺北：藝文印書館，據清嘉慶二十年〔1815〕江西南昌府學版影印，1993年。

〔漢〕公羊壽傳，〔漢〕何休解詁，〔唐〕徐彥疏：《春秋公羊傳注疏》，臺北：藝文印書館，1993年，據清嘉慶二十年〔1815〕江西南昌府學版影印。

〔晉〕郭璞注，〔宋〕邢昺疏：《爾雅注疏》，臺北：藝文印書館，1993年，據清嘉慶二十年〔1815〕江西南昌府學版影印。

〔漢〕趙岐注，〔宋〕孫奭疏：《孟子注疏》，臺北：藝文印書館，1993年，據清嘉慶二十年〔1815〕江西南昌府學版影印。

〔漢〕戴德編，〔清〕王聘珍解詁：《大戴禮記解詁》，臺北：漢京文化事業有限公司，據清光緒十三年〔1887〕廣雅書局刻本為底本點校排印，1987年。

〔唐〕陸德明著，黃焯斷句：《經典釋文》，北京：中華書局，1983年，據北京圖書館藏宋元兩朝遞修本為底本對刊清人徐乾學《通志堂經解》本影印。

〔清〕馬瑞辰通釋，陳金生點校：《毛詩傳箋通釋》，北京：中華書局，1989年，據清光緒十四年〔1888〕《廣雅書局叢書》本為底本點校排印。

〔清〕沈欽韓：《春秋左氏傳補注》，收入〔清〕王先謙：《續經解春秋類彙編》，臺北：藝文印書館，1986年。

〔清〕劉文淇、劉毓崧、劉壽曾：《春秋左氏傳舊注疏證》，收入《續修四庫全書》編輯委員會：《續修四庫全書》，上海：上海古籍出版社，2002年，據上海圖書館藏稿本影印。

〔清〕俞樾：《春秋左傳平議》，收入〔清〕王先謙：《續經解春秋類彙編》，臺北：藝文印書館，1986年。

〔漢〕許慎著，〔清〕段玉裁注：《說文解字注》，臺北：黎明文化事業公司，1994年，據經韵樓藏版影印。

〔漢〕劉熙著，任繼昉校：《釋名匯校》，濟南：齊魯書社，2006年，據《四部叢刊・經部》影印江南圖書館層明嘉靖翻宋本為底本點校排印。

〔三國魏〕張揖輯，〔清〕王念孫疏證，鍾宇訊點校：《廣雅疏證》，北京：中華書局，2004年，據清嘉慶年間王氏家刻本影印。

〔清〕朱駿聲：《說文通訓定聲》，北京：中華書局，1984年，據臨嘯閣刻本影印。

〔漢〕司馬遷著，〔南朝宋〕裴駰集解，〔唐〕司馬貞索隱，〔唐〕張守節正義，日本・瀧川龜太郎考證：《史記會注考證》，高雄：復文圖書出版社，1991年。

題〔周〕左丘明著，〔三國吳〕韋昭注：《國語韋昭註》，臺北：藝文印書館，1974年，據天聖明道本．嘉慶庚申〔1800〕讀未見書齋重雕本影印。

〔漢〕劉向：《戰國策》，臺北：里仁書局，1990年，據清嘉慶八年〔1803〕黃丕烈《士禮居叢書》本點校排印。

〔題周〕晏嬰著，張純一校注，梁運華點校：《晏子春秋》，北京：中華書局，2014年，據清湖北書局刻元刻本為底本點校排印。

〔題周〕，蔣禮鴻注：《商君書指錐》，北京：中華書局，1986年，據清乾隆五十八年〔1793〕嚴萬里校本為底本點校排印。

〔周〕荀況著，〔清〕王先謙集解，沈嘯寰、王星賢點校：《荀子集解》，北京：中華書局，1997年，據清光緒十七年辛卯〔1891〕王先謙刻本為底本點校排印。

〔秦〕呂不韋編，陳奇猷校釋：《呂氏春秋校釋》，臺北：華正書局，1998年，據清畢沅《呂氏春秋校正》本為底本校釋排印。

〔周〕屈原等著，〔漢〕劉向集錄，〔漢〕王逸章句，〔宋〕洪興祖補注：《楚辭補注》，臺北：大安出版社，1995年。

二　近人論著（依作者姓名筆劃排序）

方廣錩、吳芳思主編：《英國國家圖書館藏敦煌遺書》，桂林：廣西師範大學出版社，2011年。

〔日〕竹添光鴻：《左傳會箋》，臺北：天工書局，1998年。

何琳儀：〈包山楚簡選釋〉，《江漢考古》1993年第4期（1993年12月），頁55-63。

呂思勉：《呂思勉讀史札記》，臺北：木鐸出版社，1983年。

宋華強：〈據新出楚簡校讀《左傳》（二則）〉，《文史》2010年第3輯（2010年8月），頁251-252。

宋華強：《新蔡葛陵楚簡初探》（武漢：武漢大學出版社，2010年），頁363-365。

李立真著，石蘭梅指導：《東周楚國喪葬禮俗之研究》，臺北：國立臺灣師範大學歷史學系碩士論文，2019年8月。

李宗侗註譯，葉慶炳校訂：《春秋左傳今註今譯》，臺北：臺灣商務印書館，1993年。

李家浩：〈談清華戰國竹簡《楚居》的「𡋉宅」及其他——兼談包山楚簡的「𡉚人」等〉，收入清華大學出土文獻研究與保護中心編，李學勤主編：《出土文獻》第2輯（上海：中西書局，2011年），頁55-66。

李　索：《左傳正宗》，北京：華夏出版社，2011年。

李學勤：〈論清華簡《楚居》中的古史傳說〉，《中國史研究》2011年第1期（2011年1月），頁53-58。

沈文倬：〈「縶駒」補釋〉，《考古》1961年第6期（1961年6月），頁325-329。

沈玉成：《左傳譯文》，臺北：洪葉文化事業有限公司，1995年。

林　澐：〈讀包山楚簡札記七則〉，《江漢考古》1992年第4期（1992年12月），頁83-85。

郁賢皓、周福昌、姚曼波譯著，傅武光校閱：《新譯左傳讀本》，臺北：三民書局股份有限公司，2017年2版。

袁金平：〈《左傳》「夕室」考辨——讀清華簡《楚居》小札〉，《深圳大學學報（人文社會科學版）》第29卷第2期（2012年3月），頁56-57。

張明東：《商周墓葬比較研究》，北京：中國社會科學出版社，2016年。

清華大學出土文獻研究與保護中心編，李學勤主編：《清華大學藏戰國竹簡（壹）》，上海：中西書局，2010年。

章炳麟：《春秋左傳讀》，臺北：學海出版社，1984年。

郭德維：《楚系墓葬研究》，武漢：湖北教育出版社，1995年。

陳民鎮：〈清華簡《楚居》集釋〉，復旦大學出土文獻與古文字研究中心網站，2011年9月23日，網址：http://www.gwz.fudan.edu.cn/SrcShow.asp?Src_ID=1663。

陳克炯：《左傳詳解詞典》，鄭州：中州古籍出版社，2004年。

陳　偉：〈清華簡《楚居》「楩室」故事小考〉，武漢大學簡帛研究中心網站，2011年2月3日，網址：http://www.bsm.org.cn/show_article.php?id=1398。陳民鎮：〈清華簡《楚居》集釋〉，復旦大學出土文獻與古文字研究中心網站，2011年9月23日，網址：http://www.gwz.fudan.edu.cn/SrcShow.asp?Src_ID=1663。

陳　偉：〈讀清華簡《楚居》劄記〉，武漢大學簡帛研究中心網站，2011年1月8日，網址：http://www.bsm.org.cn/show_article.php? id=1371。

復旦大學出土文獻與古文字研究中心研究生讀書會（蔣文執筆）：〈清華簡《楚居》研讀劄記〉，復旦大學出土文獻與古文字研究中心網站，2011年1月5日，網址：http://www.gwz.fudan.edu.cn/SrcShow.asp?Src_ID=1353。

黃錫全：《湖北出土商周文字輯證》，武漢：武漢大學出版社，1992年。

黃懷信、張懋鎔、田旭東著，李學勤審定：《逸周書彙校集注》，上海：上海古籍出版社，1995年，據《四部叢刊》影印明嘉靖二十二年〔1543〕四明章檗校刊本為底本點校排印。

楊伯峻：《古漢語虛詞》，北京：中華書局，1981年。

楊伯峻：《春秋左傳注》，北京：中華書局，2000年。

裘錫圭：《文字學概論》，臺北：萬卷樓圖書有限公司，1995年。

趙平安：〈《楚居》的性質、作者及寫作年代〉，清華大學出土文獻研究與保護中心網站，2011年7月28日，網址：http://www.ctwx.tsinghua.edu.cn/publish/cetrp/6831/2011/20110728153207990961710/20110728153207990961710_.html。

趙生群：《《左傳》疑義新證》，北京：人民文學出版社，2012年。

三

「宗教融通與闡釋」專題

《孝經》與《地藏菩薩本願經》孝道觀融通研究

車美慧
威爾士三一聖大衛大學漢學院畢業校友

摘要

本文以唐玄宗御注《孝經》、唐高僧實叉難陀譯《地藏菩薩本願經》為底本，採用歷史研究法、比較分析法，從傳承方式、行孝方式等角度探究兩經孝道觀念的融通，歸納為以下四個方面。

首先，在傳承背景方面，兩經在作者、成書年代、疑偽經上均存爭議。但前者通行注疏與後者譯本皆產生於唐代，並在出現前，均有一脈相承的多部經典論述孝道，二者所載孝道觀皆具代表性。

其次，在傳承言語方面，傳承對象皆為孝子，表現尊師重道。內容上皆重力行孝道，孝乃入世修齊治平、出世解脫輪迴之本。形式上皆有問答，前者對象單一且數量較少，多引詩為證；後者對象與數量均較多，含故事演繹。

再者，行孝心境皆包括知恩報恩、斷惡修善。前者重於報現世父母生養教導之恩，孝子言行必合禮義；後者重於報累世父母護持之恩，孝子必持五戒，善護身口意業。

最後，行孝實踐皆包括養親、勸諫、守喪。前者以敦倫盡分、忠君、修身揚名養父母之心志，以義為勸諫的標準，父母喪時悲戚，祭祀時誠敬；後者以念佛、修福、修行證果養父母之慧，以善為勸化眾生的導向，父母喪時以供佛念佛、戒殺護生、奉齋佛僧迴向，祭祀時設齋供養佛僧。

儒佛孝道觀相輔相成，可為在入世與出世圓滿落實孝道提供參考，並裨益在現代社會推廣倫理、道德、因果教育。

關鍵詞：孝經、地藏菩薩本願經、孝道觀、行孝心境、行孝實踐

A Study of the Integration of Concepts of Filial Piety in *The Classic of Filial Piety* and *The Original Vows of Ksitigarbha Bodhisattva Sutra*

Mei-hui Che

Alumna of the Academy of Sinology, University of Wales Tinity Saint David

Abstract

This article is based on Tang Emperor Xuanzong's annotations of *The Classic of Filial Piety* and the Tang Dynasty Buddhist monk Shichananda's translation of *The Original Vows of Ksitigarbha Bodhisattva Sutra*. It employs historical research methods and comparative analysis to explore the integration of filial piety concepts in these two texts from the perspectives of transmission methods and ways of practicing filial piety. The findings can be summarized into four aspects.

Firstly, concerning the background of transmission, both texts have controversies regarding their authors, dates of composition, and authenticity. However, both were produced during the Tang Dynasty, and before their emergence, there was a shared lineage of multiple classical texts discussing filial piety. The filial piety concepts presented in both texts are representative.

Secondly, in terms of language expression, the intended recipients in both texts are filial children who exhibit great respect for their teachers and emphasize the importance of practicing filial piety. Filial piety is viewed as the foundation for cultivating oneself, harmonizing the family, governing the nation, bringing peace to the world, and liberating one from the cycle of reincarnation. Both texts include question-and-answer formats, with the former having a single and fewer recipients, often quoting from *The Classic of Poetry* as evidence, while the latter involves multiple recipients and stories for illustration.

Furthermore, the mindset for practicing filial piety in both texts includes the ideas of repaying kindness and eliminating evil while cultivating virtue. The former focuses on repaying the kindness of one's parents in the present by aligning one's words and deeds with propriety and righteousness. The latter emphasizes repaying the kindness of parents over many lifetimes by observing the Five Precepts and cultivating proper behaviors of body, speech, and mind.

Lastly, the practice of filial piety in both texts involves raising one's parents, offering advice, and observing funeral rites. The former emphasizes nourishing one's parents' mind by fulfilling one's duties, loyalty to the ruler, self-cultivation, and bringing honor to one's parents. In addition, the principle of advising parents is righteousness. During the mourning period, filial children express grief, and during ancestral rites, they show sincerity. The latter emphasizes nourishing one's parents' wisdom by reciting the Buddha's name, accumulating merit, and the pursuit of enlightenment to benefit one's parents. Besides, it is guided by the direction of encouraging sentient beings towards goodness. During the mourning period, filial children engage in making offerings to Buddha and reciting the Buddha's name, refraining from killing and showing compassion towards living beings, and offering alms to support the monastic community during the funeral and memorial ceremonies.

Confucian and Buddhist concepts of filial piety complement each other, providing insights for the comprehensive practice of filial piety in both worldly and transcendental contexts. This can serve as a reference for effectively promoting ethics, morality, and causality education in contemporary society.

Keywords: *The Classic of Filial Piety*, *The Original Vows of Ksitigarbha Bodhisattva Sutra*, filial piety concepts, mindset for filial piety, practices of filial piety.

一　前言

《孝經》成書於戰國末期，[1]至唐代入十二經之列，[2]雖版本有今古文之分，[3]本文選取現今通行本，即唐玄宗天寶年御注《孝經》[4]為研究底本。《地藏菩薩本願經》（以下簡稱《地藏經》）被稱為「佛門孝經」，[5]編入《大正藏》第十三冊，版本多重，疑偽難辨，[6]本文選取唐實叉難陀譯本[7]進行對比研究。《孝經》與《地藏經》分別作為儒佛

1　「（孝經）作於何時呢?從《呂氏春秋・察微》中引『《孝經》曰』是《孝經》中的〈諸侯章〉，又《孝行覽》也引了《孝經》中的〈天子章〉。因此可以判斷，《孝經》是成書在《呂氏春秋》以前。從《孝經》中有《左傳》中的文句，如〈昭公二十五年〉、〈宣公十三年〉、〈文公十八年〉，也有《荀子・子道》篇中的文句，都可以說明是《孝經》抄自這兩書，所以就判斷《孝經》是成書在戰國末期。」見於：孟世凱著：《儒家經典：十三經簡述》（臺北：萬卷樓圖書公司，2001年），頁195。

2　「開成二（八三七）年。〈文宗本紀〉：『石壁九經……孝經刊刻畢工，鄭覃進呈。』；唐文宗將《孝經》、《論語》、《爾雅》併入九經之中，共十二經。」見於：陳鐵凡：《孝經學源流・孝經繫年紀要》（臺北：國立編譯館，1986年），頁384。

3　「但《孝經》版本卻不單純，基本上，有古文與今文兩大系統；古文本又有真偽之分。」見於：葉國良，夏長樸，李隆獻：《經學通論》（臺北：臺灣學生書局，2017年），頁453。

4　「開元十年六月，上註《孝經》，頒天下及國子學；天寶二年五月，上重註亦頒天下。……天寶四載九月，以御註刻石于太學，謂之『石臺孝經』。」見於：〔唐〕唐玄宗御注，陸德明音義，〔宋〕邢昺疏：《孝經注疏》（臺北：臺灣商務印書館，2008年），景印《文淵閣四庫全書》本，第182冊，頁24。

5　「《地藏經》稱為佛門孝經」見於：釋淨空：《地藏經講記》（臺北：財團法人佛陀教育基金會，2011年），頁8。

6　「在《開元錄》及《貞元新定釋教目錄》中，實叉難陀所譯經書共十九部一百零七卷，惟缺漏《地藏經》；另索宋、元、高等歷代藏經，亦未見編入藏中，迨至明藏方現蹤影，故《地藏經》係後世所作，並非實叉陀所譯」見於：松本文三郎：《佛典批評論》（京都：弘文堂書房，1927年），頁315。

7　「《地藏經》譯於唐實叉難陀，而時本譯人為法燈、法炬，不著時代，不載里族，於藏無所考。雖小異大同，理固無傷，而覈實傳信，必應有據。乃比丘性安者，承先志刻唐譯易之，其詳具如冢宰陸公序矣。」見於：〔明〕袾宏著：《雲棲法彙（選

孝道觀的代表作，經文闡述孝道思想有相似之處。

中國歷代研究《孝經》的注解頗多。清以前《孝經》古注，今所存者大多見於《四庫全書》。[8]文淵閣《四庫全書．孝經類》收錄《孝經》注解十一部，十七卷。[9]《四庫全書總目提要．孝經類》案文淵閣所錄「《孝經》文義顯明，篇帙簡少，注釋者最易成書。然陳陳相因，亦由於此。今擇其稍有精義者，略錄數家，以見梗概，故所存獨少。」[10]其記載「孝經類存目」共十八部，五十三卷。[11]其中唐玄宗《孝經注疏》採集舊注，使古文孔傳、今文鄭注二家之言，轉成一家之說。現代學者陳壁生認為其經過唐玄宗的改經與重注，從孔子為後世制定典憲的政治書，變成時王教誨百姓的倫理書，這一思路長久地

錄)》卷十七〈唐譯地藏經跋〉，收入《嘉興大藏經（新文豐版）》第33冊，第277經（臺北：新文豐出版社，1987年），頁94。

8 陳壁生著：《孝經學史》（上海：華東師範大學出版社，2015年），頁9。

9 按：《文淵閣四庫全書．孝經類》收錄《孝經》注解十一部，十七卷：漢孔安國傳《古文孝經孔氏傳》一卷、附《宋本古文孝經》一卷；唐玄宗御注，宋邢昺疏《孝經注疏》三卷；宋司馬光指解、范祖禹說《古文孝經指解》一卷；宋朱熹撰《孝經刊誤》一卷；元董鼎撰《孝經大義》一卷；元吳澄撰《孝經定本》一卷；明項霦撰《孝經述注》一卷；明黃道周撰《孝經集傳》四卷；清順治十三年世祖御撰，蔣赫德纂《御定孝經注》一卷；清雍正五年世宗御定《御纂孝經集注》一卷；清毛奇齡撰《孝經問》一卷。

10 〔清〕永瑢、紀昀等撰，王雲五總編纂：《四庫全書總目提要（七）》（臺北：臺灣商務印書館，2001年），頁38。

11 《文淵閣四庫全書總目提要．孝經類》「孝經類存目」共十八部，五十三卷：元朱申撰《孝經句解》一卷；明潘府撰《孝經正誤》一卷、《附錄》一卷；明羅汝芳撰《孝經宗旨》一卷；明姚舜牧撰《孝經疑問》一卷；明熊兆集講《孝經集講》一卷；明魏裔介撰《孝經注義》一卷；明蔣永修撰《孝經集解》一卷；明應是撰《讀孝經》四卷；明吳之騄撰《孝經類解》十八卷；明李之素撰《孝經正文》一卷、《內傳》一卷、《外傳》三卷；明冉覲祖撰《孝經詳說》二卷；明朱軾注《孝經》一卷；明吳隆元撰《孝經三本管窺》一卷；明張星徽撰《孝經集解》一卷；明任啟運撰《孝經章句》一卷；明華玉淳撰《孝經通義》一卷；明姜兆錫撰《孝經本義》一卷；明曹庭棟撰《孝經通釋》十卷。

影響了宋、元、明、清的《孝經》學。[12]

地藏菩薩的稱號在三國曹魏、東晉時期就已出現，但隋代以前有關地藏菩薩的資料極少，且對於地藏菩薩的特點與信仰並未多加介紹。[13]唐代所翻譯的地藏經典，能具體彰顯地藏信仰的特質。[14]《地藏經》在唐代被譯，除與其他地藏經典互相參釋外，注解極少，其中以清釋靈椉《地藏本願經科註》闡發義理最為透徹，故本文主要參考之。

目前關於儒佛孝道觀的比較研究論文眾多，但未有《孝經》與《地藏經》兩部經典孝道觀的單獨對比研究。前人研究重於儒佛整體孝道觀的比較[15]，從不同方面兼論義理之異同，但論述視角大多相似。其結論雖對儒佛經典皆具普遍性，但單獨比較研究兩部儒佛經典仍具探索特殊性的意義。因此，本文以《孝經》、《地藏經》為研究對象，採用歷史研究法、比較分析法，從文章形式與義理內容兩方面，

---

12 陳壁生著：《孝經學史》，頁245。

13 按：隋代以前地藏菩薩名號出現於佛經有：東晉佛馱跋陀羅譯《大方廣佛華嚴經》、西秦聖堅譯《羅摩伽經》、北涼曇無讖譯《大方廣三戒經》、元魏三藏菩提流支譯《佛説佛名經》、失譯的《度諸佛境界智光嚴經》。例如《大方廣佛華嚴經》中有「地藏菩薩受生法」。見於：〔東晉〕佛馱跋陀羅譯：《大方廣佛華嚴經》卷55〈之十二〉，收入《大正新脩大藏經》（以下簡稱《大正藏》）第9冊，第278經（東京：大藏出版株式會社，1988年），頁751。

14 按：唐代所翻譯的地藏經典能凸顯地藏菩薩特徵的佛經有：《須彌藏經》《大方廣十輪經》《占察善惡業報經》《大乘大集十輪經》《佛説地藏菩薩經》《佛説地藏菩薩發心因緣十王經》《地藏菩薩本願經》等。見於：釋仁安（黃曉萍）：〈《地藏菩薩本願經》的孝道思想研究〉（臺北：華梵大學東方人文思想研究所碩士學位論文，2017年），頁43。

15 按：略舉幾篇代表期刊如下。朱嵐：〈論儒佛孝道觀的歧異〉，《世界宗教研究》2008年第1期，頁40-47。陳永革：〈儒佛孝慈倫理之異同——以戒孝一致論為中心〉，《西南民族大學學報（人文社會科學版）》總第221期（2010年1月），頁198-204。陳堅：〈儒佛孝道觀的比較〉，《孔子研究》2008年第3期，頁77-89。廣興：〈儒佛孝道觀的比較研究〉，《宗教研究》2015春，頁144-172。

一方面分析二經傳承方式之相似，另一方面探究二經行孝方式之融通，並以「融通」的視角，補充、解釋儒佛孝道觀中前人之所未見的特點。

二　《孝經》與《地藏經》孝道觀之傳承方式

皮錫瑞《經學歷史》言「經名昉自孔子，經學傳於孔門。」[16]「釋迦未生，不傳七佛之論也。」[17]《孝經》與《地藏經》作為儒佛介紹孝道觀的經典，在敘述言理上具有共性。本章擬探討二經在傳承背景、傳承言語上的相似點，前者包括作者與成書年代，後者分為傳承對象、內容與形式。此部分雖無論及孝道觀義理融通之意涵，且二經傳承方式確有差異，但二經傳承特點之共性可見一斑，亦足以顯明融通之合理性。

（一）《孝經》與《地藏經》之傳承背景

《孝經》與《地藏經》在作者與成書年代上皆無定論。《孝經》作者與《地藏經》譯者皆有眾多說法，成書年代難以確定，皆有疑偽經之辨[18]，《孝經》又有今古文經之別。[19]但以上爭論的問題並不會影

16 〔清〕皮錫瑞著，周予同注，王雲五主編：《經學歷史》（上海：商務印書館，1934年），頁33。

17 〔清〕皮錫瑞著，周予同注，王雲五主編：《經學歷史》，頁1。

18 「所謂疑偽經，又作偽疑經。假借佛說而偽造之經典，稱為『偽經』；來歷可疑而被懷疑為偽經者，即稱為『疑經』。」「探溯《地藏經》遭後人歸類為疑偽的原因，除在譯者身分有疑問外，另剖析經文意趣及架構，發現《地藏經》的思想淵源，與其他佛典尚有部分重疊之處。」見於：何成基：〈地藏信仰思想探微——以大孝與大願為中心〉（臺北：華梵大學東方人文思想研究所碩士學位論文，2013年），頁61。

19 「《孝經》在漢代以後有所謂今文與古文之分。早先有學者主張《古文孝經》是根據今文偽造的。但黃中業則提出相反的意見。他在《〈孝經〉的作者、成書年代及

響兩部經典的價值。

現代學者舒大剛《中國孝經學史》對《孝經》作者諸說進行梳理，總結出十種說法，[20]本文讚同《孝經》成書於戰國末年，曾子門人所撰。[21]《孝經》乃孔門一脈相承之學，[22]從《詩經》、《禮記》、《論語》、《孟子》、《荀子》等對孝的論述可見儒家孝道思想的發展脈絡。皮錫瑞《經學歷史》評經學變古時代「經學自唐以至宋初，已陵夷衰微矣，然篤守古義，無取新奇，各承師傳，不憑胸臆，猶漢、唐注疏之遺也。」[23]唐玄宗《孝經注疏》正於此背景下產生。

《地藏經》的譯者說法有三種，西晉法燈譯，法燈、法炬共譯，

其流傳》一文中，對《古文孝經》、今文《孝經》以及今本《孝經》的成書時代分別做了考察。他認為，孔壁《古文孝經》的成書年代下限應在西元前239年，即《呂氏春秋》成書之前，從《孝經》同孟子與荀子的思想淵源來判斷成書年代上限約在荀況臨終（約西元前238年）前的二三十年之間。而今文《孝經》的內容反映了漢初社會的歷史實際和漢初儒家在孝德問題上的觀點，故成書於西漢初年。而今本《孝經》則是今古文《孝經》的合編本。西漢成帝時，劉向奉命校定《孝經》，遂成今本《孝經》。」見於：舒大剛：《中國孝經學史》（福州：福建人民出版社，2013年），頁517。

20 按：《孝經》作者十種說法包括孔子作、孔子門人作、曾子作、曾子門人作、子思作、齊魯間陋儒作、孟子門人作、西漢末年儒者作、樂正子春弟子或再傳弟子作、儒家集體創作。見於：舒大剛：《中國孝經學史》，頁23-30。

21 「考察上列各種說法，由於孝經首章云『仲尼居，曾子侍。』既不像孔子的語氣，也不像曾子的語氣，而且全書中襲用《左傳》、《孟子》、《荀子》的文字不少，這些都是孔子、曾子以後的書，足見《孝經》絕非孔子或曾子所撰。而《呂氏春秋・審微篇》曾引用《孝經・諸侯章》，所以也不可能晚至漢儒才寫定。最可能的情況是戰國末年，荀子之後，呂不韋之前，曾子一派的學者所撰。如此推斷，可避免其他各說的矛盾，應較為合理。」見於：莊雅州：《經學入門》（臺北：臺灣書店，1997年），頁229。

22 「孝經撰作之人，雖有上列眾說；然而無論其為孔子自撰，曾參或其門人樂正子（春）、孔伋、孟軻所為，乃至於七十子徒或漢魏晉諸儒之手，語其內容，要皆為孔門一脈相承儒家之學。」見於：陳鐵凡：《孝經學源流》，頁55。

23 〔清〕皮錫瑞著，周予同注，王雲五主編：《經學歷史》，頁221。

唐實叉難陀譯，但通行本是否為唐實叉難陀譯尚存疑。[24]關於地藏信仰何時傳入，真鍋廣濟認為地藏信仰起源於印度婆羅門教神話中的地天，亦名地神。[25]從東晉開始，地藏名號已出現於中土譯經。最早是東晉佛馱跋陀羅譯《大方廣佛華嚴經》，名號譯為「大地藏菩薩」。[26]至隋唐，論述地藏信仰的譯經增多，《地藏十輪經》、[27]《占察善惡業報經》、[28]《地藏菩薩本願經》被稱為「地藏三經」。《地藏經》最遲存在於北宋初年，[29]且據宋代常謹《地藏菩薩像靈驗記》所引《地藏經》經文推測，[30]其最遲於北宋太宗端拱年間[31]已流傳。《地藏經》譯

24 〔日〕松本文三郎：《佛典批評論》，頁323。

25 〔日〕真鍋廣濟：《地藏菩薩の研究》（京都：三密堂書店，1987年），頁2。

26 〔東晉〕佛馱跋陀羅譯：《大方廣佛華嚴經》卷44〈之一〉，收入《大正藏》第9冊，第278經，頁676。

27 按：舊譯本名為《大方廣十輪經》，譯者佚名，有八卷十五品，譯於北涼（西元397-439年間）。新譯本名為《大乘大集地藏十輪經》，是玄奘大師於唐永徽二年（西元651年）重譯，有十卷八品。兩譯本皆收錄於《大正藏》第十三冊。「大唐永徽二年正月二十三日，三藏法師玄奘於西京大慈恩寺翻經院譯，至其年六月二十九日功畢，見內典錄，沙門神昉為後序。」見於：〔唐〕玄逸撰：《大唐開元釋教廣品歷章》卷6，收入《趙城金藏》第98冊，第1267經（北京：北京圖書館出版社，2008年），頁44。

28 按：隋代菩提燈於西元581-618年間譯，收於《大正藏》第17冊。「天竺三藏菩提燈譯」見於：〔隋〕菩提燈譯：《占察善惡業報經》卷1，收入《大正藏》第17冊，第839經（東京：大藏出版株式會社，1988年），頁901。

29 〔日〕真鍋廣濟：《地藏菩薩の研究》，頁92。

30 按：「汝當憶念，吾在忉利天宮，慇懃付屬，令娑婆世界已來眾生，悉使解脫永離諸苦。佛遇授記，爾時諸世界化身地藏，來集佛所，共復一形，涕淚哀戀。白言：『我從久遠劫來，蒙佛接引，便獲不可思議神力，具大智慧。我所分身，遍滿百千萬億恒河沙世界。每一世界，化百千萬億身。每一一身，度百千萬億人。令歸敬三寶，永離生死，至涅槃樂。但於佛法中所為善事，一毛一渧，一沙一塵，或毫髮計。我漸度脫，使獲大利。唯願世尊，不以後世惡業眾生為慮。』」為援引〈地藏經‧分身集會品〉中的經文。見於：〔宋〕常謹集：《地藏菩薩像靈驗記》，收入《卍新纂大日本續藏經》（以下簡稱《新纂卍續藏》）第87冊，第1638經（東京：株式會社國書刊行會，1975-1989年），頁587。

31 按：北宋太宗端拱年間（西元988-989年）。

出後，因「唐代佛教各宗派彼此相互競爭、排擠」及「三階教前後四次遭受朝廷禁斷」[32]等，其在唐代未能廣泛流通，但對地藏信仰被視為末法時代的救世思想產生了重要的影響。

《孝經》與《地藏經》的傳播雖無相互影響的跡象，但同能在社會獲得普遍認同[33]，原因有相似之處，即儒家所重視的倫理道德與佛家所宣揚的慈悲救度，皆是解決社會人心問題之良方[34]。

三　《孝經》與《地藏經》之傳承言語

《孝經》與《地藏經》雖屬經學研究範疇，但在文本書寫上也具文學性。本節旨在論述二經敘述語言的展現，孝道觀自蘊於其中。

32 蔡東益：《地藏經及其孝道思想之研究》（臺北：華梵大學東方人文思想研究所碩士論文，2000年），頁8。

33 按：《孝經》在唐代成為科舉考試的內容，可見從官府至民間對《孝經》教育的認同。另外，《地藏經》在民間被普遍信奉，可見地藏信仰得到廣泛的認同。「凡童子科，十歲以下能通一經及《孝經》《論語》，卷誦文十通者予官，通七予出身。」見於：〔宋〕歐陽修撰：《新唐書・卷四十四・志第三十四・選舉志》（臺北：臺灣商務印書館，2008年），景印《文淵閣四庫全書》本，第272冊，頁659。「每年農曆七月，民間都會啟建盛大的法會，超薦各人多生之父母，藉以表達慎終追遠的精神；或喪葬禮俗中藉以超薦亡靈。在這些法會中，誦持的經典多數是以《地藏菩隆本願經》為主，可見《地藏菩隆本願經》在孝親的思想理論和實踐上應具有極大影響力，可提供大眾作為借鏡與學習之處。」見於：釋仁安（黃曉萍）：〈《地藏菩薩本願經》的孝道思想研究〉，頁3。

34 「為純風俗而化萬民，隋唐兩代都極力表彰忠孝節義操行，積極發揮《孝經》的教化作用。」見於：舒大剛：《中國孝經學史》，頁193。「《地藏經》被融攝和吸收於中國社會甚至影響民間信仰，應具有其安頓人心、回向社會的功能。」見於：釋仁安（黃曉萍）：〈《地藏菩薩本願經》的孝道思想研究〉，頁3。

（一）傳承對象

《孝經》是孔子藉閒居之機，[35]通過與曾子問答的形式，道出孝之大義。孔子評價「參也魯」[36]，但曾子卻能承傳道統，《史記・仲尼弟子列傳》談及「孔子以為能通孝道，故授之業，作《孝經》。」[37]孔安國認為：

> 唯曾參躬行匹夫之孝而未有達，天子諸侯以下揚名顯親之事，因侍坐而諮問焉，故夫子告其誼，於是曾子喟然知孝之為大也，遂集而錄之，名曰孝經，與五經並行於世。[38]

從中可見孔子啟發學生悟性的教學方式，循循善誘，應機而教，傾囊相授，並且曾子作為學生具有求道好學與躬行孝道的可貴品質。

《地藏經》的講經緣起是釋迦摩尼佛為報母恩，飛升忉利天，專為母說法。[39]釋迦摩尼佛乃孝親之典範，被尊稱為「大孝釋迦尊」[40]。地藏菩薩在因地中多次為救母難，發大誓願「我今盡未來際不可計

---

35 「仲尼居，曾子侍。」見於：〔唐〕唐玄宗御注，陸德明音義，〔宋〕邢昺疏：《孝經注疏》景印《文淵閣四庫全書》本，第182冊，頁39。

36 〔魏〕何晏注，〔宋〕邢昺疏：《十三經注疏・論語注疏》（臺北：藝文印書館，2011年），頁98。

37 〔漢〕司馬遷：《史記》（臺北：臺灣商務印書館，2008年）景印《文淵閣四庫全書》本，第244冊，頁385。

38 〔漢〕孔安國：《古文孝經孔氏傳》（臺北：臺灣商務印書館，2008年）景印《文淵閣四庫全書》本，第182冊，頁5。

39 「如是我聞：一時，佛在忉利天，為母說法。」見於：〔唐〕實叉難陀譯：《地藏菩薩本願經》卷1〈忉利天宮神通品〉，收入《大正藏》第13冊，第412經（東京：大藏出版株式會社，1988年），頁777。

40 「稽首三界主，大孝釋迦尊。累劫報親恩，積因成正覺。」見於：〔唐〕宗密述：《佛說盂蘭盆經疏》卷1，收入《大正藏》第39冊，第1792經（東京：大藏出版株式會社，1988年），頁505。

劫，為是罪苦六道眾生，廣設方便，盡令解脫，而我自身，方成佛道。」[41]聖一法師指出，地藏菩薩「以此功德願力，令多生父母離苦得樂，轉凡入聖」[42]。佛將度化眾生的重任託付於地藏菩薩，[43]地藏菩薩多次回復「唯願世尊不以後世惡業眾生為慮」[44]，與佛同心同願。印光大師提到「一切孝順兒女，有所師承」[45]，佛與地藏菩薩所演繹的傳承過程，也彰顯了師生之間的信任與師承的重要。

《孝經》與《地藏經》在傳承對象上的相似之處，孔子與佛陀、曾子與地藏菩薩皆是至孝之人[46]，師生之間彼此信任，且皆以利益眾生之心傳授。

---

41 〔唐〕實叉難陀譯：《地藏菩薩本願經》卷1〈忉利天宮神通品〉，收入《大正藏》第13冊，第412經，頁778。

42 聖一法師：《地藏菩薩本願經講記》（臺北：佛陀教育基金會，1998年），頁3。

43 「汝觀吾累劫勤苦，度脫如是等難化剛彊罪苦眾生。其有未調伏者，隨業報應。若墮惡趣，受大苦時，汝當憶念吾在忉利天宮，殷勤付囑。令娑婆世界，至彌勒出世已來眾生，悉使解脫，永離諸苦，遇佛授記。」見於：〔唐〕實叉難陀譯：《地藏菩薩本願經》卷1〈分身集會品〉，收入《大正藏》第13冊，第412經，頁779。

44 〔唐〕實叉難陀譯：《地藏菩薩本願經》卷1〈分身集會品〉，收入《大正藏》第13冊，第412經，頁779。

45 印光法師：《印光法師文鈔續編卷下・地藏經石印流通序》（臺北縣三重市：香光淨宗學會、三禾出版製作公司，2004年），頁407。

46 按：《孝經》中無史料證明「孔子是孝子」，因為孔子父母早亡。但可通過後人論述佐證「孔子是孝子」這一論點，如陶潛（西元365-427年）〈孝傳贊〉、王啟元（1559年生，卒年不詳）《清署經談》、蔡保禎（約1568年生，卒年不詳）《孝紀》、郭正中（1624年舉人）《孝友傳》、黎遂球（1602-1646年）《蓮鬚閣集》等中均有論證，詳見本注期刊論文。另外，也可通過成聖之道的邏輯反推這一論點。「家庭是每個人命定的一部分，儒者成聖之道唯有在事親盡孝之中，才可能完成。與此同時，我們也看到儒者對於聖賢的描述也更強調家庭孝子的形象。即使沒有特殊孝行史料佐證，仍極力闡揚孔子、顏回之大孝，正因為深信五倫即天理、孝弟為入聖之階，故聖賢必定是孝子。」見於：呂妙芬：〈儒門聖賢皆孝子：明清之際理學關於成聖與家庭人倫的論述〉，《清華學報》新44卷第4期（2014年12月），頁629。

(二) 傳承內容

《孝經》共十八章[47],〈孝經注疏序〉有「修春秋以正君臣夫子之法，又慮雖知其法，未知其行，遂說孝經一十八章，以明君臣父子之行。」[48]解釋孔子傳《孝經》意在闡明如何奉行五倫大道，為《春秋》褒貶之義作進一步補充。人倫亂序，唯以孝正其風，方有扭轉之機。〈孝經注疏序考證〉云:「莫非則天明而事地察，固實事而非空言，故曰行。」[49]五種身份雖異，但殊途同歸，重在力行，皆需切實行孝。

《地藏經》共十三品[50]，全經以地藏菩薩的大孝與大願貫穿始終，詳說免眾生墮惡道之法。釋靈桀以五重玄義解經，論及釋名：

> 一名地藏本願，亦名地藏本行，亦名地藏本誓力經。今獨標本願一名者，以願必行行，行成必有與拔之力。故舉本願一名。[51]

---

47 按：第一章〈開宗明義〉講全經緣起，第二至第六章論述以天子、諸侯、卿大夫、士、庶人五種身份如何行孝，第七至第十八章闡釋落實孝道的具體方法，及以孝治國的重要性。

48 〔唐〕唐玄宗御注，陸德明音義，〔宋〕邢昺疏:《孝經注疏》景印《文淵閣四庫全書》本，第182冊，頁29。

49 〔唐〕唐玄宗御注，陸德明音義，〔宋〕邢昺疏:《孝經注疏》景印《文淵閣四庫全書》本，第182冊，頁30。

50 按：第一與第二品講述釋迦摩尼佛說法因緣、及佛陀囑咐地藏菩薩救度眾生；第三品、第五品講述地藏菩薩分別回答摩耶夫人、普賢菩薩所問地獄之事；第四品佛說地藏往因及因果報應之法；第六品至第十二品佛說供像讀經持名、地藏菩薩說薦亡功德、佛導鬼王發善願、地藏菩薩演說稱佛名號功德、佛說布施功德、明供像十利、佛為觀世音菩薩說供像持名；第十三品佛付囑地藏菩薩度諸眾生、虛空藏菩薩說見像聞經之益。

51 〔清〕靈桀撰:《地藏本願經綸貫》，收入《新纂卍續藏》第21冊，第383經（東京：株式會社國書刊行會，1975-1989年），頁639。

地藏菩薩以「地獄不空，誓不成佛。」[52]之大願，作度一切受苦眾生之孝行，無有疲厭。

《孝經》與《地藏經》在傳承內容上，都體現需以真實工夫力行孝道，才具恢復性德之力。並且「孝」是挽救社會亂象、幫助眾生免受諸苦的方法，是入世修身齊家治國平天下、出世解脫六道輪迴的根基。

（三）傳承形式

《孝經》的敘述形式包括問答、議論與引《詩》。孔子與曾子的對話有四次，曾子發問，孔子為其詳解，可見曾子作為弟子謙卑恭敬的態度，孔子傳道授業解惑、孜孜不倦的精神。〈開宗明義章〉孔子問曾子是否知曉「先王有至德要道」[53]，曾子答不知，而後孔子以孝釋之；〈三才章〉曾子感歎「甚哉，孝之大也！」[54]孔子進而解釋孝之大的原因；〈聖治章〉曾子問「敢問聖人之德，無以加於孝乎？」[55]孔子舉例周公，闡釋聖人之德沒有比孝更大的；〈諫諍章〉曾子問「敢問子從父之令，可謂孝乎？」[56]孔子解答「故當不義，則爭之」[57]以義為判斷是否聽從的標準。

52 〔清〕周安士彙集：《西歸直指》卷2，收入《新纂卍續藏》第62冊，第1173經（東京：株式會社國書刊行會，1975-1989年），頁113。

53 〔唐〕唐玄宗御注，陸德明音義，〔宋〕邢昺疏：《孝經注疏》景印《文淵閣四庫全書》本，第182冊，頁39。

54 〔唐〕唐玄宗御注，陸德明音義，〔宋〕邢昺疏：《孝經注疏》景印《文淵閣四庫全書》本，第182冊，頁51。

55 〔唐〕唐玄宗御注，陸德明音義，〔宋〕邢昺疏：《孝經注疏》景印《文淵閣四庫全書》本，第182冊，頁59。

56 〔唐〕唐玄宗御注，陸德明音義，〔宋〕邢昺疏：《孝經注疏》景印《文淵閣四庫全書》本，第182冊，頁72。

57 〔唐〕唐玄宗御注，陸德明音義，〔宋〕邢昺疏：《孝經注疏》景印《文淵閣四庫全書》本，第182冊，頁72。

《孝經》有十章引《詩》作結，[58]且不限於《毛詩》一家，[59]有一章引《書》，皆為論孝之依據。引《詩》《書》既能概括主旨，又能增強論證的說服力，同時「子曰」的內容又是所引詩句的具體闡釋，可見孔子「述而不作，信而好古」[60]的傳承原則。劉炫云：

> 夫子敘經申述先王之道，《詩》《書》之語，事有當其義者，則引而證之，示言不虛發也。七章不引者，或事義相違，或文勢自足，則不引也。[61]

點明引《詩》的功用，且議論之理與所引之詩含義貼切，自然融通。

《地藏經》的敘述形式包括問答、演說故事等。其問答不似《孝經》對象單一，而是多人配合，如在〈忉利天宮神通品〉佛問文殊菩薩是否知曉「如是今來集會，到忉利天者」[62]的數量，文殊菩薩回答不能得知，在文殊菩薩的請教下，佛「廣說地藏菩薩摩訶薩因地作何行、立何願」[63]，可見文殊菩薩之善問，佛之善導、善教。全經對話

---

58 按：《孝經》十章引《詩》為〈開宗明義章〉、〈諸侯章〉、〈卿大夫章〉、〈士章〉、〈三才章〉、〈孝治章〉、〈聖治章〉、〈廣至德章〉、〈感應章〉、〈事君章〉。引《書》為〈天子章〉。

59 「其引《詩》與《毛詩》相同者七處，與《毛詩》相異者三處，這說明《孝經》所引之《詩》不限於一派。」見於：毛振華：〈《孝經》引《詩》的特點及其學術意義〉《山西師大學報社會科學版》第44卷第5期（2017年9月），頁55。

60 〔魏〕何晏注，〔宋〕邢昺疏：《十三經注疏．論語注疏》，頁60。

61 〔唐〕唐玄宗御注，陸德明音義，〔宋〕邢昺疏：《孝經注疏》景印《文淵閣四庫全書》本，第182冊，頁41。

62 〔唐〕實叉難陀譯：《地藏菩薩本願經》卷1〈忉利天宮神通品〉，收入《大正藏》第13冊，第412經，頁778。

63 〔唐〕實叉難陀譯：《地藏菩薩本願經》卷1〈忉利天宮神通品〉，收入《大正藏》第13冊，第412經，頁778。

的人物共十五位[64]，每次問答，提問者皆恭敬請法，「願樂欲聞」[65]，求法心切，且得到開示後皆恭敬合掌「作禮而退」[66]。佛與地藏菩薩對於每個問題都慈悲開解，令眾生獲真實之利。

另外，在講述地藏菩薩本生事跡時，以婆羅門女和光目女的故事展現地藏菩薩為救母的孝行。婆羅門女為救母悅帝利「遂賣家宅，廣求香華，及諸供具，於先佛塔寺，大興供養。」[67]散盡家財，修供佛福德、布施功德幫助母親脫離地獄升天。其中覺華定自在王如來、無毒鬼王在婆羅門女尋母過程中起到連接的作用，講明為利益亡者當於四十九日內作功德迴向，並點出眾生隨業流轉之事實。另一故事，光目女為救母親永離惡趣，「即捨所愛，尋畫佛像，而供養之。復恭敬心，悲泣瞻禮。」[68]母親蒙其福力，從地獄中出離而托生婢子，為免母親再入惡道，光目女發廣大誓願，救拔所有受苦眾生，令離三途惡趣，眾生成佛，方證佛果。其中羅漢、清淨蓮華目如來在光目女救母過程中指引，指明因業受報、因修福德與功德而得解脫的原理。

《孝經》與《地藏經》皆有問答，可見老師善於啟發誘導，學生善於發問且謙卑恭敬，尊師重道也正是孝親敬長的體現。《孝經》引《詩》《書》以加強論證，《地藏經》演說故事以生動闡釋，皆傳達孝親精神。

---

64 按：十五位包括釋迦牟尼佛、文殊菩薩、地藏菩薩、佛母摩耶夫人、定自在王菩薩、四天王、普賢菩薩、普廣菩薩、大辯長者、閻羅天子、惡毒鬼王、主命鬼王、堅牢地神、觀世音菩薩、虛空藏菩薩。問答共計二十次。

65 〔唐〕實叉難陀譯：《地藏菩薩本願經》卷1〈如來讚歎品〉，收入《大正藏》第13冊，第412經，頁782。

66 〔唐〕實叉難陀譯：《地藏菩薩本願經》卷2〈利益存亡品〉，收入《大正藏》第13冊，第412經，頁784。

67 〔唐〕實叉難陀譯：《地藏菩薩本願經》卷1〈忉利天宮神通品〉，收入《大正藏》第13冊，第412經，頁778。

68 〔唐〕實叉難陀譯：《地藏菩薩本願經》卷1〈閻浮眾生業感品〉，收入《大正藏》第13冊，第412經，頁780。

四　《孝經》與《地藏經》孝道觀之行孝方式

宋釋戒環《楞嚴經要解》云：「雖有多聞，若不修行，與不聞等，如人說食，終不能飽。」[69]儒佛修行皆重解行相應[70]，體現在孝道觀上，即明孝親之理後，須在日常生活中篤行，解行二者相輔相成。本章擬從行孝心境與實踐兩方面論述《孝經》與《地藏經》孝道觀的融通之處。

五　《孝經》與《地藏經》之行孝心境

行孝心境指孝子的存心，本節論述包括知恩報恩、斷惡修善兩點。

（一）知恩報恩

首先，父母的養育之恩。《孝經》有「身體髮膚，受之父母，不敢毀傷，孝之始也。」[71]父母生養子女，關懷照顧，無微不至，「父兮生我，母兮鞠我。拊我畜我，長我育我。顧我復我，出入腹我。欲報之德，昊天罔極。」[72]保護好自己的身體，健康平安，令父母安心是盡孝，報答父母養育之恩是行孝的動力。《禮記》有「壹舉足而不敢

69 〔宋〕戒環解：《楞嚴經要解》卷2，收入《新纂卍續藏》第11冊，第270經（東京：株式會社國書刊行會，1975-1989年），頁784。

70 「有信無解，增長無明。有解無信，增長邪見。有解無行，其解必虛，有行無解，其行必孤。」見於：〔唐〕澄觀別行疏，宗密隨疏鈔：《華嚴經行願品疏鈔》卷2，收入《新纂卍續藏》第5冊，第229經（東京：株式會社國書刊行會，1975-1989年），頁252。

71 〔唐〕唐玄宗御注，陸德明音義，〔宋〕邢昺疏：《孝經注疏》景印《文淵閣四庫全書》本，第182冊，頁40。

72 〔漢〕毛亨撰，鄭玄箋，〔唐〕孔穎達疏，陸德明音義：《毛詩注疏》（臺北：臺灣商務印書館，2008年12月）景印《文淵閣四庫全書》本，冊69，頁574。

忘父母，是故道而弗徑，舟而不游，不敢以先父母之遺體行危殆。」[73] 孝子心中時刻銘記父母的教誨，不會做危險的事而令父母擔憂。其次，父母的教導之恩，《孝經》云：「立身行道，揚名於後世，以顯父母，孝之終也。」[74]《禮記》云：「壹出言而不敢忘父母，是故惡言不出於口，忿言不及於身。不辱其身，不羞其親，可謂孝矣！」[75]孝子的言行舉止都符合規範，有美好的德行，不會令父母蒙羞，此為報答父母教導之恩的體現。

《父母恩重經變經文偈頌》載父母生養子女有十重恩[76]。《地藏經》中地藏菩薩多生多世皆為孝女，大長者子、婆羅門女、光目女，小國王，為報過去現在未來父母恩、佛恩、眾生恩，累世發願度眾生[77]。印光大師云：

> 父母之恩，畢世莫酬。孝之為道，其大無外。如來大教，以孝為本。菩薩視諸六道眾生，皆是過去父母，未來諸佛。故地藏有眾生度盡，方證菩提，地獄未空，誓不成佛之願。梵網戒

---

73 〔漢〕戴聖編，鄭玄注，〔唐〕孔穎達疏，陸德明音義：《禮記注疏》（臺北：臺灣商務印書館，2008年12月）景印《文淵閣四庫全書》本，冊116，頁284。

74 〔唐〕唐玄宗御注，陸德明音義，〔宋〕邢昺疏：《孝經注疏》景印《文淵閣四庫全書》本，第182冊，頁40。

75 〔漢〕戴聖編，鄭玄注，〔唐〕孔穎達疏，陸德明音義：《禮記注疏》景印《文淵閣四庫全書》本，冊116，頁284。

76 按：父母十重恩為：第一、懷胎守護恩；第二、臨產受苦恩；第三、生子忘憂恩；第四、咽苦吐甘恩；第五、回乾就濕恩；第六、哺乳養育恩；第七、洗濯不淨恩；第八、遠行憶念恩；第九、深加體恤恩；第十、究竟憐憫恩。見於：陳明光整理：《父母恩重經變經文偈頌》，收入《藏外佛教文獻》第4冊，第36經（北京：宗教文化出版社，1995-2003年），頁293。

77 「願我盡未來劫，應有罪苦眾生，廣設方便，使令解脫。」見於：〔唐〕實叉難陀譯：《地藏菩薩本願經》卷1〈忉利天宮神通品〉，收入《大正藏》第13冊，第412經，頁779。

> 經，以孝順為至道之法。不但令其孝順父母師僧三寶，且令其於一切眾生，生慈悲心，孝順心，方便救護，戒殺放生。以一切眾生，皆我宿世之父母兄弟妻子眷屬故。由是言之，佛教之孝，前溯無始，後盡未來，無不彌綸而包括之。故蓮池云，親得離塵垢，子道方成就。[78]

後秦鳩摩羅什譯《梵網經》有「一切男子是我父，一切女子是我母，我生生無不從之受生，故六道眾生皆是我父母。」[79]六道眾生皆為父母，當慈心不殺生，常行放生。地藏菩薩為報一切眾生之恩，以大孝心發廣大願，依佛教誨切實奉行。

《孝經》與《地藏經》皆以知恩報恩為基礎，前者重於現世父母生養教導之恩，孝子應以良好的身心品行報恩；後者重於累世父母護持之恩，幫助一切眾生覺悟、解脫六道輪迴方為報恩之法。

（二）斷惡修善

〈開宗明義章〉有「夫孝，德之本也，教之所由生也。」[80]孝是道德的根本，八德從孝開始，而後方有悌、忠、信、禮、義、廉、恥。邢昺疏此句認為古聖先王的教化由孝產生。[81]《論語》有「孝弟也者，其為人之本與」[82]邢昺疏此句，「言孝弟之人，性必恭順，故好

---

78 印光法師：《印光法師文鈔．卷四．康母紀念冊發隱》（臺北縣三重市：香光淨宗學會、三禾出版製作有限公司，2004年），頁974。

79 〔後秦〕鳩摩羅什譯：《梵網經》卷2，收入《大正藏》第24冊，第1484經（東京：大藏出版株式會社，1988年），頁1006。

80 〔唐〕唐玄宗御注，陸德明音義，〔宋〕邢昺疏：《孝經注疏》景印《文淵閣四庫全書》本，第182冊，頁39。

81 「謂王教由孝而生也。」見於：〔唐〕唐玄宗御注，陸德明音義，〔宋〕邢昺疏：《孝經注疏》景印《文淵閣四庫全書》本，第182冊，頁40。

82 〔魏〕何晏注，〔宋〕邢昺疏：《十三經注疏．論語注疏》，頁5。

欲犯其上者少也。既不好犯上，而好欲作亂為悖逆之行者，必無，故云未之有也。」[83]因此孝順父母、友愛兄弟之人，不會做出叛逆作亂之事。修學從孝悌扎下根基，而後產生道德，以此教化百姓，乃聖王治理天下的原理。印光大師云：「一言一行，有不合道，皆為不孝。」[84]孝子心中常存父母，則言語行為不會違背道德。孝既是天然的人倫情感，也是自然的修身規範。

唐釋宗密《佛說盂蘭盆經疏》開示「戒雖萬行，以孝為宗。」[85]六度萬行，皆是孝的擴充。[86]《梵網經》云：「孝順父母、師僧、三寶，孝順至道之法，孝名為戒，亦名制止。」[87]孝順不僅對父母，還有對師長、佛法僧。持戒不犯，制止不善的心念與行為，便是行孝。北宋釋契嵩《孝論》言「孝名為戒，蓋以孝而為戒之端也。子與戒而欲亡孝，非戒也。夫孝也者，大戒之所先也。戒也者，眾善之所以生也。」[88]行孝是持戒的開始，持戒是行善的本源，故孝為善之首。佛家五戒與儒家五常的關係，契嵩論述：

> 夫不殺，仁也；不盜，義也；不邪淫，禮也；不飲酒，智也；不妄言，信也。是五者修，則成其人，顯其親，不亦孝乎！是五者，有一不修，則棄其身，辱其親，不亦不孝乎！[89]

---

83 〔魏〕何晏注，〔宋〕邢昺疏：《十三經注疏．論語注疏》，頁5。

84 印光法師：《印光法師文鈔．卷四．唐孝子祠校發隱》，頁1010。

85 〔唐〕宗密述：《佛說盂蘭盆經疏》卷1，收入《大正藏》第39冊，第1792經（東京：大藏出版株式會社，1988年），頁505。

86 「推極而論，舉凡六度萬行，無非孝道擴充。」見於：印光法師：《印光法師文鈔．卷二．佛教以孝為本論》，頁493。

87 〔後秦〕鳩摩羅什譯：《梵網經》卷2，收入《大正藏》第24冊，第1484經，頁1004。

88 〔宋〕契嵩撰：《鐔津文集》卷3，收入《大正藏》第52冊，第2115經（東京：大藏出版株式會社，1988年），頁660。

89 〔宋〕契嵩撰：《鐔津文集》卷3，收入《大正藏》第52冊，第2115經，頁661。

五戒和五常皆是勸導人斷惡修善的規範，保護人不造身口意三業[90]。張儒平認為以《孝論》為標誌，儒、佛孝道觀完成了漫長的融合過程，達到了相互涵攝、相得益彰的程度。[91]〈閻浮眾生業感品〉地藏菩薩為眾生說「身口意業，惡習結果，百千報應」[92]，在〈囑累人天品〉又接受佛的囑咐「是南閻浮提眾生，志性無定，習惡者多，縱發善心，須臾即退，若遇惡緣，念念增長。以是之故，吾分是形，百千億化度，隨其根性而度脫之。」[93]佛知眾生善心難以保持，便交代地藏菩薩隨性度化。地藏菩薩自身持戒精嚴，又因孝心發不退之大願，勸累劫父母修福止惡，實為「孝名為戒」之表法。

印光大師云：「是世出世間，莫不以孝為本也。」[94]儒佛都強調孝是德行的根本，兩者均以孝為教化向善的基礎，凸顯勸善抑惡的倫理教化功能，儒家通過孝啟發人性的善端進行道德修養，佛教則以戒律體現孝之蘊義。[95]

---

90 「善護口業不譏他過，善護身業不失律儀，善護意業清淨無染。」見於：〔宋〕法賢譯：《佛說大乘無量壽莊嚴經》卷2，收入《大正藏》第12冊，第363經（東京：大藏出版株式會社，1988年），頁321。

91 張儒平：〈論儒佛孝道觀及其相互融合〉，《同濟大學學報（社會科學版）》第12卷第6期（2001年12月），頁14。

92 〔唐〕實叉難陀譯：《地藏菩薩本願經》卷1〈閻浮眾生業感品〉，收入《大正藏》第13冊，第412經，頁781。

93 〔唐〕實叉難陀譯：《地藏菩薩本願經》卷2〈囑累人天品〉，收入《大正藏》第13冊，第412經，頁789。

94 印光法師：《印光法師文鈔．卷二．佛教以孝為本論》，頁491。

95 范贇：〈試論儒佛孝親觀的融合與區別——以《孝經》、《孝論》的比較為中心〉，《史志鑒研究．黑龍江史志》，總第222期（2010年5月），頁18。

六　《孝經》與《地藏經》之行孝實踐

行孝實踐指孝子的孝親行為，本節論述包括養親、勸諫、守喪三點，是孝道在具體日常生活方面的落實。

（一）養親

〈開宗明義章〉有「夫孝，始於事親，中於事君，終於立身。」[96]點出行孝的次第，養父母之身為首，其次推廣至侍奉君主，最終是自身實行正道使父母榮耀。五種身份的盡孝方式，也與此三個層次對應。庶人之孝「謹身節用，以養父母」[97]是最基本的養親之身。士與卿大夫之孝皆以事君為重。士人先在家中敦倫盡分，落實孝敬，「故以孝事君則忠，以敬事長則順。」[98]則自然對君忠順。卿大夫「非先王之法服不敢服，非先王之法言不敢道，非先王之德行不敢行。」[99]服飾、言語、行為都能遵守禮法，日夜勤奮輔佐君主。諸侯和天子之孝強調立身，將孝親推廣至愛護百姓，謹慎修養自身之德。諸侯「在上不驕」「制節謹度」[100]才能長守富貴，與百姓和睦相處。天子「愛敬盡於事親，而德教加於百姓，刑於四海。」[101]因為孝敬自己的父

96 〔唐〕唐玄宗御注，陸德明音義，〔宋〕邢昺疏：《孝經注疏》景印《文淵閣四庫全書》本，第182冊，頁40。

97 〔唐〕唐玄宗御注，陸德明音義，〔宋〕邢昺疏：《孝經注疏》景印《文淵閣四庫全書》本，第182冊，頁49。

98 〔唐〕唐玄宗御注，陸德明音義，〔宋〕邢昺疏：《孝經注疏》景印《文淵閣四庫全書》本，第182冊，頁47。

99 〔唐〕唐玄宗御注，陸德明音義，〔宋〕邢昺疏：《孝經注疏》景印《文淵閣四庫全書》本，第182冊，頁46。

100 〔唐〕唐玄宗御注，陸德明音義，〔宋〕邢昺疏：《孝經注疏》景印《文淵閣四庫全書》本，第182冊，頁44。

101 〔唐〕唐玄宗御注，陸德明音義，〔宋〕邢昺疏：《孝經注疏》景印《文淵閣四庫全書》本，第182冊，頁41。

母，所以能體會他人父母的心，不敢輕慢厭惡他人，並且推行德教，能使天下人效法。《禮記》中提到五種「非孝」[102]，也與《孝經》行孝之次第相應，子女之身源自父母，一言一行謹慎禮敬，忠於本分，才不致損害父母的名譽。〈紀孝行章〉提到孝子事親的五個方面，「居則致其敬，養則致其樂，病則致其憂，喪則致其哀，祭則致其嚴。」[103]平常居家恭敬謙和，進奉飲食怡顏悅色，父母生病憂慮謹慎，父母去世盡其哀情，祭祀父母莊嚴肅穆，做到五者，則「居上不驕，為下不亂，在醜不爭」[104]在外臨下莊敬、奉上恭謹、處眾和順，便不會因有災禍令父母擔憂。相比於《論語》、《禮記》講述較多如何養親之身，《孝經》論孝重在「治」，更多養父母之心、志。

《無量壽經》講述淨業三福「一者，孝養父母，奉事師長，慈心不殺，修十善業。」[105]孝養父母乃淨業三福之首，往生極樂之正因，受持三歸、發菩提心皆以落實孝道為先。《地藏經》有兩種養親方式：一是念佛。子女至誠念佛，能有感應。〈忉利天宮神通品〉婆羅門女在求母去處時，得蒙覺華定自在王如來指引念其名號，「以憶母故，端坐念覺華定自在王如來，經一日一夜。忽見自身，到一海邊。」[106]尋至地獄，雖見惡獸，「以念佛力故，自然無懼。」[107]〈稱

102 「身也者，父母之遺體也。行父母之遺體，敢不敬乎？居處不莊，非孝也；事君不忠，非孝也；蒞官不敬，非孝也；朋友不信，非孝也；戰陳無勇，非孝也。」見於：〔漢〕戴聖編，鄭玄注，〔唐〕孔穎達疏，陸德明音義：《禮記注疏》景印《文淵閣四庫全書》本，冊116，頁282。

103 〔唐〕唐玄宗御注，陸德明音義，〔宋〕邢昺疏：《孝經注疏》，景印《文淵閣四庫全書》本，第182冊，頁66。

104 〔唐〕唐玄宗御注，陸德明音義，〔宋〕邢昺疏：《孝經注疏》，景印《文淵閣四庫全書》本，第182冊，頁66。

105 〔宋〕畺良耶舍譯：《佛說觀無量壽佛經》卷1，收入《大正藏》第12冊，第365經，頁341。

106 〔唐〕實叉難陀譯：《地藏菩薩本願經》卷1〈忉利天宮神通品〉，收入《大正藏》第13冊，第412經，頁778。

佛名號品〉指出念佛功德，「現在未來一切眾生，若天若人，若男若女，但念得一佛名號，功德無量，何況多名？是眾生等，生時死時，自得大利，終不墮惡道。」[108]父母廣修善業，不墮惡道，又信知念佛，生時便積累淨土資糧，孝子助父母往生，方圓滿孝道。元僧普度《廬山蓮宗寶鑑》敘有「念佛乃諸法之要，孝養為百行之先。孝心即是佛心，孝行無非佛行。欲得道同諸佛，先須孝養二親。」[109]孝為百善之先，學佛首要行孝，且有機緣時當勸父母念佛。明蓮池大師《竹窗二筆》開示：

> 人子於父母，服勞奉養以安之，孝也。立身行道以顯之，大孝也。勸以念佛法門，俾得生淨土，大孝之大孝也。……奉告諸人：父母在堂，早勸念佛。父母亡日，課佛三年。其不能者，或一週歲，或七七日，皆可也。孝子欲報劬勞之恩不可不知此。[110]

蓮池大師指明行孝的層次，入世必先養父母之口體，再思揚父母之令名，而後出世以幫助父母念佛求生淨土為報恩之道。父母生時則相勸，亡故後，子女當於七七四十九日、或一年、或三年精進念佛，父母恩重，非此難報。

---

107 〔唐〕實叉難陀譯：《地藏菩薩本願經》卷1〈忉利天宮神通品〉，收入《大正藏》第13冊，第412經，頁778。

108 〔唐〕實叉難陀譯：《地藏菩薩本願經》卷2〈稱佛名號品〉，收入《大正藏》第13冊，第412經，頁786。

109 〔元〕普度編：《廬山蓮宗寶鑑》卷1，收入《大正藏》第47冊，第1973經（東京：大藏出版株式會社，1988年），頁306。

110 〔明〕袾宏著：《雲棲法彙（選錄）》卷13〈竹窗二筆〉，收入《嘉興大藏經（新文豐版）》第33冊，第277經（臺北：新文豐，1987年），頁51。

另一養親方式是廣修福德，婆羅門女「為母設供、修福，布施覺華定自在王如來塔寺。」[111]因修供佛布施之福得以助母升天。光目女也因修供佛之福，母親「蒙汝福力，方得受生。」[112]子女修福可迴向父母，並且子女提升自身修行證果，也能更大程度地幫助父母修行。[113]佛家養親在時間上，「出世之孝，無時而盡。」[114]行孝無始無終；對象上，「非但一世父母，而多生父母皆報。不惟一身父母，而法界父母皆度。同登覺岸。」[115]一切眾生皆是父母，行孝無量無邊。

儒佛行孝皆首重奉養父母之身[116]，《孝經》以敦倫盡分、忠君、修身揚名養父母之心、志，《地藏經》以念佛、修福、修行證果養父母之慧。前者養親之心擴展至天下人，後者擴展至一切眾生，皆體現孝之廣大。

---

111 〔唐〕實叉難陀譯：《地藏菩薩本願經》卷1〈忉利天宮神通品〉，收入《大正藏》第13冊，第412經，頁779。

112 〔唐〕實叉難陀譯：《地藏菩薩本願經》卷1〈閻浮眾生業感品〉，收入《大正藏》第13冊，第412經，頁781。

113 「由此可知，超度的人，如果心不懇切，不能將自己的境界往上提升修行證果，被超度的人受益就很有限。婆羅門女成了菩薩，她母親是菩薩之母，而且她母親又有很大的貢獻，當然能從地獄升天。」見於：釋淨空：《地藏經講記》，頁92。

114 〔明〕大佑集：《淨土指歸集》卷1，收入《新纂卍續藏》第61冊，第1154經（東京：株式會社國書刊行會，1975-1989年），頁387。

115 〔元〕普度編：《廬山蓮宗寶鑑》卷1，收入《大正藏》第47冊，第1973經（東京：大藏出版株式會社，1988年），頁307。

116 按：儒佛皆以奉養父母為首，「惟我釋子，以成道利生為最上報恩之事。且不僅報答多生之父母，併當報答無量劫來四生六道中一切父母。不僅於父母生前而當孝敬，且當度脫父母之靈識，使其永出苦輪，常住正覺。故曰：釋子之孝，晦而難明者也。雖然，儒之孝，以奉養父母為先者也。若釋氏辭親出家，豈竟不顧父母之養乎。夫佛制，出家必稟父母。若有兄弟子姪可托，乃得稟請於親，親允方可出家，否則不許剃落。」見於：印光法師：《印光法師文鈔．卷二．佛教以孝為本論》，頁492。

（二）勸諫

〈諫諍章〉有「故當不義，則子不可以不爭於父，臣不可以不爭於君。故當不義，則爭之。」[117]為人子、人臣有勸諫的義務，不能使父母君主陷於不義，以義為行為的標準。對於勸諫的方式，《論語》有「事父母幾諫。見志不從，又敬不違，勞而不怨。」[118]子女應委婉地勸諫，若父母不聽從，也要保持恭敬不忤逆，一心為父母而沒有怨言。在勸諫的態度上，《禮記》有「下氣怡色柔聲以諫，諫若不入，起敬起孝，說則復諫。」[119]又有「三諫而不聽，則號泣而隨之。」[120]子女勸諫須和顏悅色，若父母不聽，等父母愉悅時再勸諫；若多次後父母仍不聽，因擔憂父母而真心流露出悲傷，隨順父母但盡量使造成的結果對父母的傷害最小，子女主動為父母的過錯做彌補。《大戴禮記・曾子事父母》有「孝子之諫，達善而不敢爭辨；爭辨者，作亂之所由興也。」[121]子女勸諫時不能爭辯，否則失去對父母的恭敬，爭辯是產生禍亂的開始。孝子無私，念念為父母考慮，因此對父母的過錯不會指責，而是幫助父母修正過失，耐心包容而常存恭敬。「大孝終身慕父母」[122]是子女明辨是非後，即使父母有過惡，仍不失愛父母的天性。另外，延伸至事君，〈事君章〉講君子「進思盡忠，退思補

---

117 〔唐〕唐玄宗御注，陸德明音義，〔宋〕邢昺疏：《孝經注疏》景印《文淵閣四庫全書》本，第182冊，頁72。

118 〔魏〕何晏注，〔宋〕邢昺疏：《十三經注疏・論語注疏》，頁37。

119 〔漢〕戴聖編，鄭玄注，〔唐〕孔穎達疏，陸德明音義：《禮記注疏》景印《文淵閣四庫全書》本，冊115，頁562。

120 〔漢〕戴聖編，鄭玄注，〔唐〕孔穎達疏，陸德明音義：《禮記注疏》景印《文淵閣四庫全書》本，冊115，頁115。

121 〔漢〕戴德撰，〔北周〕盧辯注：《大戴禮記》（臺北：臺灣商務印書館，2008年12月）景印《文淵閣四庫全書》本，冊128，頁447。

122 〔漢〕趙岐注，〔宋〕孫奭疏：《十三經注疏・孟子注疏》（臺北：藝文印書館，2011年），頁160。

過，將順其美，匡救其惡，故上下能相親也。」[123]君主位高權重，若決策違背道義，波及範圍甚廣，為人臣者當盡心盡力，及時勸諫，避免災禍，此為君臣之義。

《地藏經》地藏菩薩有兩種勸諫眾生勿造惡業、多行善事的方式，皆基於因果業報之理。第一種，以惡因惡報勸說。〈閻浮眾生業感品〉佛告四天王地藏菩薩於娑婆世界教化眾生的方式，「地藏菩薩若遇殺生者，說宿殃短命報。……若遇邪見者，說邊地受生報。」[124]眾生妄造身口意惡業，則必受苦報，此從免造惡因上勸說眾生深信因果。又勸以地獄惡報，〈地獄名號品〉地藏菩薩為普賢菩薩解說地獄名號，「仁者！我今承佛威神，及大士之力，略說地獄名號，及罪報惡報之事。……復有地獄，名曰多瞋。」[125]又說地獄罪報「仁者！地獄罪報，其事如是：或有地獄，取罪人舌，使牛耕之。……若廣解說，窮劫不盡。」[126]也有〈觀眾生業緣品〉地藏菩薩為摩耶夫人解說墮無間地獄之業報，殺盜淫妄為墮因。[127]

第二種，以功德利益勸說，分為布施、瞻禮地藏菩薩像及誦經功

123 〔唐〕唐玄宗御注，陸德明音義，〔宋〕邢昺疏：《孝經注疏》景印《文淵閣四庫全書》本，第182冊，頁77。

124 〔唐〕實叉難陀譯：《地藏菩薩本願經》卷1〈閻浮眾生業感品〉，收入《大正藏》第13冊，第412經，頁781。

125 〔唐〕實叉難陀譯：《地藏菩薩本願經》卷1〈地獄名號品〉，收入《大正藏》第13冊，第412經，頁782。

126 〔唐〕實叉難陀譯：《地藏菩薩本願經》卷1〈地獄名號品〉，收入《大正藏》第13冊，第412經，頁782。

127 「南閻浮提罪報，名號如是：若有眾生，不孝父母，或至殺害，當墮無間地獄，千萬億劫，求出無期。……若有眾生，偷竊常住財物穀米、飲食衣服，乃至一物不與取者，當墮無間地獄，千萬億劫，求出無期。」「獨有一獄，名曰無間。其獄周匝萬八千里，獄墻高一千里，……除非業盡，方得受生。以此連綿，故稱無間。」見於：〔唐〕實叉難陀譯：《地藏菩薩本願經》卷1〈觀眾生業緣品〉，收入《大正藏》第13冊，第412經，頁779。

德。〈校量布施功德緣品〉佛告地藏菩薩布施功德；[128]〈如來讚歎品〉佛告普廣菩薩，瞻禮歌詠讚歎及香華供養地藏菩薩像、懺悔稱名之功德；[129]〈地神護法品〉也提到供養地藏菩薩像有十種利益，及誦經功德；[130]〈見聞利益品〉佛告觀世音菩薩，供養瞻禮地藏菩薩及聞名者，所願皆成，罪障消除。[131]〈囑累人天品〉佛告虛空藏菩薩，瞻禮供養地藏形像及誦經，善男子、善女人獲二十八種利益，天龍鬼神得七種利益。[132]此皆廣行善事，種善因必得善果。〈忉利天宮神通

128 「南閻浮提，有諸國王、宰輔大臣、大長者、大刹利、大婆羅門等，若遇最下貧窮，乃至癃殘瘖瘂，聾癡無目，如是種種不完具者。……是故，地藏！布施因緣，其事如是。」見於：〔唐〕實叉難陀譯：《地藏菩薩本願經》卷2〈校量布施功德緣品〉，收入《大正藏》第13冊，第412經，頁786-787。

129 「未來世中，若有善男子、善女人，聞是地藏菩薩摩訶薩名者，或合掌者、讚歎者、作禮者、戀慕者，是人超越三十劫罪。……是諸眾生，聞菩薩名，見菩薩像，乃至聞是經，三字五字，或一偈一句者，現在殊妙安樂，未來之世，百千萬生，常得端正，生尊貴家。」見於：〔唐〕實叉難陀譯：《地藏菩薩本願經》卷1〈如來讚歎品〉，收入《大正藏》第13冊，第412經，頁782-783。

130 「世尊！我觀未來及現在眾生，於所住處，於南方清潔之地，以土石竹木，作其龕室。是中能塑畫，乃至金銀銅鐵，作地藏形像，燒香供養，瞻禮讚歎。是人居處，即得十種利益。何等為十？一者，土地豐壤。二者，家宅永安。三者，先亡生天。四者，現存益壽。五者，所求遂意。六者，無水火災。七者，虛耗辟除。八者，杜絕惡夢。九者，出入神護。十者，多遇聖因。……皆由瞻禮地藏形像，及轉讀是本願經故。自然畢竟出離苦海，證涅槃樂。以是之故，得大擁護。」見於：〔唐〕實叉難陀譯：《地藏菩薩本願經》卷2〈地神護法品〉，收入《大正藏》第13冊，第412經，頁787。

131 「未來現在諸世界中，有天人受天福盡，有五衰相現，或有墮於惡道之者。如是天人，若男若女，當現相時，或見地藏菩薩形像，或聞地藏菩薩名，一瞻一禮，是諸天人，轉增天福，受大快樂，永不墮三惡道報。……是故，觀世音！汝以神力，流布是經，令娑婆世界眾生，百千萬劫，永受安樂。」見於：〔唐〕實叉難陀譯：《地藏菩薩本願經》卷2〈見聞利益品〉，收入《大正藏》第13冊，第412經，頁787-788。

132 「諦聽！諦聽！吾當為汝分別說之。若未來世，有善男子、善女人，見地藏形像，及聞此經，乃至讀誦，香華飲食、衣服珍寶，布施供養，讚歎瞻禮，得二十八種利益：一者天龍護念，二者善果日增，三者集聖上因，四者菩提不退，五者

品〉記載佛有大智慧神通之力「調伏剛彊眾生」[133]，釋靈棨《地藏本願經科註》註「此土眾生，剛強難化。」[134]點明眾生難勸難度，又於《地藏菩薩本願經綸貫》指出地藏菩薩教化眾生「一轉惡為善，二轉迷成解，三轉凡成聖」[135]，以因果業報之理，分別從正反兩方面，勸眾生勿作惡業以免苦，廣修功德以得福。

綜觀二經，《孝經》以義為勸諫的標準，《地藏經》以善為教化的導向。儒家勸諫是養父母之智、慧的體現，始終保持對父母的恭敬；佛家勸導眾生深信因果，以惡報之可懼，善報之惠利，教眾生斷惡修善，離苦得樂。二者無論一世亦或多世，皆可見孝子、佛菩薩勸諫之耐心恆心，無有疲厭，無有捨棄，且對父母、眾生無要求，無條件關愛父母、眾生。

（三）守喪

〈喪親章〉孔子提出孝子臨喪哀戚、葬親以禮、守喪三年、祭親

衣食豐足，六者疾疫不臨，七者離水火災，八者無盜賊厄，九者人見欽敬，十者神鬼助持，十一者女轉男身，十二者為王臣女，十三者端正相好，十四者多生天上，十五者或為帝王，十六者宿智命通，十七者有求皆從，十八者眷屬歡樂，十九者諸橫銷滅，二十者業道永除，二十一者去處盡通，二十二者夜夢安樂，二十三者先亡離苦，二十四者宿福受生，二十五者諸聖讚歎，二十六者聰明利根，二十七者饒慈愍心，二十八者畢竟成佛。復次，虛空藏菩薩！若現在未來，天龍鬼神，聞地藏名，禮地藏形，或聞地藏本願事行，讚歎瞻禮，得七種利益：一者速超聖地，二者惡業銷滅，三者諸佛護臨，四者菩提不退，五者增長本力，六者宿命皆通，七者畢竟成佛。」見於：〔唐〕實叉難陀譯：《地藏菩薩本願經》卷2〈囑累人天品〉，收入《大正藏》第13冊，第412經，頁789。

133 〔唐〕實叉難陀譯：《地藏菩薩本願經》卷1，收入《大正藏》第13冊，第412經，頁777。

134 〔清〕靈棨輯：《地藏本願經科註》卷1，收入《新纂卍續藏》第21冊，第384經（東京：株式會社國書刊行會，1975-1989年），頁656。

135 〔清〕靈棨撰：《地藏本願經綸貫》，收入《新纂卍續藏》第21冊，第383經，頁644。

以禮。初喪親時,「孝子之喪親也,哭不偯,禮無容,言不文,服美不安,聞樂不樂,食旨不甘,此哀戚之情也。三日而食,教民無以死傷生。毀不滅性,此聖人之政也。」[136]失聲痛哭、無心妝容、言無文飾、不穿華服、聽音樂而不覺歡愉、吃美食而覺無味,此皆自然流露的哀戚之情。但禮有節制,第三天便要進食,不能因過度悲傷而損害自己的身體。葬親時,「為之棺槨衣衾而舉之,陳其簠簋而哀戚之;擗踊哭泣,哀以送之;卜其宅兆,而安措之。」[137]先為父母準備棺材、壽衣、喪禮用具等,從小殮守靈至大殮出殯,而後謹慎擇地安葬。「喪不過三年,示民有終也。」[138]喪期三年,合乎人情,乃報父母三年懷抱之恩[139]。祭親時,「為之宗廟,以鬼享之;春秋祭祀,以時思之。」[140]日常祭祀於宗廟,供奉祭品;春秋兩次祭祀[141],追思緬懷,不忘祖先、父母之恩德。喪祭之禮重在心境,「生事愛敬,死事哀戚,生民之本盡矣,死生之義備矣,孝子之事親終矣。」[142]祭祀父母如同生時

136 〔唐〕唐玄宗御注,陸德明音義,〔宋〕邢昺疏:《孝經注疏》景印《文淵閣四庫全書》本,第182冊,頁79。

137 〔唐〕唐玄宗御注,陸德明音義,〔宋〕邢昺疏:《孝經注疏》景印《文淵閣四庫全書》本,第182冊,頁80。

138 〔唐〕唐玄宗御注,陸德明音義,〔宋〕邢昺疏:《孝經注疏》景印《文淵閣四庫全書》本,第182冊,頁79。

139 「子生三年,然後免於父母之懷。夫三年之喪,天下通喪也。」見於:〔魏〕何晏注,〔宋〕邢昺疏:《十三經注疏・論語注疏》,頁158。

140 〔唐〕唐玄宗御注,陸德明音義,〔宋〕邢昺疏:《孝經注疏》景印《文淵閣四庫全書》本,第182冊,頁80。

141 「祭不欲數,數則煩,煩則不敬。祭不欲疏,疏則怠,怠則忘,是故君子合諸天道、春禘、秋嘗。霜露既降,君子履之,必有淒愴之心,非其寒之謂也。春,雨露既濡,君子履之,必有怵惕之心,如將見之。樂以迎來,哀以送往。故禘有樂而嘗無樂。」見於:〔漢〕戴聖編,鄭玄注,〔唐〕孔穎達疏,陸德明音義:《禮記注疏》景印《文淵閣四庫全書》本,冊116,頁265。

142 〔唐〕唐玄宗御注,陸德明音義,〔宋〕邢昺疏:《孝經注疏》景印《文淵閣四庫全書》本,第182冊,頁81。

孝養[143]，皆以愛敬存心，孝順之心不因父母的生死而改變[144]，喪祭之禮是養親之禮的延續。「喪禮，與其哀不足而禮有餘也，不若禮不足而哀有餘也。」[145]禮是外在的形式，而孝重在子女對父母內心的感恩和恭敬，哀情出於天然，既有「無父何怙，無母何恃」[146]，親人分離的憂傷；亦有「子欲養而親不待也」[147]，無法盡孝的悲哀。

《地藏經》講在父母臨終時，應為父母修福，修福的方式可概括為三。一是供佛念佛，〈利益存亡品〉載：

> 臨命終時，父母眷屬宜為設福，以資前路。或懸旛蓋，及然油燈，或轉讀尊經，或供養佛像及諸聖像。乃至念佛菩薩及辟支佛名字，一名一號，歷臨終人耳根，或聞在本識。[148]

聽經聞法、利益大眾、供養佛像、誦經、念佛都是修福，尤其念佛是助父母解脫之法。「臨命終日，得聞一佛名、一菩薩名、一辟支佛

143 「文王之祭也，事死者，如事生。」見於：〔漢〕戴聖編，鄭玄注，〔唐〕孔穎達疏，陸德明音義：《禮記注疏》景印《文淵閣四庫全書》本，冊116，頁268。

144 按：「曾子曰：『孝子之養老也，樂其心不違其志，樂其耳目，安其寢處，以其飲食忠養之。孝子之身終，終身也者，非終父母之身，終其身也；是故父母之所愛亦愛之，父母之所敬亦敬之，至於犬馬盡然，而況於人乎！』」見於：〔漢〕戴聖編，鄭玄注，〔唐〕孔穎達疏，陸德明音義：《禮記注疏》景印《文淵閣四庫全書》本，冊115，頁574。

145 〔漢〕戴聖編，鄭玄注，〔唐〕孔穎達疏，陸德明音義：《禮記注疏》景印《文淵閣四庫全書》本，冊115，頁158。

146 〔漢〕毛亨撰，鄭玄箋，〔唐〕孔穎達疏，陸德明音義：《毛詩注疏》景印《文淵閣四庫全書》本，冊69，頁574。

147 〔魏〕王肅注：《孔子家語》（臺北：臺灣商務印書館，2008年12月）景印《文淵閣四庫全書》本，冊695，頁19。

148 〔唐〕實叉難陀譯：《地藏菩薩本願經》卷2〈利益存亡品〉，收入《大正藏》第13冊，第412經，頁784。

名，不問有罪無罪，悉得解脫。」[149]無論父母是否信佛，皆能在阿賴耶識印下佛種，承佛威力，得脫眾苦。二是戒殺護生，不可殺生，復造惡業。「臨終之日，慎勿殺害，及造惡緣——拜祭鬼神，求諸魍魎。何以故？爾所殺害，乃至拜祭，無纖毫之力利益亡人，但結罪緣，轉增深重。」[150]避免臨終時造作惡因，加重罪報。「若能更為身死之後，七七日內，廣造眾善，能使是諸眾生，永離惡趣，得生人天，受勝妙樂，現在眷屬，利益無量。」[151]父母去世後七七四十九天內，業果未定，尚未投胎，若能廣做善事，可助父母得人天福報，不墮惡道，七七日過後則隨業受報。三是奉齋佛僧。「閻浮眾生，若能為其父母，乃至眷屬，命終之後，設齋供養，志心勤懇，如是之人，存亡獲利。」[152]子女以誠敬心設齋供養佛僧，真誠懇切，七分功德，父母只得一分，[153]若子女所布施財物不如法、對三寶不恭敬，則一分猶難。以上皆臨終時為父母修福之法，但若能父母康健時，勸父母念佛往生，則甚佳。明釋大佑在《淨土指歸集》指出：

> 父母信知念佛，蓮華種植時也；一心念佛，蓮華出水時也；念佛功成，華開見佛時也。孝子察其往生時至，預以父母平生眾善，聚為一疏，時時讀之，令生歡喜。又請父母，坐臥向西，

149 〔唐〕實叉難陀譯：《地藏菩薩本願經》卷2〈利益存亡品〉，收入《大正藏》第13冊，第412經，頁784。

150 〔唐〕實叉難陀譯：《地藏菩薩本願經》卷2〈利益存亡品〉，收入《大正藏》第13冊，第412經，頁784。

151 〔唐〕實叉難陀譯：《地藏菩薩本願經》卷2〈利益存亡品〉，收入《大正藏》第13冊，第412經，頁784。

152 〔唐〕實叉難陀譯：《地藏菩薩本願經》卷2〈利益存亡品〉，收入《大正藏》第13冊，第412經，頁784。

153 「是命終人，七分獲一。」見於：〔唐〕實叉難陀譯：《地藏菩薩本願經》卷2〈利益存亡品〉，收入《大正藏》第13冊，第412經，頁784。

> 而不忘淨土。設彌陀像，然香鳴磬，念佛不絕。捨報之時，更須用意，無以哀哭失其正念。父母得生淨土，受諸快樂，豈不嘉哉。平生孝養，正在此時。[154]

父母一心念佛求生淨土，則能預知時至。臨終時，子女請父母向西而臥，面前供奉佛像，點香並敲引磬，為父母助念。父母捨報，子女不能痛哭而使父母有所留戀，當以念佛幫助父母保持正念。孝養父母最終正是為父母能往生，不再受六道輪迴之苦。印光法師開示「臨終三大要」與此相應，並點明「實則死之一字，原是假名。以宿生所感一期之報盡，故捨此身軀，復受別種身軀耳。」[155]子女若知此「無死無生」之理，則不因父母離世而悲痛，當全心全意為父母念佛迴向，助父母離苦得樂。至於祭祀，西晉竺法護所譯《佛說盂蘭盆經》載：

> 是佛弟子修孝順者，應念念中常憶父母，供養乃至七世父母。年年七月十五日，常以孝順慈憶所生父母，乃至七世父母，為作盂蘭盆施佛及僧，以報父母長養、慈愛之恩。[156]

子女為報父母恩德，七月十五日以虔誠供養三寶的功德，迴向累世父母，現在父母長壽安泰，已故父母獲福超升。

《孝經》與《地藏經》皆重喪祭。父母喪時，儒家哀情出於父子有親之天性，佛家修福助念出於明理之智慧；前者基於圓滿一世之

---

154 〔明〕大佑集：《淨土指歸集》卷1，收入《新纂卍續藏》第61冊，第1154經，頁387。

155 印光法師鑑定，李圓淨居士編：《飭終津梁》（臺北：華藏淨宗學會、世樺國際公司，2007年），頁94。

156 〔唐〕宗密述：《佛說盂蘭盆經疏》，收入《大正藏》第39冊，第1792經，頁779。

孝，後者基於救父母出輪迴之苦，二者皆順乎人情，以父母之心為心。祭祀父母時，儒家以誠敬心每年春秋祭祀，與父母在世時無異；佛家每年盂蘭盆節，設齋供養佛僧，為父母修福，冥陽兩利。二者皆固定祭祀，不忘父母恩德，知恩報恩。

七　結語

本文從傳承方式和行孝方式兩方面，研究《孝經》與《地藏經》孝道觀之融通。經分析梳理，總結如下：

其一，關於傳承背景，二經在作者、成書年代、疑偽經上莫衷一是。但唐玄宗御注《孝經》與《地藏經》皆於唐代產生，並在出現前，均有一脈相承的多部經典論述孝道；至二經面世，儒佛孝道觀已趨於完備。

其二，關於傳承言語，在傳承對象上，孔子傳曾子、佛陀傳地藏菩薩，此四人皆為孝子，傳授時心繫利益萬世、眾生，且師者苦心傳道，學生尊師重道，此乃孝親之延續。在傳承內容上，二者皆重力行孝道，但側重不同，前者從個人行孝推廣至治理天下，後者從救一世父母推廣至救累劫父母、六道眾生。在傳承形式上，二者都有問答，但前者問答對象單一，且多段末引《詩》《書》以加強論證；後者多人配合問答，演說故事，形象生動。

其三，關於行孝心境，可歸納兩點。一為知恩報恩，前者以身心安泰、言行合義報父母養育教導之恩，後者以解脫六道輪迴、發願救一切眾生離苦得樂報累世父母護持之恩。二為斷惡修善，前者孝子言行必合禮義，後者行孝便是持戒，二者皆以孝為德行之本。

其四，關於行孝實踐，共性有三。一為養親，前者以敦倫盡分、忠君、修身揚名養父母之心志，後者以念佛、修福、修行證果養父母之智慧。二為勸諫，前者強調孝子在父母、君主所作非義時要及時勸諫，後者勸導眾生深信因果業報、止惡行善。三為守喪，前者遇父母喪時悲戚，謹慎安葬父母；後者在父母臨終時以供佛念佛、戒殺護生、奉齋佛僧等修福迴向。二者祭祀皆有定時，前者以誠敬心如同侍奉生時父母，後者設齋供養佛僧為父母修福。

綜合上述，本文從不同角度解析《孝經》與《地藏經》孝道觀之融通，歸納出以上四點結論。不可否認，此融通中蘊含差異，然而正是二者的區別之處，使儒佛孝道觀具有不同的社會功能，但目標一同，即導歸人心向善。憨山大師云：「捨人道無以立佛法，非佛法無以盡一心。是則佛法以人道為鎡基，人道以佛法為究竟。」[157]佛法不離五倫，儒家倫理升至佛法教化而臻於圓滿。本文旨在探索如何以儒家孝道的在世關懷，成就佛法孝道的解脫精神，期冀對入世與出世行孝研究有所裨益。

157〔明〕福善日錄，通炯編輯：《憨山老人夢遊集》，收入《新纂卍續藏》第73冊，第1456經（東京：株式會社國書刊行會，1975-1989年），頁769。

參考文獻

一　古籍專書（按朝代）

〔漢〕毛亨撰，鄭玄箋，〔唐〕孔穎達疏，陸德明音義：《毛詩注疏》，景印《文淵閣四庫全書》本，第69冊，臺北：臺灣商務印書館，2008年。

〔漢〕孔安國撰：《古文孝經孔氏傳》，景印《文淵閣四庫全書》本，第182冊，臺北：臺灣商務印書館，2008年。

〔漢〕司馬遷撰，〔宋〕裴駰集解，〔唐〕司馬貞索引，張守節正義：《史記》，景印《文淵閣四庫全書》本，第244冊，臺北：臺灣商務印書館，2008年。

〔漢〕戴德撰，〔北周〕盧辯注：《大戴禮記》，景印《文淵閣四庫全書》本，第128冊，臺北：臺灣商務印書館，2008年。

〔漢〕戴聖編，鄭玄注，〔唐〕孔穎達疏，陸德明音義：《禮記注疏》，景印《文淵閣四庫全書》本，第116冊，臺北：臺灣商務印書館，2008年。

〔漢〕趙岐注，〔宋〕孫奭疏：《孟子注疏》，臺北：藝文印書館，2011年。

〔魏〕王肅注：《孔子家語》，景印《文淵閣四庫全書》本，第695冊，臺北：臺灣商務印書館，2008年。

〔魏〕何晏注，〔宋〕邢昺疏：《論語注疏》，臺北：藝文印書館，2011年。

〔東晉〕佛馱跋陀羅譯：《大方廣佛華嚴經》，收入《大正新脩大藏經》（以下簡稱《大正藏》）第9冊，第278經，東京：大藏出版株式會社，1988年。

〔後秦〕鳩摩羅什譯：《梵網經》，收入《大正藏》第24冊，第1484經，東京：大藏出版株式會社，1988年。

〔隋〕菩提燈譯：《占察善惡業報經》，收入《大正藏》第17冊，第839經，東京：大藏出版株式會社，1988年。

〔唐〕實叉難陀譯：《地藏菩薩本願經》，收入《大正藏》第13冊，第412經，東京：大藏出版株式會社，1988年。

〔唐〕唐玄宗御注，陸德明音義，〔宋〕邢昺疏：《孝經注疏》，景印《文淵閣四庫全書》本，第182冊，臺北：臺灣商務印書館，2008年。

〔唐〕玄逸撰：《大唐開元釋教廣品歷章》，收入《趙城金藏》第98冊，第1267經，北京：北京圖書館出版社，2008年。

〔唐〕澄觀別行疏，宗密隨疏鈔：《華嚴經行願品疏鈔》，收入《新纂卍續藏》第5冊，第229經，東京：株式會社國書刊行會，1975-1989年。

〔唐〕宗密述：《佛說盂蘭盆經疏》，收入《大正藏》第39冊，第1792經，東京：大藏出版株式會社，1988年。

〔宋〕歐陽修撰：《新唐書》，景印《文淵閣四庫全書》本，第272冊，臺北：臺灣商務印書館，2008年12月。

〔宋〕畺良耶舍譯：《佛說觀無量壽佛經》卷1，收入《大正藏》第12冊，第365經，東京：大藏出版株式會社，1988年。

〔宋〕常謹集：《地藏菩薩像靈驗記》，收入《卍新纂大日本續藏經》（以下簡稱《新纂卍續藏》）第87冊，第1638經，東京：株式會社國書刊行會，1975-1989年。

〔宋〕契嵩撰：《鐔津文集》，收入《大正藏》第52冊，第2115經，東京：大藏出版株式會社，1988年。

〔宋〕戒環解：《楞嚴經要解》，收入《新纂卍續藏》第11冊，第270經，東京：株式會社國書刊行會，1975-1989年。

〔元〕普度編：《廬山蓮宗寶鑑》，收入《大正藏》第47冊，第1973經，東京：大藏出版株式會社，1988年。

〔明〕大佑集：《淨土指歸集》，收入《新纂卍續藏》第61冊，第1154經，東京：株式會社國書刊行會，1975-1989年。

〔明〕袾宏著：《雲棲法彙（選錄）》，收入《嘉興大藏經（新文豐版）》第33冊，第277經，臺北：新文豐出版社，1987年。

〔明〕福善日錄，通炯編輯：《憨山老人夢遊集》，收入《新纂卍續藏》第73冊，第1456經，東京：株式會社國書刊行會，1975-1989年。

〔清〕靈椉撰：《地藏本願經綸貫》，收入《新纂卍續藏》第21冊，第383經，東京：株式會社國書刊行會，1975-1989年。

〔清〕靈椉輯：《地藏本願經科註》，收入《新纂卍續藏》第21冊，第384經，東京：株式會社國書刊行會，1975-1989年。

〔清〕周安士彙集：《西歸直指》，收入《新纂卍續藏》第62冊，第1173經，東京：株式會社國書刊行會，1975-1989年。

〔清〕永瑢、紀昀等撰，王雲五總編纂：《四庫全書總目提要（七）》，臺北：臺灣商務印書館，2001年。

〔清〕皮錫瑞著，周予同注，王雲五主編：《經學歷史》，上海：商務印書館，1934年。

二　現代專書（按姓氏筆畫）

印光法師：《印光法師文鈔》，臺北縣三重市：香光淨宗學會、三禾出版製作公司，2004年。

印光法師：《印光法師文鈔續編》，臺北縣三重市：香光淨宗學會、三禾出版製作公司，2004年。

印光法師鑑定，李圓淨居士編：《飭終津梁》，臺北：華藏淨宗學會、世樺國際公司，2007年。

孟世凱：《儒家經典：十三經簡述》，臺北：萬卷樓圖書公司，2001年。
莊雅州：《經學入門》，臺北：臺灣書店，1997年。
陳明光整理：《父母恩重經變經文偈頌》，收入《藏外佛教文獻》第4冊，第36經，北京：宗教文化出版社，1995-2003年。
陳壁生：《孝經學史》，上海：華東師範大學出版社，2015年。
陳鐵凡：《孝經學源流》，臺北：國立編譯館，1986年。
葉國良，夏長樸，李隆獻：《經學通論》，臺北：臺灣學生書局，2017年。
舒大剛：《中國孝經學史》，福州：福建人民出版社，2013年。
聖一法師：《地藏菩薩本願經講記》，臺北：佛陀教育基金會，1998年。
釋淨空：《地藏經講記》，臺北：財團法人佛陀教育基金會，2011年。
〔日〕松本文三郎：《佛典批評論》，京都：弘文堂書房，1927年。
〔日〕真鍋廣濟：《地藏菩薩の研究》，京都：三密堂書店，1987年。

三　學位論文（按姓氏筆畫）

何成基：〈地藏信仰思想探微——以大孝與大願為中心〉，臺北：華梵大學東方人文思想研究所碩士學位論文，2013年。
蔡東益：〈《地藏經》及其孝道思想之研究〉，臺北：華梵大學東方人文思想研究所碩士論文，2000年。
釋仁安（黃曉萍）：〈《地藏菩薩本願經》的孝道思想研究〉，臺北：華梵大學東方人文思想研究所碩士學位論文，2017年。

四　期刊論文（按姓氏筆畫）

毛振華：〈《孝經》引《詩》的特點及其學術意義〉，《山西師大學報社會科學版》第44卷第5期（2017年9月），頁55-58。
呂妙芬：〈儒門聖賢皆孝子：明清之際理學關於成聖與家庭人倫的論述〉，《清華學報》新44卷第4期（2014年12月），頁629-660。

朱　嵐：〈論儒佛孝道觀的歧異〉，《世界宗教研究》2008年第1期，頁40-47。

范　贇：〈試論儒佛孝親觀的融合與區別——以《孝經》、《孝論》的比較為中心〉，《史志鑒研究・黑龍江史志》總第222期（2010年5月），頁17-18。

陳永革：〈儒佛孝慈倫理之異同——以戒孝一致論為中心〉，《西南民族大學學報（人文社會科學版）》總第221期（2010年1月），頁198-204。

陳　堅：〈儒佛孝道觀的比較〉，《孔子研究》2008年第3期，頁77-89。

張儒平：〈論儒佛孝道觀及其相互融合〉，《同濟大學學報（社會科學版）》第12卷第6期（2001年12月），頁9-14。

廣　興：〈儒佛孝道觀的比較研究〉，《宗教研究》2015春，頁144-172。

五　網絡資料

法鼓文理學院：《CBETA 電子佛典集成》，臺北：中華電子佛典協會（Chinese Buddhist Electronic Text Association）。網址：https://cbetaonline.dila.edu.tw/zh/，2023年6月15日瀏覽。

蕅益智旭淨土生因觀點探析

李悅嘉
威爾士三一聖大衛大學漢學院畢業校友

摘要

如何得生極樂淨土，乃是淨宗行人最關切的問題。關於淨土生因的探討可謂代不乏人。一般認為，往生須具信願行。淨宗九祖蕅益智旭卻提出「得生與否，全由信願之有無」的觀點，似僅以信願為得生的決定因素。

本文從這一觀點切入，對智旭論著中關於淨土生因的內容歸納分析，發現智旭並非捨棄行，也認為信願行皆往生淨土的充要條件，只是在三者中於信願尤為強調。這也是大部分研究智旭淨土思想的學者所關注到的。本文則更進一步，從智旭所論信願行的關係及得生淨土對三者程度要求的區別兩方面，探析智旭觀點的深層意涵。在智旭看來，信願可謂行的充分條件，對行有導向、鞭策的作用。此外，智旭以信願為得生極樂凡聖同居土的關鍵，明確提出在深信切願的前提下，散亂心念佛也可往生。此實彰顯得生同居土的條件對信願程度要求高，而對修證程度則沒有太高的要求。並深入辨析如何才能真正算得上信願「深切」，滿足得生條件；所言「散亂心」究竟所指為何等關鍵問題。此亦本文創見所在。

通過對比，智旭關於淨土生因的觀點非但不違背淨宗經典所論得生條件，甚至更大程度彰顯淨宗易行、攝機廣大的特點。時至今日，對淨宗行者的修行仍具有重要指導意義。

關鍵詞：蕅益智旭、淨土生因、信、願、行

A Study on Ouyi Zhixu's Proposition about The Causes of Rebirth in The Pure Land

Yue-jia Li

Alumna of the Academy of Sinology, University of Wales Tinity Saint David

Abstract

How to be reborn in the Pure Land is what the practitioners of the Pure Land School concerned most. There were always discussions about the causes of rebirth from generation to generation. It is generally believed that rebirth in the Pure Land requires the three essentials: faith, vow and practice. However, the ninth patriarch of the Pure Land School, Ouyi Zhixu 蕅益智旭, proposed a viewpoint that 'whether one can attain rebirth in the Pure Land depends entirely on the presence of faith and vow', seemingly suggesting that faith and vow are the only two decisive factors for rebirth.

Starting from this viewpoint, this dissertation conducts an inductive analysis of Zhixu's statements about the causes of rebirth in his works. It is found that Zhixu did not discard practice. Instead, he also regarded faith, vow and practice are all necessary and sufficient conditions for rebirth, while particularly emphasized on the importance of faith and vow. This is also what most scholars have already paid attention to. In order to explore the deep implication of Zhixu's viewpoint, this dissertation especially makes further research on two aspects. One is the relationship between the faith, vow and practice. Another one is the differences in the degree requirements of the three conditions for rebirth. Faith and vow, in Zhixu's opinions, were both sufficient conditions for practice, having a guiding and motivating effect on it. Besides, Zhixu took firm faith and earnest vow as the key to be reborn in the Pure Land of Ordinary and Noble Beings Together Dwelling 凡聖同居土, explicitly stating that under such a condition, one can attain rebirth even if chanting Amitabha with 'distracting mind 散亂心'. It did manifest that in terms of rebirth in the Pure Land of Ordinary and Noble Beings Together Dwelling, the degree requirements for faith and vow are high, but not that high for practice. Thus, this dissertation also analyses some key issues in-depth. For example, what could be called 'firm faith and earnest vow' that can meet the conditions for rebirth, and what the exact meaning of 'distracting mind' is by Zhixu. These are all the original ideas of this dissertation.

Through comparison, it is found that Zhixu's viewpoint not only did not violate the doctrines in the sutras; but even demonstrated to a greater extent the characteristics of the Pure Land School as being easy to practice and widely drawing sentient beings of all levels in. His proposition has had a profound influence and remains great guiding significance for the practice of the Pure Land School even to this day.

Keywords: Ouyi Zhixu, Causes of rebirth in the Pure Land, Faith, Vow, Practice

一　緒論

淨土宗指信仰阿彌陀佛，專修往生西方極樂淨土的佛教派別，[1]以仰承彌陀願力接引眾生為基點，具有簡易直捷、方便究竟等特點，歷來被稱為他力易行法門，[2]在漢傳佛教占據極重要的地位。如何得生淨土，圓成佛道，乃是淨宗行人最關切的問題。關於淨土生因的討論，[3]亦是淨宗教理研究的核心。歷來普遍以「信、願、行」為淨宗三大行持，又稱「淨土三資糧」。

淨宗九祖蕅益智旭於《阿彌陀經要解》（下簡稱《要解》），[4]卻提出「得生與否，全由信願之有無。」[5]此說可視為其淨土生因觀點之代表，對後世淨業學人影響頗深。十三祖印光對此說推崇備至，稱其

1　在佛教教義中，淨土為聖者所居清淨莊嚴處所，離諸惡行垢染，美妙快樂，不同於眾生所居煩惱污穢、善少惡多之穢土。於諸佛國土中，如阿彌陀佛、彌勒佛、阿閦佛、藥師佛、毗盧遮那佛等諸佛都有相關經典論述，其中又以阿彌陀佛的經典佔絕大多數。尤其從印度傳入中國後，彌陀淨土尤為盛行，發展到隋唐時期，成為淨土信仰的主流。「淨土宗」之稱始於日本，民初以前，彌陀淨土信仰在中國多被稱為「蓮社」、「蓮宗」，直至民初受日本影響，才出現了「淨土宗」的名稱。本文所謂「淨土」專指阿彌陀佛的極樂淨土。

參考〔日〕望月信亨著，釋印海譯：《中國淨土教理史》（臺北：華宇出版社，1987年），頁1；陳揚炯：《中國淨土宗通史》（南京：鳳凰出版社，2008年），頁1。

2　北魏曇鸞提出二道二力說，以於此土靠自力修行得不退轉為難行道，以淨土法門仰仗彌陀愿力（他力）求生淨土為易行道。

參考：〔北魏〕曇鸞：《無量壽經優婆提舍願生偈註》，收入《新修大正大藏經》第40冊（臺北：宏願出版社，1992年），頁826。

3　生因：指生果之因種。本文「生因」特指得生西方極樂淨土之因行，亦即得生淨土的條件。

4　蕅益智旭（1599-1655）：與憨山德清、紫柏真可、雲棲袾宏並稱為「明末四大高僧」。清道光間，智旭被悟開法師推為淨宗九祖。參考釋大安：《淨土宗教程（修訂本）》（北京：宗教文化出版社，2006年），頁84。

5　〔明〕蕅益智旭：《佛說阿彌陀經要解》，見會性法師輯：《蕅益大師淨土集》（臺北：財團法人佛陀教育基金會，2014年），頁4-5。

為「三世不易之常談」[6]、「千佛不易之鐵案」[7]。然亦有人以智旭此說乃謂但具信願即可得生，不必須行，或疑與三資糧說相違。此說究竟是何含義？是否意味著但具信願則可得生，抑或有其特殊用意？與淨宗經典對生因的論述是否矛盾？有何依據？釐清這些問題，於修行實踐，事關淨宗行人成就與否之關鍵。故本文聚焦探析智旭此說的深層義涵，亦期於學理上，有裨益於智旭淨土生因思想及淨宗核心教義之解讀。

目前學界不乏智旭淨土思想之研究。[8]其中涉及淨土生因的觀點，基本都認為智旭以信願行為往生的條件，三者缺一不可，尤以信願為主導。然多只立足《要解》之文，圍繞六信、欣厭、持名對智旭所論三資糧內容簡要鋪陳介紹。其中，以馮亞娟《蕅益智旭的信願行思想》研究最深入全面，除信願行內涵外，亦分析了淨土重信尚願、信願行之間及其與往生的關係，為本文研究提供了重要參考。然亦未

6 釋印光：〈復高邵麟居士書四〉，張景崗點校：《增廣印光法師文鈔》（北京：九州出版社，2012年），頁32。

7 釋印光：〈復高邵麟居士書三〉，張景崗點校：《增廣印光法師文鈔》，頁30。

8 目前以智旭為研究對象的專著，有聖嚴的《明末中國佛教之研究》與龔曉康的《融會與貫通：蕅益智旭思想研究》，前者以時間為軸探討智旭思想的形成、演變與發展；後者則以智旭融會諸宗，歸於淨土為主旨。參見：釋聖嚴著，關世謙譯：《明末中國佛教之研究》（臺北：臺灣學生書局，1989年）。龔曉康：《融會與貫通：蕅益智旭思想研究》（成都：巴蜀書社，2007年）。

研究智旭淨土思想之論文，略舉數篇如下：如釋聖嚴：〈蕅益大師的淨土思想〉，收入張曼濤主編《現代佛教學術叢刊（第65冊）：淨土宗史論》（臺北：大乘文化出版社，1979年）；林克智：〈略論蕅益大師的淨土思想〉，收入《靈峰蕅益大師研究》（北京：宗教文化出版社，2011年），頁19-24；余沛翃：《蕅益智旭佛說阿彌陀經要解之研究》（屏東：國立屏東教育大學中國語文學系碩士論文，2011年）；蔡木泉：《蕅益大師的生平與淨土思想》（新北：華梵大學東方人文思想研究所碩士論文，2016年）；邱美華（釋聞融）：《蕅益智旭之淨土念佛思想》（嘉義：南華大學人文學院宗教學研究所碩士論文，2020年）。

見專就智旭「得生與否，全由信願」之說深入研究，僅在論述中引以說明淨土重信、往生須以深信切願為前提。[9]值得注意的是，聖嚴於〈蕅益大師的淨土思想〉指出智旭「強調信願的力量，雖不達一心不亂也能往生之說，乃是殊勝的巧方便門。」[10]可惜這一觀點僅作按語插入，未展開闡述。

綜上，目前學界尚未有專門針對智旭「得生與否，全由信願之有無」之觀點深入探析。筆者碩士學位論文曾就智旭這一觀點作了探源研究，著重梳理辨析其與祖師大德思想觀點的承繼異同，明晰其在淨宗發展史上之地位與影響。然研究過程發現，智旭此說言近意遠，非寥寥數語所能盡。然而，作為智旭淨土生因觀點之代表，明其真正義涵，將之與淨宗經典對比辨析，[11]確實關涉甚大。此亦本文研究動機所在。

本文主要採用文獻研究法、比較研究法，立足智旭淨土生因之觀點，主要依據會性所輯《蕅益大師淨土集》，結合《靈峰宗論》等相關著述，旁及其他文獻資料，依次探討智旭對信願行的定義，信願行

9 馮婭娟：《蕅益智旭的信願行思想》（天津：南開大學宗教學碩士學位論文，2007年）。

10 釋聖嚴：〈蕅益大師的淨土思想〉，頁338。

11 淨宗主要依據的經典有《無量壽經》、《觀無量壽經》（下簡稱《觀經》）、《阿彌陀經》（下簡稱《彌陀經》），合稱「淨土三經」。《無量壽經》共十二種漢譯本，宋元以來僅存五種，分別為：後漢支婁迦讖譯《無量壽清淨平等覺經》二卷（簡稱「漢譯」）、三國吳之謙《阿彌陀三耶三佛薩樓佛檀過度人道經》二卷，又名《大阿彌陀經》（簡稱「吳譯」）、曹魏康僧鎧譯《無量壽經》二卷（簡稱「魏譯」）、唐代菩提流志譯《大寶積經．無量壽如來會》二卷（簡稱「唐譯」）、宋代法賢譯《佛說大乘無量壽莊嚴經》三卷（簡稱「宋譯」）。因智旭《法海觀瀾》所收《淨土要典》，於五譯中取唐代菩提流志所譯《大寶積經．無量壽如來會》，以為最佳。故本文論及《無量壽經》，以唐本為主。《觀無量壽經》一卷，為劉宋畺良耶舍所譯。《彌陀經》現存兩種譯本，一為姚秦鳩摩羅什譯《佛說阿彌陀經》一卷；一為唐代玄奘所譯《稱讚淨土佛攝受經》一卷。參考：陳揚炯：《中國淨土宗通史》，頁47-49。

與往生淨土的關係，以及得生條件對三者程度要求的區別，由茲探析智旭所以特別強調「全由信願」的原因與用意。因《要解》版本有二，一為智旭於四十九歲所著祖堂本，收入《大藏經》；五十五歲於歙浦棲云院重講此經，由門人性旦錄出，為《卍續藏》所收歙浦本。[12]本文所引《要解》若未作特別說明即後出之歙浦本。個別因論述需要引祖堂本者，則另作說明。

二　信願行三，不可偏廢

欲析智旭觀點，需先明其指攝。《要解》乃智旭關於淨土教理極重要的著作，[13]其中對信願行之內涵作了系統闡述。

（一）信願行之內涵

智旭釋信為「六信」：信自信他、信因信果、信事信理。[14]

「信自」即從本體上深信自心本來是佛，極樂是我自心所現，故一念回心必定得生。「信他」就本質而言是對聖言量的仰信，具體包含對彌陀大願，釋迦諸佛證信勸願的深信。

「信因」、「信果」重在深信念佛是因，成佛是果。

「信事」、「信理」即深信立足現前一念心之理體，確有極樂、彌

12 〔明〕蕅益智旭，印光增訂，張景崗點校：《淨土十要》（北京：九州出版社，2013年），頁1-2。《蕅益大師淨土集》所收亦歙浦本。祖堂、歙浦，乃是就智旭當時行腳之駐地而分。

13 明代不乏祖師大德注解《彌陀經》，闡揚淨土要旨，而明代僅有的五種被收入大正藏的淨土著述中，唯一一部彌陀經的注疏便是《要解》，足見其於淨土教義、歷史發展中的重要地位。參考：釋聖嚴：〈明末中國的淨土教人物及其思想〉，《華崗佛學學報》1985年第8期，頁27。

14 〔明〕蕅益智旭：《佛說阿彌陀經要解》，頁38-39。六信具體內容，詳見附表一。

陀事相。智旭立足天台「一念三千」[15]觀法融通性相。又以華嚴四無礙法界，開顯極樂不可思議圓融境界。[16]打通了體相、自他、一多之隔絕，為托彼依正顯我自心，與極樂四土一多無礙之妙境提供理據。[17]

六信從體相用因緣果理事各個角度，確定往生淨土、圓滿菩提的必然性，為行者建立堅定的信心，亦為發願奠定了堅實的基礎。

願，即願生極樂。智旭繼承智顗欣厭二門說，將「厭離娑婆，欣求極樂」作為「願」的定義。[18]願具體體現在迴向中，故智旭云：「願

---

15 「一念三千」是智顗「性具實相」說的核心部分，代表天台哲學的最高成就。據智顗《摩訶止觀》，卷5：「夫一心具十法界。一法界又具十法界百法界。一界具三十種世間。百法界即具三千種世間。此三千在一念心。若無心而已。介爾有心即具三千。」一念亦稱一心，指心念活動之最短時刻；三千指宇宙萬法，乃世間與出世間一切善惡、性相等人、物差別之總和。一念三千是在實相原理基礎上，圓融現前一念心與三千大千世界，亦即圓融性相而建立。實際上，一念與三千並非全然對立的主客雙方，而是互融互通，互具互攝的辯證統一。一念是三千的主體，三千是一念的客體。然而，三千不離一念，一念賴三千得顯，故而從某種意義上，又可以說一念即是三千，三千便是一念，二者本身便已完成主客之間的自我轉換。參考潘桂明，吳忠偉：《中國天台宗通史》（南京：江蘇古籍出版社，2001年），頁763。

16 智旭開顯「信理」曰：「深信十萬億土，實不出我今現前介爾一念心外；以吾現前一念心性實無外故。又深信西方依正、主伴、皆吾現前一念心中所現影。全事即理，全妄即真，全修即性，全他即自，我心徧故，佛心亦徧，一切眾生心性亦徧。譬如一室千燈，光光互徧，重重交攝，不相妨礙。」寶靜法師將之與華嚴四無礙法界結合進一步闡釋智旭「信理」之義涵：「一念心性」表理法界；「西方依正主伴」表事法界；「全事即理，全妄即真，全修即性，全他即自」表理事無礙法界；「我心遍故，佛心亦遍，一切眾生心性亦遍。譬如一室千燈，光光互遍，重重交攝，不相妨礙。是名信理。」表事事無礙法界。參考：〔明〕蕅益大師要解，寶靜法師講述：《阿彌陀經要解親聞記》（臺北：佛陀教育基金會，2010年），頁56-57。

17 「極樂四土一多無礙之妙境」：心性隨緣而成極樂四土事相，而佛心生心，一多無礙，故成極樂四土一中攝多，多中攝一，一登同居，圓淨四土之妙境。筆者於碩士學位論文亦曾論及此。參見：李悅嘉：《蕅益智旭「得生與否，全由信願之有無」思想探源》（蘭彼得：威爾士三一聖大衛大學英國漢學院碩士學位論文，2023年），頁9。

18 〔明〕蕅益智旭：《佛說阿彌陀經要解》，頁39。

則念念迴向，心心趨往。」[19]智旭強調，願須以度生悲心為基，若僅求自度則與諸佛菩薩、極樂世界不相應，不能往生。[20]這種度生悲心反映在迴向中，則有願與眾生同生極樂的往相之願；[21]及願早生淨土，回入十方世界廣度眾生的還相之願。[22]可見，願生極樂，實已包含上求佛道、下化眾生之願心。故智旭謂「深信發願，即無上菩提。」[23]建立在六信基礎上的願，便是發無上菩提心的具體體現。[24]

行包括正行和助行。於種種淨土行中，智旭以念佛為正行，尤其對持名念佛一法推崇備至，因此法最為簡易，收機最廣，最為穩當。[25]以改惡修善、六度萬行等為淨業助行。又強調須於此正行一門深入，以助行為伴，則如順風行舟，又加板索，能令速速到岸。[26]

---

19 〔明〕蕅益智旭：〈參究念佛論〉，見會性法師輯：《蕅益大師淨土集》，頁175。

20 〈起信論示勝異方便示──錄自起信論裂網疏〉云：「言發大誓願者：為度眾生求生淨土。非為自身獨出生死。有此菩提弘願，方是往生正因。不然、縱令念佛菩薩，與佛菩薩氣分不相契合，不能生淨土也。」參見：〔明〕蕅益智旭：〈起信論示勝異方便示──錄自起信論裂網疏〉，見會性法師輯：《蕅益大師淨土集》，頁99。

21 如〈大病中啟建淨社願文〉：「願與法界眾生，決定同生極樂。」〈閱藏畢願文〉：「以茲法施功德，回向西方淨土，普與法界眾生，同生極樂世界。」皆見於〔明〕：蕅益智旭著，成時輯：《靈峰蕅益大師宗論》，卷1，收入《嘉興大藏經》第36冊（臺北：新文豐出版社，1987年），頁274。

22 如〈完梵網告文〉：「願智旭早生淨土，隨乘願輪，普于十方，不可說不可說世界海，阿鼻等獄中，代其受苦。令彼眾生，先證菩提。假使法界，唯一眾生，未成正覺，智旭甘于無量獄，代受楚毒，盡一切劫，無厭無疲。」〔明〕蕅益智旭：〈完梵網告文〉，《靈峰蕅益大師宗論》，卷1，頁268。〈祖堂結大悲壇懺文〉：「捨此幻軀，決生極樂。盡未來際，廣度群迷。」〔明〕蕅益智旭：〈祖堂結大悲壇懺文〉，《靈峰蕅益大師宗論》，卷1，頁273。

23 〔明〕蕅益智旭：《佛說阿彌陀經要解》，頁69。

24 參見筆者碩士學位論文。李悅嘉：《蕅益智旭「得生與否，全由信願之有無」思想探源》，頁10。

25 智旭謂諸經示淨土行，列舉觀像、觀想、禮拜、供養、五悔、六念等等，而以持名一法收機最廣，下手最易。參見：〔明〕蕅益智旭：《佛說阿彌陀經要解》，頁40。

26 〔明〕蕅益智旭：〈示石友〉，見會性法師輯：《蕅益大師淨土集》，頁128。

(二)信願行缺一不可

智旭提出「得生與否，全由信願之有無」的觀點，雖用「全由」二字，然綜觀智旭論著，便知其並非意謂往生淨土不須要行。

智旭曾謂「信願行三乃生西之要筏。」[27]且多次強調三者缺一不可：「三事具，至愚亦生。三事缺一，雖聰明伶俐亦不生也。」[28]智旭釋《彌陀經》，以「信願持名」為宗要，[29]又以勸信、勸願、勸行貫穿三分始終。[30]

或舉智旭所言「依一心說信願行，非先後，非定三。蓋無願行不名真信，無行信不名真願，無信願不名真行。」[31]認為三資糧互含互攝，任舉其一，便已圓具其餘，以此主張有信願則行已在其中。[32]此實從修行角度而言。在修行實踐過程中，有真實信願則必然通過行體現出來。信願既發，在一心持名的當下則不須刻意思維，而信願已蘊含於聲聲佛號中，三者沒有割裂、前後之分。然從教理的角度，信願行三者不可混為一談。如智旭所論信因信果，雖指深信念佛是因，成佛是果，然亦僅止於信此理。唯有因信願起真實修行，方可謂有行，以滿求生之願，證所信不虛。[33]若徒有信願而無行，則有目而無足，

---

27 〔明〕智旭：〈重刻寶王三昧念佛直指序〉，見〔明〕妙葉：《寶王三昧念佛直指》，收入《新修大正大藏經》第47冊（臺北：宏願出版社，1992年），頁354。

28 〔明〕蕅益智旭：〈示宋養蓮〉，見會性法師輯：《蕅益大師淨土集》，頁124。

29 《要解》五重玄義之「明宗」，謂：「信願持名，以為一乘真因；四種淨土，以為一乘妙果。舉因則果必隨之，故以信願持名為經正宗。」見〔明〕蕅益智旭：《佛說阿彌陀經要解》，頁40。

30 三分：即三分科經，通常將一部經論劃分為序分、正宗分、流通分三個部分。

31 〔明〕蕅益智旭：《佛說阿彌陀經要解》，頁74。

32 〔清〕蕅益大師著，釋智隨編注：《阿彌陀經要解略注》（長沙：嶽麓書社，2011年），頁236。

33 《要解》云：「非信不足啟願，非願不足導行；非持名妙行，不足滿所願而證所信。」〔明〕蕅益智旭：《佛說阿彌陀經要解》，頁38。

不能抵達目的地。

可見，智旭絕沒有廢棄行之義，且認為信願行皆是往生的充要條件。[34]非唯不可廢置，在智旭的思想中，信願持名為求生淨土最簡易直捷、方便圓頓、穩當普攝的方法。但以深信切願，持名念佛，便滿足《彌陀經》所言多善根福德因緣的得生條件，[35]萬修萬人去。[36]

綜合上述，智旭的觀點並非獨以信願為得生條件而廢置行，信願行三資糧實不可偏廢，並未違背《彌陀經》以信願行為淨土生因的思想。

三　淨土生因，信願為本

智旭既以三資糧不可偏廢，何以又言「得生與否，全由信願之有無」？實則智旭此說，乃為突顯信願之於往生淨土的重要性，在三資糧中，尤以信願為主導。何以故？以下從兩方面來看。

(一)信願為動力

就信願行關係而言，智旭認為信能啟願，願能導行，行可滿願證信。

---

34 充要條件：即充分必要條件的簡稱。在邏輯學中，設p、q分別為兩個事物情況，若有p，必然有q；若沒p，必然沒q，那麼p就是q的充分必要條件。參見：趙紹成：《邏輯學》(成都：西南交通大學出版社，2015年)，頁125。

35 《阿彌陀經》提出往生極樂世界的眾生，須具多善根福德因緣。智旭在《要解》中提出，彌陀以大願大行作為眾生多善根福德之因緣，故行人信願持名，則一一聲皆具多善根福德因緣，滿足得生條件。信願持名的當下，便能全攝佛功德為自功德，善根福德與佛無二，此亦顯阿彌陀佛不可思議功德之力。參考：〔明〕蕅益智旭：《佛說阿彌陀經要解》，頁74、78。

36 〈示陸喻蓮〉：「超生脫死，捨淨土一門，決無直捷橫超方便。而生淨土，捨念佛一法，決無萬修萬去工夫。」〔明〕蕅益智旭：〈示陸喻蓮〉，見會性法師輯：《蕅益大師淨土集》，頁124。

「聞而信，信而願，乃肯執持。」[37]有了六信的基礎，自然生起厭離娑婆、欣求極樂的切願。又以深信念佛為因，必感往生淨土之果，則此願心便有可依循的下手之方，故必執持名號，驀直念去。「信得是心是佛，乃信是心作佛；所以枯坐喃喃，耑念阿彌陀佛。」[38]正因深信自己本來是佛，但以煩惱障蔽，淪為迷惑顛倒生死凡夫，然亦深信念佛是因，成佛是果，以此深信、尊重己靈之力，故能耐得寂寞，專持彌陀名號。

願亦如之，智旭於願尤為重視，以為出世之要。願是信的具體體現與落實，亦是行的源頭活水，故願實為溝通信行的橋樑。願相續則行自然相續。[39]既有厭離娑婆、欣求極樂、上求佛道、下化眾生的真實願心，必有真實修行求滿所願。相反，若無行則說明沒有信願或信願不深，如此則生西無分。

就信願與行的關係來看，智旭認為，有真實的信願則必然會落實到具體的行，故以信願為行之所本。又曾以牛車為喻，信願如牛，行如車。[40]換言之，信願可謂策勵行源源不絕的動力。

（二）信願為導向

智旭認為，信願於行亦如將領之於軍旅，對所修之功德起到統帥、支配的作用。智旭多喻信願為眼目，以目能辨方向，知所行何為，故判信願為慧行；又以眾行如足，足能行進，故判行行：「慧行為前導，行行為正修，如目足並運也。」[41]唯有目足並運，方能保證

---

37 〔明〕蕅益智旭：《佛說阿彌陀經要解》，頁70。

38 〔明〕蕅益智旭：〈自像贊（一）〉，見會性法師輯：《蕅益大師淨土集》，頁226。

39 〔明〕蕅益智旭：〈觀泉開士化萬人畢生念佛同生淨土序〉，見會性法師輯：《蕅益大師淨土集》，頁186。

40 〔明〕蕅益智旭：〈示閔周挺〉，見會性法師輯：《蕅益大師淨土集》，頁133。

41 〔明〕蕅益智旭：《佛說阿彌陀經要解》，頁50。

順利抵達目的地。智旭提出「得生與否，全由信願之有無」的觀點，正在此判慧行、行行前後，亦可旁證智旭所用「全由」二字，實為突顯信願對行的導向作用，而非摒棄行之義。

誠如《大智度論》所云：「因願受勝果……譬如牛力雖能挽車，要須御者能有所至；淨世界願亦復如是，福德如牛，願如御者。」[42] 信願決定了行的性質。「信願既具，則念佛方為正行；改惡修善，皆為助行。」[43]只有在信願具足的前提下，念佛才可稱為正行，也唯有圓具信願的持名，方可謂多善根福德因緣，如此，哪怕只有臨終一念十念，也必定得生。助行亦然。在信願為導的前提下，世出世間一切方便、人天善行，小乘、大乘各種修習法門，皆可作為淨業助行。故智旭論行時常強調迴向。且非唯善行可以迴向往生，已造惡業也可懺悔求生。這並不意味著可以肆無忌憚地造惡。智旭云：「縱萬不幸，誤作諸惡，誠心懺悔，斷相續心，亦足為往生妙行。」[44]「縱萬不幸，誤作諸惡」可見非有意為之；「誠心懺悔，斷相續心」有後不再造之義。換言之，能有如此防非止惡、至誠懺悔的決心，亦是懇切信願的力量。《無量壽經》提及在至心信樂的前提導引，則行無論多寡深淺，但隨所種善根、所修功德，悉皆迴向求生淨土，必得隨願往生。[45]可見，智旭於信願行中首重信願，實有所本。有了深信切願的

42 〔姚秦〕鳩摩羅什譯：《大智度論》，卷7，收入《新修大正大藏經》第25冊（臺北：宏願出版社，1992年），頁108。

43 〔明〕蕅益智旭：〈持名念佛歷九品淨四土說〉，見會性法師輯：《蕅益大師淨土集》，頁140。

44 〔明〕蕅益智旭：〈示閔周埏〉，見會性法師輯：《蕅益大師淨土集》，頁133。

45 《大寶積經・卷十八・無量壽如來會》：「他方佛國所有眾生聞無量壽如來名號，乃至能發一念淨信歡喜愛樂，所有善根迴向願生無量壽國者，隨願皆生。」參見：〔唐〕菩提流志譯：《大寶積經・卷十八・無量壽如來會》，收入《新修大正大藏經》第11冊（臺北：宏願出版社，1992年），頁97。

前提條件，則行無所不收，「一切行履，更不須改。」[46]隨現前一舉一動，皆可迴向轉化為淨業資糧。[47]

反之，若無信願，則種種殊勝行業，便僅淪為有漏福報，[48]縱修上品善行，亦只成輪迴善業，不能往生。此亦智旭以信願為淨土指南之因。智旭甚至多次提到，若無信願為導，縱有持名念佛的切行，哪怕達到一心不亂，亦不能往生。[49]《要解》云：「若無信願，縱將名號持至風吹不入，雨打不濕，如銀牆鐵壁相似，亦無得生之理。」[50]

對於這一說法，民國時期的守培則不以為然，其撰文〈一心念佛即得往生論〉，謂「淨土法門，貴在一心。以一心為主，以信願為用。」[51]提出「若有信願而不念佛，則可云不生。若念佛而不信願，則不可說不生耶。」[52]若人但一心念佛，則信願乃至一切萬法悉皆具足，無須再教他回頭生信發願，而此清淨念佛之一心定感臨終得生淨土之果。需注意的是，守培對「一心不亂」的理解，乃是雜念不生、萬法一如，已達業盡情空。[53]

印光閱後作文批駁，認為淨土法門所以能仗佛力得生，關鍵在於信願，而以智旭之說便強調此。若無信願，縱令念佛工夫純篤乃至一心不亂，總屬自力，未至業盡情空，則不能往生。[54]可見，印光所謂

46 〔明〕蕅益智旭：〈示法源〉，見會性法師輯：《蕅益大師淨土集》，頁122。

47 筆者於碩士學位論文亦曾論及此。參見：李悅嘉：《蕅益智旭「得生與否，全由信願之有無」思想探源》，頁12。

48 〔明〕蕅益智旭：〈示法源〉，頁122。

49 〔明〕蕅益智旭：〈持名念佛歷九品淨四土說〉，頁140。

50 〔明〕蕅益智旭：《佛說阿彌陀經要解》，頁69。

51 釋守培：〈一心念佛即得往生論〉，《海潮音》第6年第5期，收入《海潮音》第6卷（上海：上海古籍出版社，2003年），頁529。

52 釋守培：〈一心念佛即得往生論〉，頁528。

53 釋守培：〈一心念佛即得往生論〉，頁532。

54 釋印光：〈(一心念佛即得往生論) 附駁辯〉，《海潮音》第6年第5期，收入《海潮音》第6卷（上海：上海古籍出版社，2003年），頁531-532。

「一心不亂」與守培有別，僅如一般經論所論，仍屬禪定，[55]而不一定達業盡情空。

綜觀二人之辯，分歧在於立足點、側重不同。守培立論的根基，更似禪宗所論唯心淨土、心淨佛土淨，[56]側重以因攝果，修因證果。所言「一心念佛」實是以念佛一法斷惑，本質仍與通途法門通過自力斷證修行無別，乃重自力、定力。印光則是立足淨土立場，淨土乃他力果教門，其特殊性在因該果徹，以佛果覺作眾生因心，托彼依正而顯自心，如智旭所言「土淨方知心體空。」[57]從修持上，更重他力、信願力。強調具足信願便能與彌陀感應道交，蒙佛接引。

---

55 《大智度論》釋「無不定心」時，謂「『定』名一心不亂。」參考：〔姚秦〕鳩摩羅什譯：《大智度論》，卷26，收入《新修大正大藏經》第25冊（臺北：宏願出版社，1992年），頁248。《續華嚴經略疏刊定記》亦有言：「奢摩他者，一心不亂。」參考：〔唐〕慧苑：《續華嚴經略疏刊定記》，卷4，收入《卍新纂大日本續藏經》第3冊（東京：株式會社國書刊行會，1975-1989），頁646。據丁福保《佛學大辭典》，「奢摩他」為「禪定七名之一……攝心住於緣，離散亂也。」

56 《壇經》中，六祖慧能引佛言「隨其心淨即佛土淨」以斥世人執求外在西方淨土，而忽視斷惡修善，自淨其心。令從因上著手認識自性，自淨其意，修無相、無住、無念、無分別行，成就現世淨土。參見：周湘雁翔：〈壇經唯心淨土思想辨析〉，《船山學刊》2013年第1期（2013年1月），頁136-137。經云：「人有兩種，法無兩般。迷悟有殊，見有遲疾。迷人念佛求生於彼，悟人自淨其心。所以佛言：『隨其心淨即佛土淨。』使君東方人，但心淨即無罪。雖西方人，心不淨亦有愆。東方人造罪，念佛求生西方。西方人造罪，念佛求生何國？凡愚不了自性，不識身中淨土，願東願西。悟人在處一般，所以佛言：『隨所住處恒安樂。』使君心地但無不善，西方去此不遙。若懷不善之心，念佛往生難到。今勸善知識，先除十惡即行十萬，後除八邪乃過八千。念念見性，常行平直，到如彈指，便覩彌陀。使君但行十善，何須更願往生？不斷十惡之心，何佛即來迎請？若悟無生頓法，見西方只在剎那。不悟念佛求生，路遙如何得達。」」參考：〔元〕宗寶：《六祖大師法寶壇經》，收入《新修大正大藏經》第48冊（臺北：宏願出版社，1992年），頁352。

此「心淨即佛土淨」之說，出自《維摩詰所說經》：「若菩薩欲得淨土，當淨其心；隨其心淨，則佛土淨。」參考：〔姚秦〕鳩摩羅什譯：《維摩詰所說經》，卷1，收入《新修大正大藏經》第14冊（臺北：宏願出版社，1992年），頁538。

57 〔明〕蕅益智旭：《佛說阿彌陀經要解》，頁231。

在祖堂本《要解》中，本段作「若無信願，縱使將此名號作个語頭，持至風吹不入雨打不濕如銀牆鐵壁一般，亦萬無一得生淨土之理。」[58]較歙浦本多出「將此名號作个語頭」。可見，智旭此說原是針對當時盛行的參究念佛的修持方式。[59]此修法乃是將彌陀名號作一語頭，參究「念佛者是誰」，看似結合參禪與念佛，本質仍屬禪宗參話頭之行法。智旭雖以淨土為歸，卻並非反對參禪、參究，亦非否定禪者得生淨土的可能性，以其亦曾謂「禪者欲生西方，不必改為念佛；但具信願，則參禪即淨土行也。」[60]可見，得生與否之要正在信願。若具信願，則參禪亦可迴向往生淨土。然《要解》所言正指無信願為導的情況，如此，則縱有切行，無論參究、念佛，皆不可生。[61]智旭此說正是洞察隱微人心，恐行人因參究念佛單恃己力，希求現世發明，[62]直將此帶業橫出的殊勝法門作通途豎出之用，淡化仰仗佛力、求生淨土的信願力量，成為往生的障礙，錯失了脫之勝緣。若單憑自力期達心淨佛土淨，最低限度亦須斷惑，否則生死難了，依舊隨業流

---

58 〔明〕蕅益智旭：《佛說阿彌陀經要解》，收入《新修大正大藏經》第37冊（臺北：宏願出版社，1992年），頁371。

59 參究念佛乃由元代智徹提出，盛行於明代。憨山德清於〈示念佛參禪切要〉釋「參究念佛」：「念佛審實公案者，單提一聲阿彌陀佛作話頭，就於提處，即下疑情，審問『者念佛的是誰？』再提再審，審之又審，見者念佛的畢竟是誰。如此靠定話頭，一切妄想襍念，當下頓斷。如斬亂絲，更不容起，起處即消。唯有一念，歷歷孤明。如白日當空，妄念不生，昏迷自退，寂寂惺惺。」〔明〕憨山德清：〈示念佛參禪切要〉，見〔明〕憨山德清撰，（侍者）福善錄，通炯編輯，劉起相重校：《憨山老人夢遊集》，卷9，收入《卍新纂大日本續藏經》第73冊（東京：株式會社國書刊行會，1975-1989年），頁520。

60 〔明〕蕅益智旭：〈梵室偶談〉，見會性法師輯：《蕅益大師淨土集》，頁148。

61 智旭〈參究念佛論〉曰：「參念皆屬行攝，切則參亦往生，不切則念亦不生。又雖有切行，若信願為導則往生，無信願為導則不生也。」

〔明〕蕅益智旭：〈參究念佛論〉，頁176。

62 〔明〕蕅益智旭：〈參究念佛論〉，頁175-176。

轉。[63]然而這對末法時期的眾生殊非易事。智隨注《要解》謂念佛以用心不同而有「自力念佛」與「他力念佛」之分。[64]念佛若無信願求生之心，唯求一心、開悟，仍屬自力；若有信願則屬他力，雖未斷惑亦可帶業橫超。淨土的「一心不亂」乃仗佛力、「有信願之一心」，反映在行持上即一向專念，不為雜緣所亂；非如通途自力「無信願之一心」，重在斷惑證真。[65]可見，自力他力分判之關鍵，正在信願之有無。此的守培、印光歧見所在。智隨更一針見血指出，以橫超法作豎出用者，多便以得一心為往生準繩。[66]然對末法凡夫而言，住心立向已自不易，若求斷惑、一心更是難上加難，庶幾出離無由。此絕非智旭本意，其所以特揀信願之要，正為引導念佛人仰仗佛力，信願持名，帶業橫出，徑登不退，如此方可謂光顯淨土他力法門之殊勝，暢佛度生無盡之本懷。

相較之下，印光的理解更大程度還原智旭的本意。然而，就守培之論而言，是否如其所說，不定特重信願，但一心清淨念佛，臨終必生極樂？此說實有待商榷。《彌陀經》雖言念佛一心不亂，臨終蒙彌陀接引往生，然其前卻已具證信勸願之前提。此外，《無量壽經》與《觀經》論三輩九品生因，皆須有至心迴向願生極樂的條件。[67]願建立在信的基礎上，故信願可謂三輩往生的關鍵。而文殊、普賢這樣已證等覺位之大菩薩，尚需發願求生極樂。[68]可見，能否得生之關鍵，

63 智旭於論述中多次強調禪決須淨，曾言禪之淨土須證極淨心，不可以理奪事。謂「後世學人，雖有乾慧，染習未枯；自非發願往生，依舊隨業流轉。」參見：〔明〕蕅益智旭：〈參究念佛論〉，頁177。

64 〔清〕蕅益大師著，釋智隨編注：《阿彌陀經要解略注》（長沙：嶽麓書社，2011年），頁190。

65 〔清〕蕅益大師著，釋智隨編注：《阿彌陀經要解略注》，頁35。

66 〔清〕蕅益大師著，釋智隨編注：《阿彌陀經要解略注》，頁211。

67 《無量壽經》與《觀經》論三輩生因之經文，詳見附表二。

68 文殊菩薩發願云：「願我命終時，除滅諸障礙，面見阿彌陀，往生安樂國。」參

確如智旭、印光所言，關鍵在信願之有無而非一心。不可否認，智旭特別強調信願之於淨土法門為得生與否之關鍵，將所行導歸極樂，乃立足淨土本位而發此論；然亦豈非深體淨宗要旨，觀眾生根機，結合自身修證體驗，[69]在分析不同修證途徑的穩妥性與圓頓性之下，所作的契理契機的權衡與抉擇。

陳永革在探討三資糧關係時，認為智旭以「信和願乃是行的必要條件。」[70]然綜觀上述辨析，在智旭的論述中，有真實信願必會起行，然有行卻不定有信願，當只有行而無信願則不能往生。可見，在三資糧的關係中，信願當為行的充分條件而非必要條件。[71]

智旭「得生與否，全由信願之有無」的觀點，抓住了信願這一根本，凸顯信願為行之源頭活水、不竭動力；亦是把握行的方向，不致

見：〔東晉〕佛陀跋陀羅譯：《文殊師利發願經》，收入《新修大正大藏經》第10冊（臺北：宏願出版社，1992年），頁879。

普賢菩薩發願偈云：「願我臨欲命終時，盡除一切諸障礙，面見彼佛阿彌陀，即得往生安樂剎。」參見：〔唐〕般若譯：《大方廣佛華嚴經》，卷40，收入《新修大正大藏經》第10冊（臺北：宏願出版社，1992年），頁848。

69 智旭自身並非從一開始就專修淨土，雖二十二歲萌「專志念佛」，而二十四歲出家後猛志參究，亦曾墮禪病，「宗乘自負，藐視教典。妄謂持名，曲為中下。」二十五歲因坐禪而悟，然二十八歲關中大病，始覺平生所悟於生死關頭用不上力，乃以參禪功夫一意求生淨土。隨著對淨土經論日益深研，方知此乃無上寶王，加之三十一歲稔知禪門時弊，毅然捨棄參禪專澈淨土，萬牛莫挽。晚年多病，更深感心性功夫、自力慧解在面對病痛與生死大事時無甚實益，還須全然仰賴彌陀大願，一心依歸他力易行法門，方有出離之由。參見弘一：《蕅益大師年譜》，見會性法師輯：《蕅益大師淨土集》，頁334。

70 陳永革：《晚明佛教思想研究》（北京：宗教文化出版社，2007年），頁124。

必要條件：在邏輯學中，設p、q分別為兩個事物情況，若沒p，就必然沒q；而有p，不一定有q，則p為q的必要條件。參見：趙紹成：《邏輯學》（成都：西南交通大學出版社，2015年），頁124-125。（下同）

71 充分條件：若有p，必然有q，而沒p，不一定沒有q，則p為q的充分條件。筆者於碩士學位論文亦曾論及此。參見：李悅嘉：《蕅益智旭「得生與否，全由信願之有無」思想探源》，頁12-13。

偏離航道，不知所終。且有信願的導向，則行無所不收，無需改轍。智旭之說實本淨宗經典，亦是洞見淨土他力法門有別於通途自力法門的關鍵要領。大開淨土之門，使行的範圍更為擴大、圓融，彰顯了淨土法門之易行普被，凡此種種，反過來更突顯了信願之至要。

四　得生條件，程度有別

智旭依智顗所立四種淨土說，[72]將極樂淨土分為凡聖同居土、方便有餘土、實報莊嚴土、常寂光土。智旭認為，極樂最殊勝處不在上三土，而在同居。以極樂四土無隔，一登同居便橫生上三土，同寂光、實報、方便土之受用。[73]如此殊勝果德，生因卻極簡易。「三土斷惑乃生，惟同居直以信願相導。」[74]智旭認為，但具深信切願，不須斷惑，便可仗佛慈力得生同居。更明確提出，淨土的他力易行、帶業橫出，正指同居土。而上三土須以自修行力，斷惑方生，實與豎出同義。[75]相比自力，淨土以仰乘彌陀願力接引眾生為基點。以仗佛力故，大大降低了對自身修證程度的要求，但相應的對信願程度反而有更高的要求。智旭所以言得生「全由」信願，正為凸顯得生淨土的條件，對信願與行程度要求的區別。

---

72 〔隋〕智顗：《觀無量壽佛經疏》，收入《新修大正大藏經》第37冊（臺北：宏願出版社，1992年），頁188。

73 眾生一登極樂凡聖同居土，便得與觀音、勢至等諸上善人聚會一處，圓見三身，圓受諸樂，圓證三不退，當生成佛，非由漸證。

74 〔明〕蕅益智旭：〈持名念佛歷九品淨四土說〉，頁140。

75 〔明〕蕅益智旭：〈選佛譜——淨土橫超門〉，見會性法師輯：《蕅益大師淨土集》，頁101。

(一)信願程度

智旭云:「儻信不真,願不切,行不力,佛雖大慈為舟,如眾生不肯登舟何哉!」[76]此「真」「切」,亦可見智旭所言信願程度,非以泛泛悠悠之心,徒謂信有、願生則可。為免行者誤解,智旭特從不同角度對「真信切願」加以辨析。

智旭特別強調信願要專。專信體現在「不被時流所轉」[77]、「不為他岐所惑」[78],專願則所行一切非為其他,一心一意迴向求生淨土。在智旭看來,如此專之信願,即是大智慧。

智旭亦多從反面例舉信願不真切以致不能往生的情形,總結口言往生者多,真實往生者少,乃因行者多以輕心、忽心、將就心,而非至誠心、深心、迴向發願心,故常流轉五趣,不能生西。[79]若就信願行三者而言,信願有別於行,側重於心,故所論輕忽、將就、至誠、深心等,當是就信願而說,亦即信願深切與否所呈現之特性的辨析。既是「口言往生」之行者,便不可謂全無信願。然所以不能往生,即是信願程度不深所致,其呈現之相狀正是輕忽、將就。智旭曾列舉淨業行人四種常見弊病以為警策:「勿視為難而輒生退諉;勿視為易而漫不策勤;勿視為淺而妄致藐輕;勿視為深而弗敢承任。」[80]其中,將淨土法門看得太過容易淺近,以至散漫怠惰甚或藐視淨土,即輕忽之體現。[81]而將就心表現在求生淨土上,即是未曾真正痛為生死,只

76 〔明〕蕅益智旭:〈示明西〉,見會性法師輯:《蕅益大師淨土集》,頁129。

77 〔明〕蕅益智旭:〈示郭善友〉,見會性法師輯:《蕅益大師淨土集》,頁123。

78 〔明〕蕅益智旭:〈示念佛法門〉,見會性法師輯:《蕅益大師淨土集》,頁134。

79 〔明〕蕅益智旭:〈梵室偶談〉,頁149。

80 〔明〕蕅益智旭:《佛說阿彌陀經要解》,頁75。

81 智旭於〈梵室偶談〉雖分言「輕心」、「忽心」,然觀智旭著作,亦可見其混言「輕忽」。如智旭於《梵網經合註》釋「輕心」,謂「輕心者,忽彼來人。」即是以「忽」釋「輕」。可以說,在智旭的語義闡釋中,輕、忽混言則同。〔明〕蕅益智旭

顧眼前活計，苟且偷安，於淨業修行馬虎敷衍、得過且過之心境。[82]如此輕忽、將就的信願，如浮萍漂浮無根，何以突圍生死。智旭曾示對治之方：「以猛切心治姑待心，常念時不待人，一蹉便成百蹉；以殷重心治輕忽心，一言有益於己，便應著眼銘心；以深廣心治將就心，期待誓同先哲，舉措莫類時流。」[83]落實在淨土修行，即是但念無常的猛切心，對殊勝的淨土法門深生珍重，亦是尊重己靈、歸心似箭、上求下化、誓如彌陀的深廣弘願。此亦可謂信願深切之體現。

然心之相狀畢竟隱微，恐常人不易省察，故智旭又從具體可見之行示以檢驗信願程度之方：「淨土一門，願為前導，未誦彌陀，即平日願樂不深。」[84]正如前文所言，信願為行之本，乃行的動力；反之，行亦是信願的具體落實，無行則說明信願不真。因此，若口言信願卻不肯力行持名，實亦說明所謂信願只是虛無縹緲。若有懇切求生淨土之願，定是驀直念去，且必念念迴向，無有二志。「若不至心，早暮回向。悠悠緩縱，即逃逝人。」[85]倘深信切願，心心趨往極樂，對娑婆世界的種種順逆世緣，自然看淡放下。「儻娑婆事業，在在牽繫，遇五欲時，如膠如漆。遇逆緣時，結恨懷冤。而欲命終彌陀接引，此決不可得之數也。」[86]智旭又舉懺悔改過為例，所言懺悔求生亦非悠悠泛泛所能至，其心必是痛切懇到。若有口無心，旋懺旋犯，

註，道昉訂：《梵網經合註》，卷6，收入《卍新纂大日本續藏經》第38冊（東京：株式會社國書刊行會，1975-1989年），頁674。

82 「將就」，於《靈峰宗論》共見七次，其中五處與「苟且」連用而作「將就苟且」。（詳見附表三）可見，智旭所言「將就」亦有苟且之義。

83 〔明〕蕅益智旭：〈示印海方丈〉，《靈峰蕅益大師宗論》，卷2，頁274。

84 〔明〕蕅益智旭：〈答卓左車彌陀疏鈔三十二問〉，見會性法師輯：《蕅益大師淨土集》，頁167。

85 〔明〕蕅益智旭：〈答初平發願偈〉，見會性法師輯：《蕅益大師淨土集》，頁232。

86 〔明〕蕅益智旭：〈修淨土懺并放生社序〉，見會性法師輯：《蕅益大師淨土集》，頁183。

仍前習氣，始勤終怠，正說明信願程度不夠堅毅勇猛，以此散漫輕忽之信願，則只能於六道生死輪轉，出沒無由。

《要解》云：「若信願堅固，臨終十念一念，亦決得生。」[87]「堅固」即突顯信願程度之要。有此深切信願的前提，方有一念十念生西的可能。《觀經》下品往生，皆是平生造作惡業、將墮惡道的眾生，然以臨終地獄相現、巨苦煎迫，此時遇善知識為說極樂，示以求生之方，其持名則聲聲具足對三途苦痛的恐懼逃離，與對極樂世界如饑似渴的追求。其信願之至誠懇切，非常人所及，暗契一心，此其所以除罪得生之要。智旭曾論《觀經》臨終十念所以得生之理，乃「由怖苦心切，善友緣強；一念猛利，過百年悠悠。」[88]此生死關頭怖苦之猛利，正是切願的體現。智旭進一步引《無量壽經》「十念必生願」，特揀「志心信樂」一語，將此臨終之深切信願延伸至平日，謂「不必在臨終，實與臨終同一猛利。」[89]以此等猛利深切之信願，則晨朝十念畢生不缺，亦決定往生。智旭又恐行人心存僥倖，寄託在臨終十念生西，於平日不肯真實用功，特斥現前尚不能信受奉行，遑論臨終，且安保神識清醒，得遇善緣。此實信願不真切之體現，何由生西。故特警醒行人不可自欺。

（二）行之程度

若僅就求生淨土而言，在信願程度足夠深切的前提下，對自力修證程度則沒有太高的要求。

智旭於《要解》與〈持名念佛歷九品淨四土說〉，皆論及信願持

87 〔明〕蕅益智旭：《佛說阿彌陀經要解》，頁69。

88 〔明〕蕅益智旭：〈答卓左車彌陀疏鈔三十二問〉，頁161。

89 〔明〕蕅益智旭：〈答卓左車彌陀疏鈔三十二問〉，頁163。

名與得生四土之相與品位高低之關係。茲總結列表於下：[90]

往生品位	信願要求	念佛功夫		所生土
下品下生	深信切願	念佛時心多散亂	未斷見思（散）	凡聖同居土
下品中生	深信切願	念佛時散亂漸少	未斷見思（散）	
下品上生	深信切願	念佛時便不散亂	伏見思惑（定）	
中三品	信願	事一心不亂[91]	斷盡見思	方便有餘土
上三品	信願	理一心不亂[92]	破一品無明，乃至四十一品	實報莊嚴土
			斷盡無明	究竟常寂光土

智旭認為在深信切願的前提下，縱散心念佛，未斷見思，亦可生同居土。而隨念佛時心或散或定、伏煩惱的程度，又分下三品之別。

90 〔明〕蕅益智旭：《佛說阿彌陀經要解》，頁71。〔明〕蕅益智旭：〈持名念佛歷九品淨四土說〉，頁140-141。

91 智旭定義的「事一心不亂」：「不論事持、理持，持至伏除煩惱，乃至見思先盡，皆事一心。」〔明〕蕅益智旭：《佛說阿彌陀經要解》，頁71。

92 此處「理一心不亂」主要據《要解》。《要解》云：「若至理一心不亂，豁破無明一品，乃至四十一品，則生實報莊嚴淨土，亦分證常寂光土；若無明斷盡，則是上上實報，究竟寂光也。」〈持名念佛歷九品淨四土說〉則言：「念到事一心不亂，任運先斷見思塵沙，亦能伏斷無明者，即是上三品生。」此「事一心不亂」疑為「理一心不亂」之誤。以所言「伏斷無明」之功夫，至少須達「理一心不亂」方可。「無明惑」是天台所立三惑之一，為障蔽中道實相、迷於根本理體之惑，乃根本無明。別教菩薩從初地起漸斷此惑；而圓教菩薩則從初住起漸斷之，而證中道實相之理。《要解》定義「理一心不亂」云：「不論事持、理持，持至心開見本性佛，皆理一心。」所謂「心開見本性佛」，即是撥雲見日，破無明惑，見實相理體。又，智旭〈選佛譜──淨土橫超門〉云：「斷盡塵沙，兼破無明，方出同居、方便而入實報。斷盡無明，方出同居、方便、實報而入寂光。」《要解》亦云：「事一心不為見思所亂，理一心不為二邊所亂……不為二邊亂，故感受用身佛及諸聖眾現前，心不復起生死涅槃二見顛倒，往生實報、寂光二種極樂世界。」可見，往生實報莊嚴土、究竟常寂光土的條件，持名須達理一心不亂，有伏斷無明之功夫。此亦一證。

智旭明確提出散心念佛也能往生的觀點，較袾宏於《疏鈔》以一心不亂為得生標準容易得多。袾宏以下輩往生的最低標準須達事一心不亂。[93]儘管袾宏與智旭對事一心與理一心的定義有所不同，[94]然僅就持名而言，袾宏所定義的事一心不亂亦須達「前句後句，相續不斷，行住坐臥，唯此一念，無第二念」[95]的標準。此較智旭所言散心念佛亦可往生，確實難易懸殊。聖嚴認為，要求一般念佛者具備定功，乃至對一般俗務纏身或身心病弱者，要達到這個標準實屬不易。故認為不拘於「一心」，僅求不受俗情世累、貪嗔癡所動之「不亂」，以為下品往生之標準當較合理。[96]此則更類似智旭的觀點，也確實更契合一般民眾的實際情況，更符合淨土法門攝機廣大的特點。誠如聖嚴所言，「強調信願的力量，雖不達一心不亂也能往生之說，乃是殊勝的巧方便門。」[97]

然而，智旭這一觀點卻在教界引起嘩然爭辯，所圍繞的基本不出得生條件對持名程度的要求。這場爭論持續至今，仍莫衷一是。歸納而言，可分三種觀點：

93 〔明〕雲棲袾宏：《佛說阿彌陀經疏鈔》，卷4，收入《卍新纂大日本續藏經》第22冊（東京：株式會社國書刊行會，1975-1989年），頁666。

94 袾宏對「事一心不亂」的定義：「聞佛名號，常憶常念，以心緣歷，字字分明，前句後句，相續不斷，行住坐臥，唯此一念，無第二念，不為貪瞋煩惱諸念之所雜亂……事上即得。理上未徹。惟得信力。未見道故。名事一心也。言定者。以伏妄故。無慧者。以未能破妄故。」而「理一心不亂」的定義：「（如前）體究，獲自本心，故名一心。於中復二，一者了知能念所念，更非二物，唯一心故。二者非有非無，非亦有亦無，非非有非無，離於四句，唯一心故。此純理觀，不專事相，觀力成就，名理一心。屬慧門攝。兼得定故。」參見：〔明〕雲棲袾宏：《佛說阿彌陀經疏鈔》，卷3，頁661。智旭對「事一心不亂」與「理一心不亂」的定義為：「不論事持、理持，持至伏除煩惱，乃至見思先盡，皆事一心；不論事持、理持，持至心開見本性佛，皆理一心。」參見〔明〕蕅益智旭：《佛說阿彌陀經要解》，頁71。

95 〔明〕雲棲袾宏：《佛說阿彌陀經疏鈔》，卷3，頁661。

96 釋聖嚴：〈明末中國的淨土教人物及其思想〉，頁53。

97 釋聖嚴：〈蕅益大師的淨土思想〉，頁338。

一、以持名須達一心不亂方可得生淨土。[98]元音老人曾專就此散心、一心之爭作出回應，認為心明水淨方能感佛現前接引，故以一心不亂為得生條件。[99]並重點援引智旭「散心念佛亦能往生」之說詳加辨析，提出此說乃為料簡以持名為修定助力，而無信願求生之心者說；又特揀智旭「信真願切」的前提，認為果真信願切，則不期一心自得一心，亦依此認為事一心不亂乃念佛人必須具備的功行。[100]

當代湛然法師的觀點與元音相類，二者皆引《彌陀經》以為念佛須達「一心不亂」之證。湛然對一心念佛的理解是不雜妄想之念佛，而以散心念佛為「口稱佛名，心想他事。」[101]與元音不同的是，湛然明確批駁智旭之說。認為散心念佛一定不具信願，故以「信得決，願得切，雖散心念佛亦必往生」之觀點為偽命題，是完全錯誤的。[102]

二、明確肯定散心念佛，未達一心即可往生。清代古崑於智旭之說倍加感激，以之能令末法垢重心亂之凡夫依斯皆得度脫。[103]又特作〈散持有功〉一文，以但能佛號歷然不放鬆，縱散亂持名，未斷垢心，未斷妄想，亦能蒙佛攝受，帶業橫超。[104]智隨注《要解》，亦承智旭

---

98 前文提及守培〈一心念佛即得往生論〉，已作辨析。此處所論主要針對已然具備信願的前提下，得生與否對行的程度有何要求。因立場、側重不同，故此處不將守培的觀點納入討論。

99 元音老人：〈談談往生西方的關鍵問題（上）〉，收入《法音》1993年第4期（總第104期），1993年4月15日，頁8。

100 此處元音所言「事一心」與「理一心」，乃據袾宏之說。元音老人：〈談談往生西方的關鍵問題（上）〉，頁7-8。

101 湛然：〈一心念佛，而不是散心念佛〉，「如說修行」網上佛學院網站（https://www.cfolu.com/xiuxueyd/144yixinnianfo.html），2023年6月9日瀏覽。

102 湛然：〈一心念佛，而不是散心念佛〉，2023年6月5日瀏覽。

103 〔清〕古崑：《淨土必求》，收入《卍新纂大日本續藏經》第62冊（東京：株式會社國書刊行會，1975-1989），頁454。

104 〔清〕古崑：《淨土隨學》，收入《卍新纂大日本續藏經》第62冊（東京：株式會社國書刊行會，1975-1989），頁432。

之說多有闡發，肯定在信願具足的前提下，散心念佛亦必得生。[105]

三、未肯定散心念佛即可得生，但謂念佛未達一心不亂也能帶業往生。印光示慈雲攝心十念法門以治念佛心散之病，提及「散心念佛，難得往生……一心念佛，決定往生。」[106]然觀其著述，所重亦在信願而非一心，多次強調在真信切願的前提下，縱未達一心不亂，也可仗佛慈力，帶業往生。[107]若重一心而不重信願，已失淨宗之要。又特囑若因未得一心，生恐不得生之疑，則完全與真信切願相違，[108]甚或因急求一心而致著魔，[109]弄巧成拙。

綜觀上述論辯，分歧之源可歸結為二：

其一，對「散心念佛」的理解有異。元音、湛然對散心念佛的理解，乃是畏苦畏難，心戀娑婆，悠悠閒散，口念彌陀心散亂的狀態。印光所言「散心念佛，難得往生」之「散心」，則是對眾生念佛時心猿意馬之警策，令攝心念佛，而非從修證而言。古崑、智隨等肯定的「散心念佛亦可往生」之「散心」，乃就修證程度而論，指尚未斷惑、伏惑，但亦並非心繫娑婆，黏著境緣，有口無心之持名。因此，印光的觀點看似與古崑、智隨等人有別，其實一也。

其二，得生標準是否須達「一心不亂」。元音、湛然以一心不亂為得生標準，否定智旭之說。古崑、印光、智隨則承智旭之說，認為未達一心，不須斷惑，亦可帶業往生。

---

105 〔清〕蕅益大師著，釋智隨編注：《阿彌陀經要解略注》，頁236。

106 釋印光：〈與陳錫周居士書〉，見張景崗點校：《增廣印光法師文鈔》，頁37。

107 釋印光：：〈復又眞師覺三居士書〉，《印光法師文鈔續編》（臺北：華藏淨宗弘化基金會，2010年），頁140。

108 釋印光：：〈復朱德大居士書〉，《印光法師文鈔續編》（臺北：華藏淨宗弘化基金會，2010年），頁242-243。

109 釋印光：〈復溫光熹居士書八〉，張育英校注：《印光法師文鈔》（北京：宗教文化出版社，1999年），頁905。

此二點實亦釐清紛爭之關鍵，以下就此辨析。

實則，智旭所謂「散亂」正如古崑、智隨所解，乃就修證功夫而言，亦即未達一心不亂、未斷見思惑之「散亂」，而非指心態悠悠散漫，或意念紛馳的狀態。智旭晚年有偈，示居「名字位中真佛眼」，[110]即已開圓解，圓悟如來藏性，然未能伏惑斷惑，而言持名功夫猶屬散心念佛。[111]又〈自像贊〉述日常用功，自謂「終日輪串數珠，唯恐萬聲未足。縱有一隙獨明，且無片長可錄。只圖下品蓮生，便是終身定局。」[112]此皆可證智旭所謂「散心念佛」乃指修證功夫，而非修持心態。試想，若指心態散亂、黏著五欲，何以滿足深信切願的條件？智旭嘗言若泛泛悠悠，口向心背，則不能出輪迴、生淨土。由此心行亦可見其信不真、願不切。此正元音、湛然駁斥之「散心」。

智旭在《要解》另一處亦提到，散心稱名之功德能除罪，但不一定能往生。[113]何以既謂散心稱名可感下品下生、下品中生，又謂不定往生？此中關鍵正在勘驗信願的程度。如其下所云「以悠悠散善，難敵無始積罪故。」[114]若信願程度不夠深切，但只泛泛悠悠，若有若無，如前文所舉信願不真切的情況，則必不能生。亦即智旭所言口言往生者多，真實往生者少之因。然若信願程度足夠深切，則符合智旭所論下品下生、下品中生生因，故必往生。正如前文所引，往生亦須以力行為條件，此「力」字，亦即修持心態精進、真信切願的呈現。因此，智旭所謂散心持名亦可往生，必須在深信切願的前提下，以一

110 〔明〕蕅益智旭：〈病間偶成〉，見會性法師輯：《蕅益大師淨土集》，頁238。

111 智旭於〈祖堂幽棲寺丁亥除夕普說〉自謂：「吾慽障深力薄，戒品尚多缺略，持名猶屬散心。」〔明〕蕅益智旭：〈祖堂幽棲寺丁亥除夕普說〉，收入《靈峰蕅益大師宗論》，卷4，頁273。

112 〔明〕蕅益智旭：〈自像贊（三）〉，見會性法師輯：《蕅益大師淨土集》，頁227。

113〔明〕蕅益智旭：《佛說阿彌陀經要解》，頁75。

114 〔明〕蕅益智旭：《佛說阿彌陀經要解》，頁75。

心不亂為目標，盡力而為，只是功夫尚未達到一心不亂的境界。對比智旭所論下三品之別，功夫呈漸進式提升，便是其證。

對於此等未達一心，下品下生、下品中生之眾生，其所以能夠往生，更取決於信願的力量，也恰恰凸顯了深信切願之切要。正如資質不佳的孩子，但有至誠懇切的上進心，倍加用功努力，但能力所限暫未達到多高的程度，為人父母、老師定是百般珍視，千方百計誘掖成就以滿其志。此亦散心念佛得生之理。《彌陀經》示持名剋期功成，感臨終彌陀聖眾現前接引，而後佛陀殷勤勸願。對此智旭釋曰：「唯有信願持名，仗他力故，佛慈悲願，定不唐捐。彌陀聖眾，現前慰導，故得無倒，自在往生。佛見眾生臨終倒亂之苦，特為保任此事，所以殷勤再勸發願，以願能導行故也。」[115]正以五濁惡世、末法時劫，靠自力修行斷惑、了脫生死實為大難，尤其生死關頭功夫甚難得力，故彌陀為救拔眾生出苦輪，專為開此他力易行法門，但只行人求生淨土的信願力足夠深切，與彌陀願力感應道交，縱使自身念佛功夫未達一心，彌陀也定會於臨終現前加持，令得無倒，使行者仰仗佛力了脫生死，得生同居淨土。此正智旭所言「惟同居直以信願相導」[116]之由。

《無量壽經》論三輩生因時，有「發菩提心，雖不專念無量壽佛，亦非恒種眾多善根，隨己修行諸善功德，迴向彼佛願欲往生。」[117]已明確指出在發菩提心的前提下，雖未達專念的程度，但以所行諸善功德迴向亦可往生。主張一心不亂方可得生者，多以鳩摩羅什所譯《彌陀經》為證。[118]然玄奘譯本描述行人信願持名，所感臨終景象則曰：

---

115 〔明〕蕅益智旭：《佛說阿彌陀經要解》，頁76。

116 〔明〕蕅益智旭：〈靈峰寺淨業緣起〉，見會性法師輯：《蕅益大師淨土集》，頁180。

117 〔唐〕菩提流志譯：《大寶積經．卷十八．無量壽如來會》，收入《新修大正大藏經》第11冊（臺北：宏願出版社，1992年），頁97。

118 《佛說阿彌陀經》云：「若有善男子、善女人，聞說阿彌陀佛，執持名號，若一日、若二日、若三日、若四日、若五日、若六日、若七日，一心不亂。其人臨命

「無量壽佛與其無量聲聞弟子菩薩眾俱，前後圍繞來住其前，慈悲加祐，令心不亂，既捨命已隨佛眾會，生無量壽極樂世界清淨佛土。」[119]從玄奘譯本可見，行人臨終乃由彌陀聖眾現前加祐，令達一心不亂。《悲華經》的描述則更明顯。彌陀發願，若有眾生發菩提心，修諸功德，欲生極樂，臨終之時，「我時當與大眾圍遶現其人前，其人見我，即於我所，得心歡喜，以見我故，離諸障閡，即便捨身，來生我界。」[120]此皆證明所謂一心不亂得生淨土，並不一定是行人自身修證的境界。對於功夫尚未達一心的人，其臨終之一心乃佛力加持的結果，此正突顯淨宗仗佛慈力救度的思想，對行人自力修證功夫沒有太高的要求。可見，智旭之說，與玄奘譯本、《悲華經》之義完全契合，更大程度彰顯了彌陀大願之弘深與淨土他力法門的殊勝易行。誠如智旭《要解》所結歸，淨土法門「無藉劬勞修證，但持名號，徑登不退。」[121]此與「得生與否，全由信願」之說遙相呼應，全顯淨宗心

終時，阿彌陀佛與諸聖眾，現在其前。是人終時，心不顛倒，即得往生阿彌陀佛極樂國土。」〔姚秦〕鳩摩羅什譯：《佛說阿彌陀經》，收入《新修大正大藏經》第12冊（臺北：宏願出版社，1992年），頁347。

119 〔唐〕玄奘譯：《稱讚淨土佛攝受經》，收入《新修大正大藏經》第12冊（臺北：宏願出版社，1992年），頁350。現存《阿彌陀經》較重要之梵本，為梵文學者Friedrich Max Muller（1823-1900）以在日本所得的常明本及法護本為底本，並參考慈雲本，於1880年出版梵文本《阿彌陀經》，並附英譯。本段英譯如下：'…when he or she comes to die, then that Amitâyus, the Tathâgata, surrounded by an assembly of disciples and followed by a host of Bodhisattvas, will stand before them at their hour of death, and they will depart this life with tranquil minds. After their death they will be born in the world Sukhâvatî, in the Buddha-country of the same Amitâyus, the Tathâgata.' 根據Muller英譯，彌陀由諸聖眾前後圍繞，來住其前，此臨終者便在平靜、安詳中往生，與玄奘所譯相應。可見，此處玄奘譯本更偏向直譯，較之羅什譯本更為詳實。參見F. Max Muller, 'On Sanskrit Texts Discovered in Japan,' *The Journal of the Royal Asiatic Society of Great Britain and Ireland*, 12.2(1880), 153-188(p.171).

120 〔南北朝〕曇無讖：《悲華經・卷三・諸菩薩本授記品第四之一》，收入《新修大正大藏經》第3冊（臺北：宏願出版社，1992年），頁184。

121 〔明〕蕅益智旭：《佛說阿彌陀經要解》，頁86。

要。凸顯淨業行人所以感應道交、蒙佛接引之關鍵，在於信願程度之深切，而非自力修證功夫。

智旭明確提出「得生與否，全由信願之有無」、未達一心也可往生的觀點，乃其真知灼見。通過上述分析，便更清楚理解，智旭之所以謂得生「全由信願」，實是對信願與行程度要求的區分，而並非獨以信願為生西條件而廢置行。尤其就凡聖同居土之生因而言，在信願程度足夠深切的前提下，則對修證程度沒有太高的要求，縱使散心念佛、未斷惑伏惑，未達一心，亦可帶業往生。通過智旭的闡釋，真正將淨土他力法門的隱微要旨、簡易方便、三根普被的殊勝廣大彰顯得淋漓盡致，為淨業行者更添信願，指明方向。

五　結論

歷來研究，多從智旭信願行之內容論述其淨土思想，本文則直接以智旭「得生與否，全由信願之有無」這一代表觀點切入，深入探究其淨土生因思想。通過相關文獻的耙梳對比，發現智旭並非認為但具信願即可往生而摒棄行，信願行實不可偏廢。智旭所以言「全由信願」，乃為強調信願於往生淨土之切要，具體體現在兩個方面：

一、信願為行之所本，既是策勵行源源不絕之動力，亦對所行功德具有導向作用。信願之有無，決定了是否能與彌陀願力相感，正為區分自力他力之關鍵。信願具足則所行一切皆可迴向以為淨土資糧；無信願之念佛則與通途自力無別，縱達一心亦不得生，未至斷惑甚至生死不了，依舊輪轉六道。

二、往生條件對信願與行的程度要求有別。智旭認為極樂以凡聖同居土最為殊勝，提出在信願深切的前提下，縱散心念佛，未達一心不亂，臨終亦可蒙佛力加倍，接引得生同居土。此「散心」非指悠悠閒散、黏著娑婆的心態，而是就自身修證程度，未能伏惑斷惑，未達一心之境界。如此易行的標準，反過來亦凸顯信願的力量及真信切願程度的要求。

通過對比辨析，智旭淨土生因之觀點實本於淨土經典，深契淨宗心要，極闡信願之力量，更大程度彰顯了淨土法門仰仗佛力功高易進、攝機廣大的特點，深契末法眾生的根基，更突顯了淨宗的普世性與世俗化傾向。

淨土本是「萬修萬人去」[122]的法門，然現實卻日益呈現念佛者多，往生者少的趨勢，原因何在？或信願有缺，行亦不力；或重行卻忽視信願求生；或因未達一心恐不得生，反因疑生障……在此形勢下，智旭淨土生因的觀點正是對症良方，俾淨業行者深明淨宗心要，依斯深生信願，得生淨土，頓脫生死，圓滿菩提。不僅無愧為方今慧炬，亦將昭昭然於當來之世。

122〔元〕天如則：《淨土或問》，收入《新修大正大藏經》第47冊（臺北：宏願出版社，1992年），頁292。

參考文獻

一　古籍專書

〔東晉〕佛陀跋陀羅譯：《文殊師利發願經》，收入《新修大正大藏經》第10冊，臺北：宏願出版社，1992年。

〔曹魏〕康僧鎧譯：《佛說無量壽經》，收入《新修大正大藏經》第12冊，臺北：宏願出版社，1992年。

〔姚秦〕鳩摩羅什譯：《大智度論》，收入《新修大正大藏經》第25冊，臺北：宏願出版社，1992年。

〔姚秦〕鳩摩羅什譯：《佛說阿彌陀經》，收入《新修大正大藏經》第12冊，臺北：宏願出版社，1992年。

〔姚秦〕鳩摩羅什譯：《維摩詰所說經》，卷1，收入《新修大正大藏經》第14冊，臺北：宏願出版社，1992年。

〔北魏〕曇鸞：《無量壽經優婆提舍願生偈註》，收入《新修大正大藏經》第40冊，臺北：宏願出版社，1992年。

〔南北朝〕曇無讖：《悲華經・卷三・諸菩薩本授記品第四之一》，收入《新修大正大藏經》第3冊，臺北：宏願出版社，1992年。

〔劉宋〕畺良耶舍譯：《佛說觀無量壽佛經》，收入《新修大正大藏經》第12冊，臺北：宏願出版社，1992年。

〔隋〕智顗：《觀無量壽佛經疏》，收入《新修大正大藏經》第37冊，臺北：宏願出版社，1992年。

〔隋〕智顗：《摩訶止觀》，收入《新修大正大藏經》第46冊，臺北：宏願出版社，1992年。

〔唐〕玄奘譯：《稱讚淨土佛攝受經》，收入《新修大正大藏經》第12冊，臺北：宏願出版社，1992年。

〔唐〕慧苑：《續華嚴經略疏刊定記》，卷4，收入《卍新纂大日本續藏經》第3冊，東京：株式會社國書刊行會，1975-1989。

〔唐〕菩提流志譯：《大寶積經・無量壽如來會》，收入《新修大正大藏經》第11冊，臺北：宏願出版社，1992年。

〔唐〕般若譯：《大方廣佛華嚴經》，卷40，收入《新修大正大藏經》第10冊，臺北：宏願出版社，1992年。

〔元〕天如則：《淨土或問》，收入《新修大正大藏經》第47冊，臺北：宏願出版社，1992年。

〔元〕宗寶：《六祖大師法寶壇經》，收入《新修大正大藏經》第48冊，臺北：宏願出版社，1992年。

〔明〕妙葉：《寶王三昧念佛直指》，收入《新修大正大藏經》第47冊，臺北：宏願出版社，1992年。

〔明〕雲棲袾宏：《佛說阿彌陀經疏鈔》，收入《卍新纂大日本續藏經》第22冊，東京：株式會社國書刊行會，1975-1989。

〔明〕憨山德清撰，福善錄，通炯編輯，劉起相重校：《憨山老人夢遊集》，卷9，收入《卍新纂大日本續藏經》第73冊，東京：株式會社國書刊行會，1975-1989。

〔明〕蕅益智旭：《佛說阿彌陀經要解》，收入《新修大正大藏經》第37冊，臺北：宏願出版社，1992年。

〔明〕：蕅益智旭，成時輯：《靈峰蕅益大師宗論》，收入《嘉興大藏經》第36冊，臺北：新文豐出版社，1987年。

〔明〕蕅益智旭註，道昉訂：《梵網經合註》，卷6，收入《卍新纂大日本續藏經》第38冊，東京：株式會社國書刊行會，1975-1989。

〔明〕蕅益大師要解，〔清〕達默法師造鈔：《佛說阿彌陀經要解便蒙鈔》，臺北：佛陀教育基金會，2014年。

〔明〕蕅益大師要解，寶靜法師講述：《阿彌陀經要解親聞記》，臺北：佛陀教育基金會，2010年。
〔明〕蕅益智旭著，會性法師輯：《蕅益大師淨土集》，臺北：財團法人佛陀教育基金會，2014年。
〔明〕蕅益大師著，釋智隨編注：《阿彌陀經要解略注》，長沙：嶽麓書社，2011年。
〔明〕蕅益智旭，印光增訂，張景崗點校：《淨土十要》，北京：九州出版社，2013年。
〔清〕古崑：《淨土必求》，收入《卍新纂大日本續藏經》第62冊，東京：株式會社國書刊行會，1975-1989。
〔清〕古崑：《淨土隨學》，收入《卍新纂大日本續藏經》第62冊，東京：株式會社國書刊行會，1975-1989。

二　現代專書

陳永革：《晚明佛教思想研究》，北京：宗教文化出版社，2007年。
陳揚炯：《中國淨土宗通史》，南京：鳳凰出版社，2008年。
趙紹成：《邏輯學》，成都：西南交通大學出版社，2015年。
潘桂明，吳忠偉：《中國天台宗通史》，南京：江蘇古籍出版社，2001年。
釋印光：《印光法師文鈔續編》，臺北：華藏淨宗弘化基金會，2010年。
釋印光著，張育英校注：《印光法師文鈔》，北京：宗教文化出版社，1999年。
釋印光著，張景崗點校：《增廣印光法師文鈔》，北京：九州出版社，2012年。
釋聖嚴著，關世謙譯：《明末中國佛教之研究》，臺北：臺灣學生書局，1989年。

釋大安：《淨土宗教程（修訂本）》，北京：宗教文化出版社，2006年。

龔曉康：《融會與貫通：蕅益智旭思想研究》，成都：巴蜀書社，2007年。

〔日〕望月信亨著，釋印海譯：《中國淨土教理史》，臺北：華宇出版社，1987年。

三　學位論文

余沛翃：《蕅益智旭佛說阿彌陀經要解之研究》，屏東：屏東教育大學中國語文學系碩士論文，2011年。

高芳：《蕅益智旭的信仰論》，瀋陽：遼寧大學宗教學碩士學位論文，2016年。

蔡木泉：《蕅益大師的生平與淨土思想》，新北：華梵大學東方人文思想研究所碩士論文，2016年。

邱美華（釋聞融）：《蕅益智旭之淨土念佛思想》，嘉義：南華大學人文學院宗教學研究所碩士論文，2020年。

馮婭娟：《蕅益智旭的信願行思想》，天津：南開大學宗教學碩士學位論文，2007年。

四　期刊論文

元音老人：〈談談往生西方的關鍵問題（上）〉，收入《法音》1993年第4期（總第104期），北京：中國佛教協會，1993年4月15日。

林克智：〈略論蕅益大師的淨土思想〉，收入《靈峰蕅益大師研究》，北京：宗教文化出版社，2011年。

林克智：〈彌陀要解明確指出一生成佛之路〉，收入《靈峰蕅益大師研究》，北京：宗教文化出版社，2011年。

周湘雁翔：〈壇經唯心淨土思想辨析〉，《船山學刊》2013年第1期，長沙：湖南省社會科學界聯合會，2013年1月。

夏金華：〈論「念佛往生」與「信願往生」－以民國時期守培與印光等人的爭論為例〉，《人間佛教研究》第6期，香港：中文大學出版社，2014年。

陳啟文：〈彌陀本願之理論體系及其詮釋〉，《東吳中文學報》第14期（2007年11月）。

陳永革：〈「即世法而行佛法」：論蕅益智旭的彌陀淨土行〉，收入《靈峰蕅益大師研究》，北京：宗教文化出版社，2011年。

劉霞羽〈彌陀要解淨土思想初探〉，收入《靈峰蕅益大師研究》，北京：宗教文化出版社，2011年。

蕭愛蓉：〈「攝禪歸淨」對晚明佛教的革新意義——以蕅益智旭為核心〉，《全國佛學論文24屆（2013）論文集》，2013年。

釋印光：〈（一心念佛即得往生論）附駁辯〉，《海潮音》第6年第5期，收入《海潮音》第6卷，上海：上海古籍出版社，2003年。

釋守培：〈一心念佛即得往生論〉，《海潮音》第6年第5期，收入《海潮音》第6卷，上海：上海古籍出版社，2003年。

釋聖嚴：〈蕅益大師的淨土思想〉，收入張曼濤主編《現代佛教學術叢刊（第65冊）：淨土宗史論》，臺北：大乘文化出版社，1979年。

釋聖嚴：〈明末中國的淨土教人物及其思想〉，《華崗佛學學報》第8期，新北：中華學術院佛學研究所，1985年。

F. Max Muller, 'On Sanskrit Texts Discovered in Japan,' *The Journal of the Royal Asiatic Society of Great Britain and Ireland*, 12.2(1880).

五　網絡資料

湛然：〈一心念佛，而不是散心念佛〉，「如說修行」網上佛學院網站（https://www.cfolu.com/xiuxueyd/144yixinnianfo.html），2023年6月9日瀏覽。

附表

表一　智旭《要解》釋「六信」[123]

信自	信我現前一念之心，本非肉團，亦非緣影，豎無初後，橫絕邊涯，終日隨緣，終日不變，十方虛空微塵國土，元我一念心中所現物，我雖昏迷倒惑，苟一念回心，決定得生自心本具極樂，更無疑慮，
信他	信釋迦如來決無誑語，彌陀世尊決無虛願，六方諸佛廣長舌、決無二言；隨順諸佛真實教誨，決志求生，更無疑惑。
信因	深信散亂稱名，猶為成佛種子，況一心不亂，安得不生淨土。
信果	深信淨土，諸善聚會，皆從念佛三昧得生；如種瓜得瓜，種豆得豆；亦如影必隨形，響必應聲，決無虛棄。
信事	深信只今現前一念不可盡故，依心所現十方世界亦不可盡；實有極樂國在十萬億土外，最極清淨莊嚴，不同莊生寓言。
信理	深信十萬億土，實不出我今現前介爾一念心外；以吾現前一念心性實無外故。又深信西方依正、主伴、皆吾現前一念心中所現影。全事即理，全妄即真，全修即性，全他即自，我心徧故，佛心亦徧，一切眾生心性亦徧。譬如一室千燈，光光互徧，重重交攝，不相妨礙。

123〔明〕蕅益智旭：《佛說阿彌陀經要解》，頁38-39。

表二　唐譯《無量壽經》與《觀無量壽佛經》論三輩生因

<table>
<tr><th>往生品位</th><th>《無量壽經》[124]</th><th>《觀無量壽佛經》[125]</th></tr>
<tr><td rowspan="3">上輩</td><td rowspan="3">若有眾生於他佛剎發菩提心，專念無量壽佛，及恒種殖眾多善根，發心迴向願生彼國。</td><td>上品上生者，若有眾生願生彼國者，發三種心，即便往生。何等為三？一者、至誠心。二者、深心。三者、迴向發願心。具三心者必生彼國。
復有三種眾生，當得往生。何等為三？一者、慈心不殺，具諸戒行。二者、讀誦大乘方等經典。三者、修行六念，迴向發願生彼佛國。具此功德，一日乃至七日，即得往生。</td></tr>
<tr><td>上品中生者，不必受持讀誦方等經典。善解義趣，於第一義心不驚動，深信因果，不謗大乘；以此功德，迴向願求生極樂國。</td></tr>
<tr><td>上品下生者，亦信因果，不謗大乘，但發無上道心，以此功德，迴向願求生極樂國。</td></tr>
<tr><td rowspan="3">中輩</td><td rowspan="3">若他國眾生發菩提心，雖不專念無量壽佛，亦非恒種眾多善根，隨己修行諸善功德，迴向彼佛願欲往生。</td><td>中品上生者，若有眾生受持五戒，持八戒齋，修行諸戒，不造五逆，無眾過惡；以此善根，迴向願求生於西方極樂世界。</td></tr>
<tr><td>中品中生者，若有眾生，若一日一夜持八戒齋，若一日一夜持沙彌戒，若一日一夜持具足戒，威儀無缺。以此功德，迴向願求生極樂國。</td></tr>
<tr><td>中品下生者，若有善男子、善女人，孝養父</td></tr>
</table>

124〔唐〕菩提流志譯：《大寶積經・卷十八・無量壽如來會》，收入《新修大正大藏經》第11冊（臺北：宏願出版社，1992年），頁97-98。

125〔劉宋〕畺良耶舍譯：《佛說觀無量壽佛經》，收入《新修大正大藏經》第12冊（臺北：宏願出版社，1992年），頁344-346。

往生品位	《無量壽經》[124]	《觀無量壽佛經》[125]
		母，行世仁義，命欲終時，遇善知識為其廣說阿彌陀佛國土樂事，亦說法藏比丘四十八大願。聞此事已，尋即命終。
下輩	若有眾生住大乘者，以清淨心向無量壽如來，乃至十念念無量壽佛願生其國，聞甚深法即生信解，心無疑惑。乃至獲得一念淨心，發一念心念無量壽佛。	下品上生者，或有眾生作眾惡業，雖不誹謗方等經典，如此愚人，多造惡法，無有慚愧，命欲終時遇善知識，為讚大乘十二部經首題名字。以聞如是諸經名故，除卻千劫極重惡業。智者復教合掌叉手，稱南無阿彌陀佛。
		下品中生者，或有眾生，毀犯五戒、八戒及具足戒，偷僧祇物，盜現前僧物，不淨說法，無有慚愧。以惡業故應墮地獄。命欲終時，地獄眾火一時俱至，遇善知識為其讚說阿彌陀佛威德光明，亦讚戒、定、慧、解脫、解脫知見。
		或有眾生作不善業，五逆、十惡，具諸不善。如此愚人以惡業故，應墮惡道，經歷多劫，受苦無窮。如此愚人臨命終時，遇善知識，種種安慰，為說妙法，教令念佛，彼人苦逼不遑念佛。善友告言：『汝若不能念彼佛者，應稱歸命無量壽佛。』如是至心令聲不絕，具足十念，稱南無阿彌陀佛。

表三　《靈峰蕅益大師宗論》提及「將就」

卷數	原文
卷1	某專求己過，毋責人非，知將就苟且難出生死牢關，信駑駘顛蹶，不可橫超淨土。[126]
卷2	以深廣心治將就心，期待誓同先哲，舉措莫類時流。[127]
卷2	將就苟且，不可修道。[128]
卷2	禪不禪，教不教，律不律，行門不行門，依稀彷彿，將就苟且，混過一生，毫無實益，百千萬劫，依然還在生死。[129]
卷2	策其志，毋循將就苟且塗轍。[130]
卷4	流俗人亦三種心，輕心，忽心，將就心，此三常遊五趣。[131]
卷6	惟消文貼句，將就苟且，作名利資糧。[132]

126〔明〕：蕅益智旭〈滅定業咒壇懺願文〉，《靈峰蕅益大師宗論》，卷1，收入《嘉興大藏經》第36冊（臺北：新文豐出版社，1987年），頁269。

127〔明〕：蕅益智旭〈示印海方丈〉，《靈峰蕅益大師宗論》，卷2，收入《嘉興大藏經》第36冊（臺北：新文豐出版社，1987年），頁275。

128〔明〕：蕅益智旭〈示律堂大眾〉，《靈峰蕅益大師宗論》，卷2，收入《嘉興大藏經》第36冊（臺北：新文豐出版社，1987年），頁276。

129〔明〕：蕅益智旭〈示象巖〉，《靈峰蕅益大師宗論》，卷2，收入《嘉興大藏經》第36冊（臺北：新文豐出版社，1987年），頁278。

130〔明〕：蕅益智旭〈示密詣〉，《靈峰蕅益大師宗論》，卷2，收入《嘉興大藏經》第36冊（臺北：新文豐出版社，1987年），頁280。

131〔明〕：蕅益智旭〈梵室偶談〉，《靈峰蕅益大師宗論》，卷4，收入《嘉興大藏經》第36冊（臺北：新文豐出版社，1987年），頁331。

132〔明〕：蕅益智旭〈印禪人閱台藏序〉，《靈峰蕅益大師宗論》，卷6，收入《嘉興大藏經》第36冊（臺北：新文豐出版社，1987年），頁353。

櫝中驪珠

——水陸法會中的天台唯心淨土思想探析

梁秀睿

國立成功大學中國文學系博士候選人

摘要

水陸法會係是漢傳佛教傳統中十分盛大的法會，其中富有豐富的佛教哲學思想；在淨土思想方面，水陸法會大量承襲了四明知禮《妙宗鈔》的觀點，承緒了天台宗的淨土思想，也一併繼承了天台淨土的底蘊——圓教思想。本文針對現今佛教舉行水陸法會所用的儀式文本——《水陸儀軌會本》進行攷查，爬梳其中關於天台唯心淨土思想之文句、分析其內涵與作用，發現其出現的意義與作用可分為三類：（一）染與淨的轉化、（二）空間地域的轉換、（三）娑婆與極樂的去來。其中以第三類「娑婆與極樂的去來」為三項之中出現次數最多者；由此亦可看出《水陸儀軌會本》內唯心淨土思想最主要的功用，是將六凡眾生導歸淨土。然而這些思想在《水陸儀軌會本》中不單只是理論上的描述，更被作為一種宗教修持的「行動」來進行，我們或可將基於《水陸儀軌會本》所修持的水陸法會，視為天台唯心淨土思想的行持法門；換句話說天台宗的教理，除了以理論的形式，存在於《摩訶止觀》、《法華文句》、《妙宗鈔》等論書裡面，更依附於法會、佛事等事相行持的框架之中流傳至現代，實可謂是櫝中驪珠。

關鍵詞：水陸儀軌會本、水陸法會、天台宗、性具、唯心淨土

Gem in the Casket: On the Tiantai Buddhist Idea of "Pure Land in Mimd" in "Water and Land Dharma Service"

Shiu-Jui Liang

Ph.D. Candidate, Department of Chinese Literature, National Cheng Kung University

Abstract

The "ShuiluFahui" (Water and Land Dharma Service) is a very grand Dharma Service in the Chinese Buddhist tradition, which is rich in Buddhist philosophical thoughts. About of Pure Land thought, the Shuilu Dharma Service inherits many views from the *Miao Zong Chao* (《妙宗鈔》) of the Siming Zhili (四明知禮), and inherits the Tiantai tradition (天台宗). The Pure Land Thoughts in the Shuilu Dharma Service also inherited the Tiantai Pure Land Thoughts and its base- the Complete Teaching Thoughts (圓教思想). This article research the ritual book used by "Water and Land Dharma Service" - *The Ritual of Shuilu* (《水陸儀軌會本》). Crawling through the passages about Tiantai's idealistic Pure Land thought and analyzing its meaning and function.We found that three categories: (1) transformation of dirty and purity, (2) transformation of space and region, (3) coming and going of the saha world and bliss world. Among them, the third category "the coming and going of the saha world and bliss world " is the one that appears the most among the three. From this, we can also see that the most important function of the "Pure Land in Mimd thought" (唯心淨土思想) in *The Ritual of Shuilu* is to guide all living beings to return Pure land.However, these thoughts are not only theoretical descriptions in *The Ritual of Shuilu*, but are also carried out as an "action" of religious practice.We may regard the Water and Land Dharma Service as an action of Tiantai's Pure Land in Mimd thought.In other words, the teachings of Tiantai, in addition to being in the form of theory, exist in treatises such as *MoheZhikuan* (《摩訶止觀》), *Fahua Wenju* (《法華文句》), *Miao Zong Chao* (《妙宗鈔》), and are also spread in Dharma Service and other actions. As like as a Gem in the casket.

Keywords: The Ritual of Shuilu, Water and Land Dharma Service, Tiantai Buddhist, Inherent Thought, Pure Land in Mimd

一　前言

「經懺佛事」的施行，可謂漢傳佛教之特色，佛教僧俗透過禮誦佛經及懺法儀軌，以達自我修持乃至為他人消災增福之目的。然而，在近代佛教的發展歷程中，經懺佛事卻曾經淪為僧眾的謀生工具，使原本單純的修行法門蒙上商業化的陰影。[1]此現象在一九五〇年代左右受到部分教內外人士的關注與批判。反對經懺者，以為經懺僅係吹打誦念、虛應故事，不願探究其堂奧；從事經懺為生的應赴僧，或因忙於應赴齋家，而對經懺內涵一知半解。導致經典懺法所蘊藏的豐富內涵與義理，汨沒於文字汪洋之中。當代佛教學者聖嚴法師曾言：「經懺佛事，並非壞事，……要將經懺佛事當作我人通向成佛之道的橋樑，我人應在經懺之中體認成佛之道的種種方法，以期學佛所學，行佛所行，達於證佛所證的無上佛境。」[2]由是觀之，經懺佛事係是佛教修持的重要途徑，而爬梳與研究經懺文本的內涵、令世人見其本來面目，實是當今關心佛教發展者所應努力的目標之一。

佛教活動以經懺佛事最為深入民間社會，而佛教義理最廣為世人所知的則應屬「淨土思想」。廣義的淨土定義依著對淨土的認知可略分為二類：（一）「指方立向」的淨土，以及（二）「唯心淨土」。「指方立向」的淨土思想係認為淨土真實存在於世界內外的某處，例如依據《佛說阿彌陀經》所言：「從是西方過十萬億佛土，有世界名曰極樂。」[3]認為極樂世界位於娑婆世界的西方；抑或《彌勒下生經》[4]、

1　關於近代經懺佛事的相關情況可參聖嚴法師所撰寫的回憶錄《歸程》之第六章與第七章。釋聖嚴撰：《歸程》，收錄於：《法鼓全集》第6輯，第1冊（臺北：法鼓文化，2020年）。

2　釋聖嚴撰，《律制生活・論經懺佛事及其利弊得失》，收錄於：《法鼓全集》第5輯第5冊（臺北：法鼓文化，2020年），頁226。

3　《佛說阿彌陀經》，收錄於：《大正藏經》，第12冊，經號366，頁346c。

《彌勒上生經》[5]等彌勒經典中所提到，彌勒菩薩成佛前暫居於娑婆世界的兜率陀天，為天眾演說法義等等。指方立向的淨土認為佛國淨土真實存在於宇宙的某個角落。相對於此，「唯心淨土」的思想則認為淨土係是唯心所變，簡單來說：淨土並非存在於真實的某一處，而是依存於眾生的心；換句話說：心外無佛、心外無淨土。然而，唯心淨土思想亦有許多不同的開展脈絡。例如：禪宗以《維摩詰經》「心淨土淨」之說[6]，在《六祖壇經》中開展其唯心淨土觀[7]。天台宗的唯心淨土思想，則主要建基於天台智顗（538-597年）《摩訶止觀》[8]的「一念三千」、「一心具十法界」思想之上，並在宋代天台僧人四明知禮（960-1028年）所著的《觀無量壽佛經疏妙宗鈔》[9]中清楚開展而出。由於指方立向的淨土義理較易於理解，因此歷代至今廣為流行；唯心淨土義理較為深奧，並非庶民大眾所易於接受，故而不若指方立向之流行。但有趣的是，當今佛教界十分盛行的經懺佛事──水陸法會中，卻含藏著豐富的天台唯心淨土思想。

---

4 《佛說彌勒下生經》，收錄於：《大正藏經》，第14冊，經號453。

5 《佛說觀彌勒菩薩上生兜率天經》，收錄於：《大正藏經》，第14冊，經號452。

6 《維摩詰所說經》卷一在說明菩薩莊嚴國土利樂有情的菩薩行時，提到：「若菩薩欲得淨土，當淨其心；隨其心淨，則佛土淨。」（《大正藏經》，第14冊，經號475，頁538c。）

7 《六祖大師法寶壇經》云：「迷人念佛求生於彼，悟人自淨其心。所以佛言，隨其心淨，即佛土淨。使君東方人，但心淨即無罪；雖西方人，心不淨亦有愆。東方人造罪念佛求生西方；西方人造罪，念佛求生何國？凡愚不了自性，不識身中淨土。願東願西，悟人在處一般。所以佛言：『隨所住處恒安樂。』使君心地但無不善，西方去此不遙；若懷不善之心，念佛往生難到。……佛向性中作，莫向身外求，自性迷即是眾生，自性覺即是佛。」（T48n2008_p0352a19）當中明確提到「淨土不在他方，覺悟自性即是淨土」的唯心淨土觀。

8 〔隋〕天台智顗：《摩訶止觀》，收錄於：《大正藏經》，第46冊，經號1911。

9 〔宋〕四明知禮：《觀無量壽佛經疏妙宗鈔》，收錄於：《大正藏經》第37冊，經號1751。

水陸法會全稱「法界聖凡水陸普度大齋勝會」，是漢傳佛教盛行的一種經懺佛事。現行的水陸法會的修持場地分為內壇與外壇：內壇是整場法會的核心，以宋代天台僧人大石志磐（生卒不詳）編撰、明代蓮池大師雲棲袾宏（1535-1615年）修訂、清代僧人真寂儀潤增補、民初法裕法師整編的《水陸儀軌會本》[10]作為主要的修持法本；外壇則又分為不同的壇口（如：華嚴壇、法華壇、淨土壇等等），各別修持不同的經典或懺法，在精神意義上輔助內壇的修持。整場水陸法會所需時間短則七日，長則十餘天，所需的人力亦不下百人，是歷來公認漢傳佛教最盛大隆重的經懺佛事。水陸法會的宗教意義可由其名稱「法界聖凡水陸普度大齋勝會」得知，在《水陸儀軌會本・卷一・開啟結界法事》中解釋道：

> 何謂法界？理常一故，諸佛眾生，性平等故。何謂聖凡？十事異故，佛及三乘，是名為聖；六道群生，是名為凡。事雖有十，理常是一。何謂水陸？舉依報故，六凡所依，其處有三，為水陸空，皆受報處；今言水陸，必攝於空，又此二處，其苦重故。何謂普度？無不度故；六道雖殊，俱解脫故。何謂大齋？以施食故；若聖若凡，無不供故。何謂勝會？以法施故；六凡界中，蒙勝益故。[11]

由是可知，水陸法會的宗教目的在於透過供養三寶四聖，以普度六凡眾生。由於此種超度亡靈、消災植福的宗教特性，使之在漢傳佛教信仰圈的流行熱度歷久不衰。在許多明清小說（如：《紅樓夢》、《金瓶梅》等）中即能看到水陸法會的場景；直至今日，臺灣每年也多有數

10 釋法裕：《水陸儀軌會本》（臺北：財團法人佛陀教育基金會，2021年）。

11 釋法裕：《水陸儀軌會本》，頁56。

場水陸法會在各地寺院舉行，甚至屬於民間信仰的北港朝天宮近年亦開始舉辦水陸法會。水陸法會在古今盛行如一，且對民間有著不可忽視的影響力，由斯可見一斑。然而由於明清以來的佛教走向，導致水陸法會常被視為一種「庶民性」、「通俗性」的經懺佛事，其中所含藏的法義思想反而不受重視。實際上，水陸儀軌文本的內容，融攝了佛教內部顯、密、天台、淨土的思想、行法，乃至中國傳統儒家、道教、民間信仰的儀式等等，可謂是一套具備豐富思想且具有研究價值的修行儀軌。

現存的水陸文本有三：一是收錄於《卍新纂大日本續藏經》載為宋・大石志磐編纂、明・雲棲袾宏修訂的《法界聖凡水陸勝會修齋儀軌》[12]。其次係是清・真寂儀潤依據《修齋儀軌》加以補入作法科儀而成的《水陸儀軌會本》六卷。第三部則是民初僧人法裕（生卒不詳）依據真寂儀潤六卷本，重新編目、調整卷次與作法次第，成為《水陸儀軌會本》四卷本，於民國十三年（1924）出版。[13]由於本書儀軌編排一目了然、易讀易誦，加上法裕請得近代知名僧人印光大師（1862-1940年）為之作序，《水陸儀軌會本》四卷本（以下簡稱《水陸會本》、《會本》）即成為現今寺院道場啟建水陸法會的通行用書。本論文亦將以現今流傳得最廣、最為通行的法裕《水陸儀軌會本》作為研究文本（以下簡稱《水陸會本》或《會本》）。

《水陸會本》之中，舉目可見天台圓教思想，其原由或許與水陸儀軌最初的作者有關。目前學界普遍認為水陸儀軌的編撰者為著名史傳《佛祖統紀》的作者——大石志磐，《佛祖統紀》一書旨在闡明天

12 〔宋〕大石志磐撰、明・雲棲袾宏修，《法界聖凡水陸勝會修齋儀軌》，收錄於：《卍新纂大日本續藏經》，第74冊，經號1497。

13 關於水陸儀軌的沿革，可參考洪錦淳《水陸法會儀軌》第二章，其中有詳細的考證與說明。洪錦淳：《水陸法會儀軌》（臺北：文津出版社，2006年）。

台教學之傳統、記載天台宗的譜系，志磐本身即是天台宗的僧人，熟稔天台教理；因此水陸法會文本發展，受天台思想影響至深是有跡可循的。關於水陸法會與天台思想的研究，最重要的文獻是釋印隆撰寫的學位論文《水陸儀軌之天台圓觀思想研究》[14]。該文分為七章，主要探討《水陸會本》中的天台圓教觀，包含天台觀心食法、天台懺悔思想、圓觀思想以及天台淨土思想等。其中所討論的天台淨土思想，主要係是天台宗對於極樂淨土、往生的詮釋，包含圓觀成就十六妙觀、圓觀三輩九品實相、約心觀佛悟即心即佛等等。印隆法師此文研究細緻，發掘出許多蘊藏在《水陸會本》中的天台圓觀思想，實乃值得後輩參考的重要文獻；不過，對於本文所欲關注的、基於性具思想的天台唯心淨土思想，則較未著重。因此，筆者試著撰寫此文，加以分析與研究《水陸會本》中的天台唯心淨土思想。

本文將針對現今佛教舉行水陸法會所用的儀式文本《水陸會本》進行攷查，分析其中的天台唯心淨土思想，為之溯源。並爬梳《水陸會本》中關於天台唯心淨土思想之文句，統計其分布、分析其內涵，盼能將《會本》中唯心淨土思想的內容與作用作一理解。

二　天台唯心淨土思想

廣義的淨土定義依著對淨土的認知可略分為二類：（一）「指方立向」的淨土，以及（二）「唯心淨土」。指方立向的淨土認為佛國淨土真實存在於宇宙的某個角落。相對於此，「唯心淨土」的思想則認為淨土係是依心所現。然而，唯心淨土思想亦有許多不同的開展脈絡，例如：禪宗以《維摩詰經》「心淨土淨」之說，開展其唯心淨土觀。

14 釋印隆：《水陸儀軌之天台圓觀思想研究》（新北：法鼓佛教學院佛教學系碩士學位論文，2011年）。

天台宗則依於創立者智顗的性具思想，開展其一念三千的獨特唯心淨土觀。

隋代僧人智顗，尊崇《法華經》思想，於浙江天台山著書講學，先後完成了世稱「天台三大部」的《法華玄義》、《法華文句》以及《摩訶止觀》，成立了天台宗立基於法華的獨特學說，也成為中國佛教第一個本土化的宗派。天台宗最有特色的思想即是智顗開創的「性具思想」，基於性具理論，開展出性具十界、十界互具、性具三千等理論。宋代的天台僧人四明知禮對智顗的《觀無量壽佛經疏》[15]進行解釋，撰寫《觀無量壽佛經疏妙宗鈔》，在智顗性具思想的基礎上，具體開展出天台宗殊特的唯心淨土思想。

本節將先透過《水陸會本・卷二》的文本內部敘述，並輔以外部《觀音玄義》等天台典籍，介紹天台唯心淨土思想的立基處——性具思想；次則藉由《水陸會本・卷三・燒圓滿香》中對於念佛的解釋文句，來說明《水陸會本》對《妙宗鈔》思想的繼承。

(一)性具思想

「性具」屬於天台圓教思想，智顗首先在其《觀音玄義》中，顯示性德具有善惡之義，嗣後四明知禮在《觀音玄義記・卷二》中發展此說，說道：「夫一切法不出善惡，皆性本具，非適今有。」[16]此係性具思想的最基礎的解釋。此處的「性」係指佛性，亦即真如、法界、法性。簡而言之：佛性具有包含善惡的一切法。

然則，因為認為性包含「善惡的一切法」，因此將一切法具像化的「十界」，成為「性具十界」。知禮《十不二門指要鈔・卷上》言：

15 〔隋〕天台智顗：《觀無量壽佛經疏》，收錄於：《大正藏經》，第37冊，經號1750。

16 〔宋〕四明知禮：《觀音玄義記》，收錄於：《大正藏經》，第34冊，經號1727，頁905b。

「諸宗既不明性具十界，則無圓斷圓悟之義。」[17]所謂十界，又稱十法界，傳統印度傳入的佛教經典中雖未見「十界」，然此十界的安立應本自《法華經・法師功德品》、《大智度論》而來。[18]十界係指：（1）地獄法界、（2）餓鬼法界、（3）畜生法界、（4）人法界、（5）阿修羅法界、（6）天法界、（7）聲聞法界、（8）緣覺法界、（9）菩薩法界，以及（10）佛法界。第（7）至（10）項代表聖人的境界，稱為四聖法界；（1）至（6）項則代表凡夫的境界，稱為六凡法界；合成為「四聖六凡」。

此性具十界又能擴充為「十界互具」，最具代表性的說明即在智顗的《摩訶止觀》。《摩訶止觀・卷五》言：

> 夫一心具十法界。一法界又具十法界；百法界。一界具三十種世間，百法界即具三千種世間。此三千在一念心。若無心而已，介爾有心即具三千。亦不言一心在前一切法在後，亦不言一切法在前一心在後。……若從一心生一切法者，此則是縱；若心一時含一切法者，此即是橫。縱亦不可，橫亦不可。秖心是一切法，一切法是心故。非縱非橫，非一非異，玄妙深絕！非識所識，非言所言。所以稱為不可思議境意在於此。[19]

17 〔宋〕四明知禮：《十不二門指要鈔》，收錄於：《大正藏經》，第46冊，經號1928，頁707b。

18 《中華佛教百科全書》「十界」辭條言：「經論中雖無「十界」二字之明文，但依《法華經》卷六〈法師功德品〉謂，自下阿鼻地獄至上有頂中有種種語言聲音：阿修羅聲、地獄聲、畜生聲、餓鬼聲、比丘聲、比丘尼聲，聲聞聲、辟支佛聲、菩薩聲、佛聲；《大智度論》卷二十七謂有四種道：聲聞道、辟支佛道、菩薩道、佛道，復有六種道：地獄、畜生、餓鬼、人、天、阿修羅道，可知十界之思想自古即已存在。」（中華佛教百科全書編輯委員會、藍吉富：《中華佛教百科全書》，臺南縣：中華佛教百科文獻基金會，1994年。）

19 〔隋〕天台智顗：《摩訶止觀》，《大正藏經》，第46冊，頁54a。

一心具足四聖六凡十法界，然而十法界的眾生心中又各個具足十法界，如此開展為「十界互具」的百法界。百法界之中，每一界又各具十如是：性、相、體、力、作、因、緣、果、報、本末究竟，則成為千法界。千法界又各具三種世間：五陰世間、眾生世間、國土世間，如此相乘即成為「三千界」。性具思想至此擴充為「性具三千」、「一念三千」。然而智顗在此也特別強調，並非一心生出三千世界一切法，也非是三千世界一切法攝歸一心，而是此一念心即是一切法、一切法即是一念心；介爾陰妄一念之本體（中道實相）即圓具三千諸法。

《水陸會本・卷二・說冥戒》中，即記載了對六道眾生開示信仰三寶的文句，其中深刻的說明了天台性具思想，此亦是《會本》中對性具思想最清楚直接的說明。其言道：

> 「信一切法唯心本具，全心發生。」此即事理二造為所信也。「生無別理，並由本具；」信此事造。「由理具也。具無別具，皆是緣生；」信此理具，即事造也。則知「世間相常，緣起理一。」既已了之「事理不二」，更復當知「色心互融」。是以「法法周徧，念念具足；十方三世不離剎那，諸佛眾生皆名法界。」是為圓信，互具互造之義也。既能信一切法互具互造，又復當知實無能造所造、能具所具。以即心是法，即法是心，能造所造、能具所具，皆悉當處，唯是一心；皆悉當處，唯是一色。唯心唯色，對待斯亡，妙觀照之，無非三諦。若其然者，「當處皆空，」一空一切空，「全體即假。」一假一切假，「二邊叵得。」一中一切中，一心三觀。造不縱橫，三諦一境，體非並別。唯斯妙理，誰不具之？三世諸佛已證此，一切眾生皆迷此；雖終日迷，而終日不離乎此也。能信此三諦之

理，聖凡一體便可信。[20]

我們可以發現此中包含了諸如：「性具」、「一心三觀」、「心佛眾生三無差別」等等重要的天台思想。細攷其內容，會發現其中許多文句是引自〈四明尊者教行錄・卷二・修懺要旨〉[21]，其他的部分則是作者對〈修懺要旨〉的解釋；換句話說，此段文章是藉解釋知禮〈修懺要旨〉來說明天台要理。其中強調「一切法唯心本具」的道理，認為世間諸法萬相，皆是依於緣起所生，既皆是因緣所生，則事相上雖有差別，然在其理上實是了無二致；色法、心法互相融通，一切法互相具足彼此，且互相造生彼此。

然而《會本》此處除了延續了知禮〈修懺要旨〉的說法外，更用了「能所雙亡」來解釋一心三觀的道理，將原本的義理更加具象的說明，由此也能得見作者在詮釋上的細緻與用心。

（二）《水陸會本》對《妙宗鈔》唯心淨土思想的繼承

在水陸法會接近尾聲的「燒圓滿香」科儀中，主法法師會向六凡眾生開示念佛法門，此中分為三個部份：教導觀想念佛、教導約心觀佛，以及最後開示持名念佛。持名念佛的部分係是蓮池大師雲棲袾宏所增補，目的在於透過引導六凡眾生透過誦念阿彌陀佛的名號，而往

20 釋法裕：《水陸會本》，頁318。

21 及上述引文引號中之文句。另將〈修懺要旨〉原文節錄如下供參：「云何生信？信一切法唯心本具，全心發生，生無別理；並由本具，具無別具，皆是緣生故。世間相常，緣起理一，事理不二，色心互融。故法法遍周，念念具足；十方三世不離剎那，諸佛眾生皆名法界。當處皆空，全體即假；二邊叵得，中道不存。三諦圓融。一心具足。不一不異，非縱非橫，不可言言，寧容識識。斯是不思議境、入道要門。」（《四明尊者教行錄》，收錄於：《大正藏經》，第46冊，經號1937，頁868b。）

生極樂淨土證悟實相；此教近於指方立向的思想，因此本文僅就（1）教導觀想念佛、（2）教導約心觀佛等二部份進行說明如下。

《水陸會本・卷三・燒圓滿香》言道：

> 世尊因韋提希發起，為說十六妙觀，以為求生之要。先觀落日者，所以標想西方，而令向彼佛也。良由此能想心，本具一切依正之法；今以具日之心，想於即心之日，令本性日顯現其前；惟心與日皆是法界。作是觀者，名日觀成也。日觀既爾，餘觀例然。次觀水、觀地、觀樹、觀池、及以總觀；凡此六觀，皆觀彼土之依報也。次觀座、觀像、觀佛、觀二菩薩、普觀、雜觀；凡此七觀，皆觀彼土之正報也。次三觀者，觀三輩九品往生，令其捨劣而取勝也。又《經》云：是心作佛，是心是佛。言作佛者，顯佛從修，非是自然，全是而作，全性成修；故曰心作也。言是佛者，顯佛本自具，非從修得，全作而是，全修成性；故曰心是也。[22]

此處作者說明《觀無量壽佛經》中提到的淨土十六觀法，亦即觀想念佛。然而再說明《觀經》的十六觀時，作者亦帶入了天台的圓觀思想：「良由此能想心，本具一切依正之法；今以具日之心，想於即心之日，令本性日顯現其前；惟心與日皆是法界。作是觀者，名日觀成也。……餘觀例然。」[23]十六觀之所以能成，是因為了知自身能想的心，本即具足一切極樂世界的依報、正報；而所想的極樂世界依正二報，亦同時具足吾人能想之心；如此，本性之極樂依正莊嚴即現在前。如是即能了悟能所二者皆是法界，亦即極樂是心、心是極樂，

22 釋法裕：《水陸會本》，頁444。

23 釋法裕：《水陸會本》，頁444。

能、所二者皆屬一心。如上引文類似的文句，也出現在知禮《妙宗鈔》之中[24]，我們不難發現《會本》此處思想係是承繼知禮而來。在天台宗的理解下，觀想極樂世界的依正莊嚴，實際上與觀照己心無二無別，因為心具十界，極樂世界與心平等無有差別。依著此脈絡，即從觀想念佛自然帶入天台「**約心觀佛**」[25]的修行。在前段引文中，作者透過「心具法界」的概念，將《觀無量壽佛經》的十六觀行拉回本心，強調了「佛本自具，觀心觀佛」的道理。而此理亦可見於知禮《妙宗鈔》,《妙宗鈔・卷一》言：

> 《經》以「觀佛」而為題目，《疏》今乃以「心觀」為宗。此二無殊，方是今觀，良以圓解全異小乘。小昧唯心佛從外有，是故心佛其體不同。大乘行人，知我一心具諸佛性，託境修觀，佛相乃彰。今觀彌陀依、正為緣，熏乎心性；心性所具極樂依、正，由熏發生。心具而生，豈離心性？全心是佛，全佛是心；終日觀心，終日觀佛。[26]

知禮認為，《觀經》的十六觀法是為了讓大乘修持者藉著阿彌陀佛依報與正報的種種莊嚴，反觀自性；亦即透過觀佛實則觀心，觀心實即觀佛，了悟「全心是佛，全佛是心」的奧義。

---

24 《妙宗鈔・卷四》:「知能想心，本具一切依正之法。今以具日之心，緣於即心之日，令本性日顯現其前。斯乃以法界心，緣法界境，起法界日。」(《大正藏經》,第37冊，頁217c。)

25 「約心觀佛」思想出自知禮《妙宗鈔》。《妙宗鈔・卷一》言:「若論難易今須從易。《法華玄》云:『佛法太高，眾生太廣，初心為難。心、佛、眾生，三無差別，觀心則易。』今此觀法非但觀佛，乃據心觀，就下顯高。……是知今《經》心觀為宗，意在見佛。」(《大正藏經》第37冊，頁237c。)

26 〔宋〕四明知禮:《妙宗鈔》,《大正藏經》第37冊，頁197c。

由是可知，《水陸會本》在書寫念佛法門的段落，承續著天台宗四明知禮《妙宗鈔》「約心觀佛」作法。先由十六觀門入手，接著循序導引證悟「即心即佛」的妙理。此亦即是天台圓觀思想與極樂淨土的結合，可謂是天台唯心淨土思想的重要向度。

三 《水陸會本》中呈現的天台唯心淨土思想

前文之中，我們討論了《會本》裡面對於天台「約心觀佛」、義理的解釋，亦發現其內涵實是承繼四明知禮而來。然而，除了上述的「約心觀佛」所代表的唯心淨土觀之外，筆者爬梳整理《水陸會本》中的相關文句[27]，發現《會本》之中許多文句包含著天台圓觀「一念三千」所引申出來的唯心淨土思想，經過統計，這些文句共有二十三則，筆者將這些文句段落依其思想出現意義與作用分為三類：(一)染與淨的轉化、(二)空間地域的轉換，以及(三)娑婆與極樂的去來。今將其分布與出現次數製表如下：

表一 《水陸會本》天台唯心淨土相關文句分布表

卷次	篇目	出現次數			
		合計	分類[28]		
			(一)	(二)	(三)
卷一	啟壇結界法事	2	2	0	0
	發符	1	0	1	0
	請上堂	2	1	1	0

27 詳參本文附錄：「《水陸儀軌會本》天台唯心淨土思想整理總表」。

28 分類代號：(一)染與淨的轉化、(二)空間地域的轉換、(三)娑婆與極樂的去來。

卷次	篇目	出現次數			
		合計	分類[28]		
			（一）	（二）	（三）
	供上堂	1	1	0	0
卷二	告赦	0			
	誦地藏經上供	0			
	請下堂	0			
	說冥戒	1	0	0	1
卷三	禮水懺上供	0			
	供下堂	14	0	0	14
	上圓滿供	1	0	1	0
	燒圓滿香	1	0	0	1
	誦判宣疏	0			
	送聖法儀	0			
合計		23	4	3	16

由上表可以看出，唯心淨土思想相關文句集中出現在啟壇結界法事〈發符〉、〈請上堂〉、〈供上堂〉、〈說冥戒〉、〈供下堂〉、〈上圓滿供〉、〈燒圓滿香〉等七個篇章（儀節）之中，全書共有二十三處；而出現最多次相關文句的篇章則是〈供下堂〉，一共出現十四次。若以種類分，出現最多次的類別則是「（三）娑婆與極樂的去來」，共出現十六次，且其中有十四次集中在〈供下堂〉。

茲將相關文句依上述所分之三個類別：（一）染與淨的轉化、（二）空間地域的轉換、（三）娑婆與極樂的去來，分別說明如下：

（一）染與淨的轉化

天台宗的圓觀思想，承許心具十界互具；換句話說，凡與聖、染與淨亦是攝於一心。在水陸法會中，即有多處運用此觀念，來轉染為淨。例如整個水陸法會的第一個儀節「開啟結界法事」，此儀節目的在於劃清水陸道場的界線，並將凡俗的居所轉化為神聖空間。此儀節一開始，即唱誦偈語：

> 法性湛然周法界，甚深無量絕言詮，自從一念失元明，八萬塵勞俱作蔽，此日脩齋興普度，肅清意地謹威儀，仰憑密語為加持，將俾自他還本淨。[29]

此偈開宗明義說明天台性具思想，「法性湛然周法界」一切眾生皆本具佛性，然因為無明障蔽，而致使各種遮障橫流，難見本初清淨之相。因此必須透過「肅清意地」來使自他情器世間還復本來清淨。此處「肅清意地」的「意」，筆者認為其意思應是同於三業「身語意」之中的「意」，意即是心、念。當心清淨、意念清淨，當處凡境即能轉為聖境，染濁穢土即能隨心本具轉為清淨剎土。《會本・開啟結界法事》又接著提到：

> 雖密藉於真言，實冥資於圓觀。將見瓊林風動，玉殿雲披。懸寶蓋於層霄，聳華臺於廣座。千幢幡而交擁，眾妓樂以旁羅。惟茲淨想之所成，是即靈山之未散。[30]

---

29 釋法裕：《水陸會本》，頁28。

30 釋法裕：《水陸會本》，頁33。

此中清楚的說明：藉由密咒真言的誦念，以及觀修「圓觀」的力量，凡俗之境即能轉為瓊林玉殿，充滿寶蓋、華臺、幢幡、妓樂，凡俗雜染之境頓成靈鷲山之清淨道場。此是《水陸會本》透過圓觀唯心淨土思想將凡俗穢土轉染為淨最明顯之一例。

此外，當奉供承事四聖之時，亦常透過此思想對供品進行轉換。例如對上堂進行「沐浴」與「奉供」之時，亦透過圓觀將浴水與各式供品進行轉化，使之由凡入聖。《水陸會本・卷一・上堂沐浴》云：

> 蓮華藏海，當體圓成；流泉浴池，隨處顯發。湛湛兮，八功德水；巍巍乎，五分法身。[31]

此處說明，因為體性即具足蓮華藏淨土世界的香水海，故所浴即是清淨八功德水的浴池，而能浴者亦是巍巍清淨的五分法身。此外《水陸會本・卷一・供上堂》在向四聖奉獻六塵供品（香、花、燈、食、寶、法）時，亦提到：

> 諦觀茲食，不外吾心；由知諸法常融，故得六塵互遍。是則出醍醐之上味，宣栴檀之清芬，雨七寶以穰穰，散四華而灼灼，聳光明之臺殿，列殊勝之輦輿。仙樂鳴空，笙磬之音間作；天衣擁霧，珠瓔之飾下垂。以念念具足不虧，故彼彼莊嚴無盡。惟此道場之內，紛然事儀之多，是以淨水明燈，懸旛揭蓋，金鐃之聲震幽谷，梵唄之響薄層霄；悉入此宗，元非他物。至若了目前之法妙，觀世間之相常。雀噪鴨鳴，總是深談般若；溪光山色，無非全露遮那。亙古今不昧己靈，極依正皆成法供。

---

31 釋法裕：《水陸會本》，頁111。

莫不自存妙假，性本真空，雙照二邊，全彰中道。用一心之圓觀，扶三德之密言。庶憑助顯之功，用發等薰之意。[32]

此中將十界互具、諸法常融引申為六塵互具，一切供品皆是出於一心，故相互含融、重重無盡；而且供品不只是供品，由於它與心一般具足萬法（包含了四聖法界），因此凡俗的供品、器物、音聲、景色，也無非般若至理、清淨法身。

凡俗的事物、空間，藉著天台圓觀的義理，轉化為清淨、無染；此亦《會本》承繼天台唯心淨土思想的痕跡。

(二) 空間地域的轉換

《會本》言：「聖凡異念，幽顯殊途。」[33]十法界四聖六凡，雖然本性同一，皆是真如，但妄心之念聖凡有異，故而感召不同的依報，住於水、陸、空等不同的依報處。水陸法會的目的，在於召請四聖六凡同臨法會，接受供養、獲得超度；但四聖與六凡皆各各住在不同的地方，有的住於淨土、天宮，有的住於人間、地獄，如何將他們接引至法會現場呢？

《會本・卷一・發符》在恭請三寶時，言道：

謂三寶諸天之居，固一念而可格。[34]

又，《會本・卷三》進行「上圓滿供」時，唱誦的香讚：

---

32 釋法裕：《水陸會本》，頁124。

33 釋法裕：《水陸會本》，頁67。

34 釋法裕：《水陸會本》，頁69。

> 心香達信，雲篆騰空，六塵周徧互重重；法界悉含融，勝境冥通，應念現金容。[35]

此中提到，由於十法界相互含融，因此縱使諸佛、諸天居住於遙遠的世界，但透過吾人一「念」，即能超越地域的阻隔，感格佛天降臨道場。因為人與其他四聖五凡之性，都互有具足；藉著念具三千的道理，心念一動即超越空間。

然而，《水陸會本》並不認為這種感格而來的「來」是由外而來。《會本・卷一》說明道：

> 主法想十方三寶各乘蓮座，雲集而來，叆塞虛空，了了可見。比諸佛雖常能應，實由我心所感；然能所皆由心具，非從外來。[36]

諸佛聖眾乃至六道群生，他們確實來臨道場，但這種「來」並非是現象界的由某處到某處，而是本由心具的顯現。此是水陸儀軌透過一念三千來超越空間限制，轉換空間地域的例子。

（三）娑婆與極樂的來去──往生淨土

《水陸儀軌會本》所出現包含天台唯心淨土思想的文句，共二十三則，依其思想出現意義與作用分為三類，其中第三類「娑婆與極樂的來去」即包含了十六則，是三項之中數目最多者，比例將近百分之七十。

「娑婆與極樂的來去」指的就是「往生淨土」。水陸法會的意

---

35 釋法裕：《水陸會本》，頁437。

36 釋法裕：《水陸會本》，頁89。

義：透過供養四聖，而普度六凡眾生。其中的「普度」即是要令六凡往生極樂淨土。[37]然而，透過何種方式使眾生往生呢？在本文第二節的「(二)《水陸會本》對《妙宗鈔》唯心淨土思想的繼承」之中提到，《水陸會本》向六凡眾生開示念佛法門，其中分為三個部份，除了觀想念佛以及雲棲袾宏增補的持名念佛外，最重要的即是天台的「約心觀佛」思想。《水陸會本》中，亦有許多相關文句，以「性具」的觀點來勸請六凡眾生往生極樂。在水陸法會進行「供下堂」儀式時，對於十四席受邀應供的六凡眾生，都會逐席勸請其勿再眷戀滯留，茲舉數例說明[38]：

親承法施，豁悟性空，勿眷戀於高穹，即升騰於樂土。[39]

又，

親承法施，豁悟性空，勿眷戀於塵寰，即升騰於樂土。[40]

以及，

由不明自性之真空，故莫免此時之妄報。遙遙長劫，何知得脫

37 這在水陸法會的最後一個儀節「送聖」即可看出，送聖時會逐席奉送六凡，每送一席即言道：「往生淨土」。例如：「奉送十方法界焰口鬼王、三品九類諸餓鬼眾，并諸眷屬，往生淨土。」(釋法裕：《水陸會本》，頁289。) 由是可知，《水陸儀軌》所謂的普度，係是依止極樂淨土而行。

38 勸請各席往生淨土的文句可參考「附錄：《水陸儀軌會本》天台唯心淨土思想整理總表」第7-21項。

39 下堂第一席。釋法裕：《水陸會本》，頁386。

40 下堂第二席。釋法裕：《水陸會本》，頁389。

> 之期；渺渺沈魂，誰反在迷之念。……親聞妙法，頓悟圓乘，勿再入於陰區，即升騰於樂土。[41]

這些勸請文句皆有一特色，即是邀請六凡親聞妙法、接受法布施；在聞法之後，得證自性本空之妙理，而能不再眷戀於現處的環境，當下升騰至淨土。因為《會本》認為，六凡眾生之所以囿於六道之虛妄非真的依正二報，是因為「不明自性之真空」，當了悟性空之法時，當下即得解脫。

更加顯見的例子是在《水陸會本・卷三》「燒圓滿香」的儀式之中，主法和尚向六凡群靈開示約心觀佛法門後，提到：

> 汝輩六道群靈，解此妙義，應當依法用觀，修此三昧。是則由三昧力，由佛攝受力，由本有功德力；會三力於一時，收成功於一念。便可不離當處，坐寶蓮花，不逾剎那，往生彼國。[42]

此中提到，蒞臨法會的六凡眾生在理解「全心是佛，全佛是心」的奧義後，透過約心觀佛的三昧力、阿彌陀佛本願攝受之力以及念佛功德力，三力[43]相會，便能「不離當處，坐寶蓮花，不逾剎那，往生彼國。」[44]這裡特別值得注意的是，作者強調了「不離當處」、「不逾剎那」；此或可理解為凡夫了悟「是心作佛，是心是佛」，啟發本自具足之佛法界，沒有了空間與時間的差別，而當下即在極樂淨土。

---

41 下堂第八席。釋法裕：《水陸會本》，頁408。

42 下堂第八席。釋法裕：《水陸會本》，頁412。

43 出自《般舟三昧經・卷一》：「是三昧佛力所成。持佛威神於三昧中立者有三事：持佛威神力、持佛三昧力、持本功德力，用是三事故得見佛。」（《大正藏經》，第13冊，頁905c。）

44 下堂第八席。釋法裕：《水陸會本》，頁412。

四　結語

本文針對《水陸儀軌會本》中的天台唯心淨土思想進行梳理與瞭解。發現《水陸儀軌會本》在淨土思想上，大量的承襲了四明知禮《妙宗鈔》的觀點，承緒了天台宗的淨土思想，也一併繼承了其底蘊——性具三千、心佛眾生三無差別等等——天台圓教思想。

這些思想在《水陸會本》中是被作為一種「行動」來進行，不單只是理論上的描述，而是做為宗教修持的用途。全書共有二十三處，具有天台唯心淨土思想的文句，依其思想出現意義與作用分為三類：（一）染與淨的轉化、（二）空間地域的轉換，以及（三）娑婆與極樂的去來。其中第三類「娑婆與極樂的來去」即佔了即包含了十六則，是三項之中數目最多者，比例將近百分之七十。由此可看出《水陸會本》雖將基於圓觀的唯心淨土思想用作轉化染淨、超越空間之用，但最為重要的功用，還是將六凡眾生導歸淨土。

在本研究的未來開展上，由於《水陸儀軌會本》經歷了宋代到現今近千年的演變，經過不同的作者增刪修訂，吾人或可對二十三處文句的作者進行考察，看看這些文句是大石志磐最初就留下的？或後代何人增補？並可考察該人的思想背景，對全書唯心思想的部分做更深入的研究。

我們或可將基於《水陸儀軌會本》所修持的水陸儀軌（法會），視為天台唯心淨土思想的行持法門；換句話說天台宗的教理，除了以理論的形式，存在於《摩訶止觀》、《法華文句》、《妙宗鈔》等等文獻裡面，更透過法會、佛事等事相的行持流傳至現代，如同寶珠裝藏於篋櫝之中，就待吾人發而揚之、令普照之。

參考文獻

一　傳統文獻

《六祖大師法寶壇經》，收錄於：《大正藏經》，第48冊，經號2008。

《佛說阿彌陀經》，收錄於：《大正藏經》，第12冊，經號366c。

《佛說彌勒下生經》，收錄於：《大正藏經》，第14冊，經號453。

《佛說觀彌勒菩薩上生兜率天經》，收錄於：《大正藏經》，第14冊，經號452。

《般舟三昧經》收錄於：《大正藏經》，第13冊，經號418。

《維摩詰所說經》，收錄於：《大正藏經》，第14冊，經號475。

〔宋〕大石志磐撰、〔明〕雲棲袾宏修，《法界聖凡水陸勝會修齋儀軌》，收錄於：《卍新纂大日本續藏經》，第74冊，經號1497。

〔宋〕四明知禮：《十不二門指要鈔》，收錄於：《大正藏經》，第46冊，經號1928。

〔宋〕四明知禮：《四明尊者教行錄》，收錄於：《大正藏經》，第46冊，經號1937。

〔宋〕四明知禮：《觀音玄義記》，收錄於：《大正藏經》，第34冊，經號1727。

〔宋〕四明知禮：《觀無量壽佛經疏妙宗鈔》，收錄於：《大正藏經》，第37冊，經號1751。

〔隋〕天台智顗：《摩訶止觀》，收錄於：《大正藏經》，第46冊，經號1911。

〔隋〕天台智顗：《觀無量壽佛經疏》，收錄於：《大正藏經》，第37冊，經號1750。

釋法裕：《水陸儀軌會本》，臺北：財團法人佛陀教育基金會，2021年。

二　現代著述

中華佛教百科全書編輯委員會、藍吉富：《中華佛教百科全書》，臺南：中華佛教百科文獻基金會，1994年。

尤惠貞：《天台宗性具圓教之研究》，臺北：文津出版社，1993年。

洪錦淳：《水陸法會儀軌》，臺北：文津出版社，2006年。

陳英善：《天台性具思想》，臺北：東大圖書公司，1997年。

釋印隆：《水陸儀軌之天台圓觀思想研究》，新北：法鼓佛教學院佛教學系碩士學位論文，2011年。

釋聖嚴：《律制生活．論經懺佛事及其利弊得失》，收錄於：《法鼓全集》第5輯第5冊，臺北：法鼓文化，2020年。）

釋聖嚴：《歸程》，收錄於：《法鼓全集》第6輯第1冊，臺北：法鼓文化，2020年。

附錄

《水陸儀軌會本》天台唯心淨土思想整理總表

序號	章節	文句	思想類別[45]	頁碼[46]
1	卷一・開啟結界法事	法性湛然周法界，甚深無量絕言詮，自從一念失元明，八萬塵勞俱作蔽，此日脩齋興普度，肅清意地謹威儀，仰憑密語為加持，將俾自他還本淨。	A.染與淨的轉化	28
2	卷一・開啟結界法事	雖密藉於真言，實冥資於圓觀。將見瓊林風動，玉殿雲披。懸寶蓋於層霄，聳華臺於廣座。千幢幡而交擁，眾妓樂以旁羅。惟茲淨想之所成，是即靈山之未散。	A.染與淨的轉化	33
3	卷一・發符	謂三寶諸天之居，固一念而可格。	B.空間地域的轉換	69
4	卷一・請上堂	主法想十方三寶各乘蓮座，雲集而來，叆塞虛空，了了可見。比諸佛雖常能應，實由我心所感；然能所皆由心具，非從外來。	B.空間地域的轉換	89
5	卷一・上堂沐浴	蓮華藏海，當體圓成；流泉浴池，隨處顯發。湛湛兮，八功德水；巍巍乎，五分法身。	A.染與淨的轉化	111

45 思想類別分類代碼：A.染與淨的轉化B.空間地域的轉換C.娑婆與極樂的來去

46 本表所載頁碼，對應於《水陸儀軌會本》（臺北：財團法人佛陀教育基金會，2021年）之頁碼。

序號	章節	文句	思想類別[45]	頁碼[46]
6	卷一・供上堂	諦觀茲食，不外吾心；由知諸法常融，故得六塵互遍。是則出醍醐之上味，宣栴檀之清芬，雨七寶以穰穰，散四華而灼灼，聳光明之臺殿，列殊勝之輦輿。仙樂鳴空，笙磬之音間作；天衣擁霧，珠瓔之飾下垂。以念念具足不虧，故彼彼莊嚴無盡。 惟此道場之內，紛然事儀之多，是以淨水明燈，懸旛揭蓋，金鐃之聲震幽谷，梵唄之響薄層霄；悉入此宗，元非他物。 至若了目前之法妙，觀世間之相常。雀噪鴨鳴，總是深談般若；溪光山色，無非全露遮那。亙古今不昧己靈，極依正皆成法供。莫不自存妙假，性本真空，雙照二邊，全彰中道。用一心之圓觀，扶三德之密言。庶憑助顯之功，用發等薰之意。	A.染與淨的轉化	124
7	卷二・說冥戒	具諸戒行，三心圓發，以此土身，而生安養上品之位。	C.娑婆與極樂的來去	342
8	卷三・供下堂・一席	親承法施，豁悟性空，勿眷戀於高穹，即升騰於樂土。	C.娑婆與極樂的來去	386
9	卷三・供下堂・二席	親承法施，豁悟性空，勿眷戀於塵寰，即升騰於樂土。	C.娑婆與極樂的來去	389

序號	章節	文句	思想類別[45]	頁碼[46]
10	卷三・供下堂・三席	親承法施，豁悟性空，勿留滯於塵寰，即升騰於樂土。	C.娑婆與極樂的來去	392
11	卷三・供下堂・四席	親承法施，豁悟性空，勿眷戀於殘軀，即升騰於樂土	C.娑婆與極樂的來去	396
12	卷三・供下堂・五席	親承法施，豁悟性空，勿眷戀於殘軀，即升騰於樂土	C.娑婆與極樂的來去	399
13	卷三・供下堂・六席	親承法施，豁悟性空，勿留滯於幽區，即升騰於樂土。	C.娑婆與極樂的來去	402
14	卷三・供下堂・七席	親承法施，豁悟性空，勿留滯於幽都，即升騰於樂土。	C.娑婆與極樂的來去	405
15	卷三・供下堂・八席	由不明自性之真空，故莫免此時之妄報。遙遙長劫，何知得脫之期；渺渺沈魂，誰反在迷之念。……親聞妙法，頓悟圓乘，勿再入於陰區，即升騰於樂土。	C.娑婆與極樂的來去	408
16	卷三・供下堂・九席	親承法施，豁悟性空，勿眷戀於殘軀，即升騰於樂土。	C.娑婆與極樂的來去	412
17	卷三・供下堂・十席	親聞妙法，頓悟圓乘，勿眷戀於殘軀，即升騰於樂土。	C.娑婆與極樂的來去	415
18	卷三・供下堂・十一席	親聞妙法，頓悟圓乘，勿眷戀於塵寰，即升騰於樂土。	C.娑婆與極樂的來去	419
19	卷三・供下堂・十二席	大沾法施，豁悟性空，勿留滯於塵寰，即升騰於樂土。	C.娑婆與極樂的來去	422
20	卷三・供下堂・十三席	欣聞妙法，豁悟性空，勿留滯於塵寰，即升騰於樂土。	C.娑婆與極樂的來去	426
21	卷三・供下堂・十四席	欣聞妙法，豁悟性空，勿留滯於塵寰，即升騰於樂土。	C.娑婆與極樂的來去	430

序號	章節	文句	思想類別[45]	頁碼[46]
22	卷三・上圓滿供	心香達信，雲篆騰空，六塵周徧互重重。法界悉含融，勝境冥通，應念現金容。	B.空間地域的轉換	437
23	卷三・燒圓滿香	汝輩六道群靈，解此妙義，應當依法用觀，修此三昧。是則由三昧力，由佛攝受力，由本有功德力；會三力於一時，收成功於一念。便可不離當處，坐寶蓮花，不逾剎那，往生彼國。	C.娑婆與極樂的來去	445

臺灣的異國神祇與籤詩文化研究*

李淑如
國立成功大學中國文學系約聘副教授

摘要

臺灣有許多祭祀異國神祇的廟宇，這些神祇以日本人死後在臺灣成神者居絕大多數。人死後成神途徑約有兩種，一是在世有功於國或有德於民者，為了感念其恩德，立廟祭祀。二為非正常死亡的厲鬼，因作祟人間，基於畏懼，加以祭祀。日本神的屬性，較類似陰神，與有應公信仰最大的不同在於這些日本神多半擁有神像，而且強調日本人外貌的神像造型。臺灣民間廟宇蘊含眾多系統的籤詩，約略有百套之多，是人神溝通的媒介與神諭的指引。籤詩可分運籤與藥籤兩種，運籤以《六十甲子籤》、《雷雨師一百籤》為常見系統，藥籤則以大人內科一百二十首系統最為普遍。臺灣民間廟宇使用的籤詩來源有自大陸移民攜帶者，也有在臺灣新創的籤詩。

籤詩在臺灣民間廟宇的能見度相當高，即使是陰廟，也有可能設置籤詩。學界研究者甚至認為是否設置籤詩是陰廟神格位階提升的指標之一，故本論文擬以臺灣祭祀異國神祇的廟宇為主要觀察對象，探

* 本論文為國科會專題研究計畫「異鄉神：日本人在臺灣成神傳說及其當代民間信仰研究」（109-2410-H-006-108-MY2）的部分成果，感謝特約討論人提供諸多寶貴的修改意見，特申謝忱。

究這些廟宇在使用籤詩系統上的狀況，探析祭祀異國神祇的廟宇是否設置籤詩以及選用的籤詩系統，以釐清異國神祇與籤詩之間的關聯。

關鍵詞：異國神祇、籤詩、有應公、臺灣、民間信仰

A Study of Taiwan's Foreign Gods and Lottery Poetry Culture

Shu-Ju Lee
Department of Chinese Literature, National Cheng Kung University

Abstract

In Taiwan, there are many temples dedicated exotic gods, and these gods are the majority who became gods in Taiwan after the death of the Japanese. There are about two ways for people to become gods after death, one is that those who have meritorious service to the country or have virtue to the people, in order to remember their kindness, people start to build the temples and sacrifices these gods. The second way is the ghost who died unnaturally, because it acted in the living world, and out of fear people start to sacrifice it.The attribute of Japanese gods is more similar to *Yin* gods. The biggest difference with *You Ying Gong* belief is that most of these Japanese gods have gods, and emphasize the appearance of Japanese gods.The folk temples in Taiwan contain a large number of systematic lottery poetry around hundred sets, which are the communication medium between man and God and the guidance of the oracle.The lottery poetry can be divided into two kinds of signage and medicine oracle sticks. The common system of signage poetry are "*Liu Shi Jia Zi Qian*" (sexagenary cycle 六十甲子籤) and "*Lei Yu Shi Yi Bai Qian*" (雷雨師一百籤), while the most common system of medicine oracle is the one hundred and twenty signage system for adult internal medicine.The source of the lottery poetry used in Taiwantemples are carried by immigrants from the China mainland, and there are also newly created in Taiwan.

The visibility of lottery poetry in Taiwan temples is quite high, and even Yin temples may set up the poems. Besides that, academic researchers even believe that whether to set up of lottery poetry is one of the indicators of the advancement of the rank of Yin temple gods. Thus, this article intends to focus on the temples in Taiwan that worship exotic gods as the main observation object, explore the situation of these temples using the lottery poetry system, and explore whether the temples dedicated to foreign gods who have the poems and the selected poetry system, so as to clarify the relationship between foreign gods and lottery poetry.

Keywords: Foreign gods, Lottery Poetry, *You Ying Gong*, Taiwan, Folk Beliefs

一　前言

臺灣的民間信仰包羅萬象，因為種族多元與海洋性格的包容力，民間信仰的祭祀對象有時候並非都是漢人，也可能是在臺灣成神的異國人，例如日本人在臺灣成神。日治時期對臺灣的歷史發展而言，是一段深刻且巨大的改變，五十年的時間在臺灣民間留下大量的傳說，也造成臺灣民間信仰型態上的些許改變。日治時期末期在臺灣開始出現祭祀成神的日本人的現象，在現實社會中，日本人管理臺灣，在神靈的世界中，日本人也進入臺灣神明的譜系中。人死後成神途徑約有兩種，一是在世有功於國或有德於民者，為了感念其恩德，立廟祭祀。二為非正常死亡的厲鬼，因作祟人間，基於畏懼，加以祭祀。日本神的屬性，較類似陰神，與有應公信仰最大的不同在於這些異國神祇多半擁有神像，而且強調外國人樣貌的神像造型。據筆者統計在臺灣有七十座以上祭祀異國神祇的廟宇，這些廟宇供奉的多數是在臺灣因故身亡而成神的外國人，分別為荷蘭人、韓國人、日本人，而當中以日本人為絕對多數。這些因災難、戰爭、意外身亡的外國人有德於民或福佑地方而受到祭祀，遵循漢人民間信仰的祭祀理路，成為異國神祇。

臺灣民間廟宇蘊含眾多系統的籤詩，約略有百套之多，是人神溝通的媒介與神諭的指引。籤詩可略分運籤與藥籤兩種，運籤以《六十甲子籤》、《雷雨師一百籤》為常見系統，藥籤則以大人內科一百二十首系統最為普遍。臺灣民間廟宇使用的籤詩來源有自大陸移民攜帶者，也有在臺灣新創的籤詩。籤詩在臺灣民間廟宇的能見度相當高，即使是陰廟，也有可能設置籤詩。學界研究者甚至認為是否設置籤詩是陰廟神格位階提升的指標之一，故本論文擬以臺灣祭祀異國神祇的廟宇為主要觀察對象，探究這些廟宇在使用籤詩選用上的狀況，以不同視角切入臺灣異國神祇的祭祀樣貌。

二　籤詩的類型與系統

籤詩的類型多樣，系統也多元發展，以運籤及藥籤為最顯著的兩種類型，但各自有不同系統的開展。以運籤而言，在臺灣最常見的是《六十甲子籤》、《觀音靈籤》與《雷雨師一百籤》（俗稱《關帝靈籤》），《六十甲子籤》、《雷雨師一百籤》也是得到研究者最多關注的系統。大觀音亭使用的運籤就是《六十甲子籤》，以天干、地支排列組合而成，十天干配十二地支，合成六十甲子，故名。《雷雨師籤》自南宋時期便已出現，當時稱江東王籤，於明代為關帝廟所借用，後廣為流傳，便有了《關帝靈籤》的別名。關於籤，東漢許慎《說文解字》：「籤者，驗也。」《廣韻・籤》：「《說文》驗也，一曰銳也，貫也。」此即說明籤乃用以占卜的條狀物。清人徐珂《青稗類鈔・方技類》：

> 神廟有削竹為籤者，編列號數，貯以筒。祈禱時，持筒簸之，則籤落，驗其號數，以紙印成之詩語決休咎，謂之籤詩，並有解釋，又或印有藥方。五代盧多遜幼時，就雲陽道觀讀書，見廢壇上有古籤一筒，競往抽取。是知以抽籤為卜，古已然矣。[1]

可知求籤詩以應吉凶，自古即有。漢人移民來臺後，臺灣民間廟宇也開始配置籤詩以供信眾求取，請求神祇指點迷津，在臺灣因為信仰自由，幾乎每一間廟宇都有提供籤詩，也正因如此，臺灣廟宇的籤詩不僅保存完整且系統多樣，正如俗語所言「跨進廟門兩件事，燒香求籤問心事」，求籤詩以占卜未知事物的吉凶，是民間信仰由來已久的民

1　〔清〕徐珂：《清稗類鈔》（臺北：中華書局，1982年），卷10，頁4664。

俗活動，籤占可說是最方便又經濟能快速得到神諭指點的方式。明清時期，籤詩伴隨著佛道的世俗化趨向，在福建地區的發展更為興盛，並隨著移民朝異域發展。此外，這時期隨著各類民俗文化的有機整合，寺廟靈籤無論是在內容還是形式上都變得更加的豐富多彩。為滿足基層民眾的占卜需要，有關民間社會生產（如農業、商業、漁業、手工業）和生活（如運途謀事、婚姻生育、占病求壽、功名富貴、行旅、爭端訴訟、尋人尋物）方面的內容，幾乎都被納入其中。

各種多元的籤譜[2]提供信徒多樣性的管道，以滿足心理需求。現階段對籤詩研究的關注以《六十甲子籤》（日出便見風雲散）及《雷雨師一百籤》[3]（巍巍獨步向雲間）最多，民間廟宇在設置籤詩時，常會出現借用的狀況，同一個信仰體系（例如媽祖）可能都以使用《六十甲子籤》居多，《六十甲子籤》是臺灣民間廟宇普遍使用性最高的籤詩系統，歷來研究成果已豐，無論是干支配應八卦的解籤法、以籤詩詩文配應卦頭故事的解籤法，或是《六十甲子籤》的來源與傳播，都有相當分量的研究成果[4]。林修澈針對宜蘭、新竹和澎湖三縣

---

2 籤譜是由許多首籤詩所組成，具系統性，有固定式樣的成套籤詩。有十二首一套、二十八首一套、三十首、六十首、一百首、一百二十首等多種系統，數量龐大。

3 民間通稱《雷雨師一百籤》乃因此籤譜最後一首籤文首句為「我本天仙雷雨師」，認為籤詩的雷雨師所降，故有此稱。別稱還有《關帝靈籤》，林國平指出此籤譜原名《護國嘉濟江東王靈籤》，明朝時開始普遍被關帝廟借用，便成為廣大民眾所接受的關帝籤。詳見林國平：《籤占與中國社會文化》（北京：人民出版社，2014年），頁74-86。

4 黃聖松、牟曉麗：〈「干支配應八卦」建構「六十甲子籤」籤詩兆象考論〉，《中國傳統術數文化》第7冊（臺北：中華傳統術數文化編輯委員會，2018年），頁1-43。黃聖松、陳展松：〈以「干支配應八卦」理論建構臺灣關聖帝君籤詩析論〉，《海峽兩岸關公文化與中華民族精神座談會》（山西，2018年）。一般市面上或網路銷售的解籤書籍也多以《六十甲子籤》為對象。例如王儷容《解籤——關鍵字解籤祕笈》，王崇禮、吳若權《解籤So Easy》等。高雄市大樹區東照山關帝廟亦出版有《關聖帝君百籤詩解釋》。

進行籤詩的調查，探訪八百一十間宮廟，當中有五百五十九座廟宇有設置籤詩筒，高達二百二十六座廟使用六十甲子籤，占比高達百分之四十。莊唐義於二〇二一年間調查金門五鄉鎮的籤詩，共探訪兩百六十六座廟宇，當中有八十三座寺廟設有籤詩，其中使用《六十甲子籤》的廟宇有三十七座，占比高達百分之四十五。顯示《六十甲子籤》應該是目前臺灣地區使用率最高的籤譜無誤。

三　異國神祇的分布位置

以下為筆者目前所調查到的異國神祇廟宇，共七十六座，分布在全臺各地，而當中又以臺南市最多，共有二十五處：

表一　臺灣祭祀異國神祇祠廟統計表（筆者整理）

廟名	地址	祭祀對象
1.新北市五股的兵將官祠	新北市五股區成仔寮路邊	日本士兵
2.新北市新莊區北巡聖安宮	新莊區新樹路85巷1弄16號之1	義愛公分靈廟
3.新竹市海濱里新竹代天府聖軍堂	新竹市延平路3段455巷60弄26號	三聖軍為石頭公、林先生、根本博。
4.新竹市北辰威靈宮	新竹市舊港里117號	分靈鎮安代天宮毛元帥
5.新竹拱義宮	新竹縣竹北市水防道路五段447號	分靈鎮安代天宮毛元帥
6.苗栗縣南莊鄉獅頭山勸化堂輔天宮	苗栗縣南庄鄉獅山村17鄰242號。	警察廣枝音右衛門
7.彰化大城保義壇忠軍府	彰化縣大城鄉東成村東平路108巷2號	日本元帥（無名氏）

廟名	地址	祭祀對象
8.彰化大城義天壇忠軍府	保義壇分靈	日本元帥（無名氏） 中國神尊外貌
9.彰化縣和美鎮平安宮	彰化縣和美鎮忠勤路32號	義愛公分靈廟
10.南投縣中寮鄉榕樹公	南投縣中寮鄉永平村縣道139號。	日本憲兵殉難碑
11.南投蔡媽廟	南投市營南里營盤路151巷27號	蔡媽娘娘：琉球國夫人蔡紅亭
12.雲林斗南忠義祠	雲林縣斗南鎮明昌里延平路702之1號	赤星中尉
13.雲林二崙十縫仔水神祠	雲林縣二崙鄉大義村	日本士兵
14.嘉義縣東石鄉富安宮	嘉義縣東石鄉副瀨村57號	義愛公（森川清次郎）
15.嘉義縣朴子市天旨堂	朴子市海通路57號	義愛公分靈廟
16.嘉義縣東石鄉龍港村三太子壇	嘉義縣東石鄉嘉10鄉道27號	義愛公
17.嘉義縣中埔鄉富南宮	待考[5]。	義愛公
18.嘉義市小湖里小副瀨富安宮	嘉義市西區博愛路二段89號	義愛公
19.嘉義市小湖里小副瀨富義宮	嘉義市西區竹文街95號	義愛公

5 據黃國哲表示，該廟已無祀，神祇併入小副瀨富南宮祭祀。但筆者尚未進行確認，姑計之。採訪地點：副瀨富安宮正殿。採訪日期：2019年12月7日。

廟名	地址	祭祀對象
20.嘉義市小湖里小副瀨富南宮	嘉義市西區後驛街82號	義愛公
21.嘉義市民安里西安宮	嘉義市西區中正路689巷1號	義愛公
22.嘉義縣中埔鄉開凰宮旁小廟	嘉義縣中埔鄉深坑村19鄰	千葉少尉（憲兵千葉太久馬）
23.嘉義縣中埔鄉東興村小廟	嘉義縣中埔鄉東興村	將軍爺（無名氏）
24.嘉義縣布袋鎮建田宮		日籍朱府千歲GPS座標：23.40726,120.20616
24.臺南市海尾寮朝皇宮	臺南市安南區同安路127號	飛虎將軍（杉浦茂峰）
25.臺南市東區慶隆廟	臺南市東區裕永路59號	吉原小造將軍（主神謝府元帥謝永常，陪祀趙勝將軍）
26.臺南市仁德區帥軍廟	臺南市仁德區土庫一路811巷215號	山本將軍、隆田元帥等12名官士兵
27.臺南市仁德區杞杆北極殿	臺南市仁德區仁義三街34巷1號	日本軍官（吉原小造將軍）
28.學甲區煥昌里將軍廟	煥昌里近大排魚塭	祭祀十二名日本飛官。
29.臺南市北門里東安宮	北門農會後方永隆溝旁	日治時期北門鹽場的場務主管，因對鹽民有功，去世後鹽民感念，建祠以祀。神稱邱二爺。
30.臺南市西港區（日）本將軍前大士殿	臺南市郊外西港大橋附近，曾文溪堤防沿岸	三個日本兵（無名氏）

廟名	地址	祭祀對象
31.臺南市安定區港口七元帥廟	臺南市安定區安吉路三段	七元帥（無名氏）
32.臺南市私宅	臺南市仁德區文華路二段，俫溢科技塑材股份有限公司工廠內	裕泉督尉將軍（裕泉伸一郎）
33.臺南鹿耳門鎮門宮慈恩堂	臺南市安南區媽祖宮一街345巷420號	翁太妃田川氏，鄭成功之母
34.臺南市中西區延平郡王祠太妃祠	臺南市中西區開山路152號	翁太妃田川氏，鄭成功之母。
35.臺南市新田里不犬壽祖	臺南市仁德區新田二街116巷，近九肉北極殿	日本人，無名氏
36.臺南市東區真靈祖師	臺南市東區崇明十六街	日本人，粥先生
37.臺南市永康區西勢代天宮	永康區西勢里44號	木村將軍
38.臺南市永康區紫龍宮	永康區復國一路67巷15號	日本仙女
39.臺南市喜樹區正元廟	臺南市南區喜樹路222巷117號	日本人，正元公
40.臺南市新化區王相廟	新化區那拔林25之2號附近	日本少佐，無名氏
41.臺南市新化區萬應祠	新化區那拔林清水宮前	日本女童，無名氏
42.臺南市山上區豐德萬眾祠	山上區豐德里通近森霸燃氣發電場	日本將軍，無名氏
43.臺南市六甲區慈孝宮女王世子	臺南市市道174-34K處	日本母子，無名氏

廟名	地址	祭祀對象
44.臺南市下營區護聖公	下營區茅港尾茅港里162號，天后宮後方	日本軍，無名氏
45.臺南市安南區興隆宮	安南區私人宅	山田佐一
46.臺南市將軍區胡烏捷祠	將軍區仁和村內	川田浩
47.臺南市龍崎區考潭日本飛行將軍廟	龍崎區崎頂里過嶺10號周邊竹林	日本飛行員，川井
48.高雄市小港區保安堂	高雄市鳳山區國慶七街132號。	海府大元帥（無名氏）
49.舊紅毛港正軍堂	高雄市高雄市鳳山區家和三街100號	水吉成公。村民打撈到三具無名日本兵大體，建廟供奉。
50.高雄市橋頭區新莊鄉有應公廟。	某養牛場附近，詳細地址待查	祭祀的是戰死的日本人。但無姓名資料。
51.高雄市龍子里德安宮	高雄市鼓山區龍子里中華一路2133巷45之1號	陪祀義愛公
52.高雄市五甲區真珠媽	高雄市五甲區南光街124號	琉球人
53.高雄市三民區蕭家	高雄市三民區中庸街223巷16號之1	本田將軍
54.高雄市仁武區仙姑廟	高雄市仁武區仁福村橫山三巷21號	武川良田大元帥
55.高雄市茄萣區二層行口無名小祠	茄萣區萬福里福德路157之2號前	精姑娘精元帥（兄妹合祀）
56.高雄市茄萣區施家朱府千歲壇	高雄市茄萣區港東街136號	十二行帝（戰死的日本亡魂）

廟名	地址	祭祀對象
57.高雄市美濃區石母宮	高雄縣美濃鎮興隆二街140號	翁太妃田川氏，鄭成功之母。
58.屏東縣東港靈聖堂	屏東縣東港鎮船頭里船頭路國宅巷5-1號	三船太郎、山村敏郎、山村久美、驅逐艦
59.屏東市潭墘里鎮安宮	屏東市大同北路64號	山府元帥[6]，姓山田，海軍飛行員。
60.屏東縣枋寮鄉龍安寺仙峰祠	屏東縣枋寮鄉隆山村中正大路66號	士兵樋口勝見
61.屏東縣枋寮鄉東龍宮	屏東縣枋寮鄉隆山村僑德路199號。	田中綱常、北川將軍、乃木希典、兩位女護士
62.屏東縣林邊鄉鎮安代天宮	屏東縣林邊鄉中正路54-1號	毛府元帥（無名氏）
63.屏東縣東港鎮東港慈母宮旁大將軍祠	東港鎮共和里共和街87-2號	保箑大將軍（日本士兵，無名氏）廟已毀，僅存遺址與防空洞
64.屏東縣萬巒鄉龍生堂	屏東縣萬巒鄉南進路8號	分靈鎮安代天宮毛府元帥
65.屏東縣佳冬鄉海埔慈聖宮	屏東縣佳冬鄉羌光路，鄰近佳冬國小[7]	分靈鎮安代天宮毛府元帥
66.屏東縣鹽埔鄉代巡堂	屏東縣鹽埔鄉新東街	分靈鎮安代天宮毛府元帥

6 山府千歲本姓山田生前為大阪人氏，於日本空軍飛行學校畢業後，被派駐於屏東飛行場（今屏東機場）擔任飛行指揮官，官拜大佐。山田在一次飛行時，所駕之飛機突然故障，在欲跳機逃生時卻發現該處有許多民宅，因擔心波及無辜百姓，便選擇將飛機轉向，但迫降失敗而犧牲，也因為這樣的捨身救人的義行而得道，後來山田遇到范府千歲將其拔擢，也成為千歲。

7 資料來源為鎮安代天宮吳宮主，但詳細地址與資訊則待訪，採訪日期：2019年12月1日。

廟名	地址	祭祀對象
67.宜蘭縣冬山鄉小林土地公	冬山鄉太和村太和十三份坑步道太和橋旁	小林三武郎。民國九十三年民眾為他舉辦科儀晉陞，請來三山國王坐鎮觀禮
68.花蓮縣太魯閣托波克 社原住民祭祀日本神	花蓮太魯閣的「托波克」蕃社托波克社神壇	警察武富榮藏
69.花蓮縣光復鄉太巴塱能久親王福田祠	花蓮縣光復鄉光豐路25號富田協天宮內	北白川宮能久親王
70.臺東縣長濱鄉天龍宮	臺東縣長濱鄉樟原村2鄰17號	主神瑤池金母，陪祀日本天皇
71.臺東縣初鹿協天府	臺東縣卑南鄉初鹿村17鄰初鹿2街106號	該廟主祀神為吳府千歲，陪祀日本軍官忠軍府
72.屏東縣貓鼻頭風景區潮音精舍	屏東縣恆春鎮水泉里下泉路72號。	二次大戰海軍陣亡者慰靈碑
73.屏東縣墾丁八寶公主廟	屏東縣恆春鎮墾丁路文化巷2-1號旁	荷蘭八寶公主
74.屏東林邊鄉慈貞宮潘姑娘廟	舊名潘婆媽廟，屏東縣林邊鄉光林村林邊國中大門旁	荷蘭女醫師/傳教士
75.雲林縣水林鄉綠佑將軍廟	雲林縣水林鄉車港村紅毛路	荷蘭將軍
76.臺南市山上區井田三子廟	臺南市山上區豐德里臺20線省道旁	韓國人／四男一女

據筆者實際田野調查，目前在臺灣祭祀異國神祇廟宇且有配置籤詩者為鹿耳門鎮門宮與美濃石母宮，祭祀對象都是鄭成功之母田川

氏，兩間廟宇使用的皆為《六十甲子籤》。

日治時期政府在臺南設置開山神社（今延平郡王祠）祭祀鄭成功與感念其母田川氏的節義事蹟。隨後鄭成功及其部將在臺南，留下眾多傳說，田川氏（翁太妃）也受到祭祀，在臺南、美濃皆有立廟。延平郡王祠有「翁太妃神位」，安南區鹿耳門鎮門宮主祀鄭成功，並慰藉英靈。廟宇二樓祭祀田川氏，廟方曾增設鄭成功父親鄭芝龍的神像，但於二〇一六年遭竊，至今未尋回，這是一座將鄭氏家族視為神明祭祀的廟宇。鎮門宮興建於民國七十五年，據《鹿耳門志》所載是鄭軍士兵亡魂託夢，希望能在鹿耳門溪口附近立廟供奉鄭成功。之後經鹿耳門天后宮的媽祖降旨擇定廟地，定名為鎮門宮有鎮守鹿耳門之意。[8]高雄市美濃區羌仔寮石母宮主祀石頭母，該廟建宮之緣由，乃是因羌仔寮當地有塊形似婦人的巨石，稱「母子石」。母子石前方還有似豚、羊牲禮的兩塊大石，後來信眾捐資興建宮廟落成。而美濃當地傳說，當時鄭成功驅逐荷蘭人後，曾經率領軍隊路過此地，見到似婦人的巨石，聯想起母親，遂在石上刻有「懷慈母鄭母國太一品翁夫人」的字樣，此為石母宮的祭祀由來[9]。鎮門宮與美濃石母宮於二〇一三年締結為姐妹廟，此會香為石母廟五十多年來首次迎神明出宮交陪，顯示這樣的締結關係對兩廟都有特殊的意義。

8 黃文博、吳建昇、陳桂蘭：《鹿耳門志（下）》（臺南：鹿耳門天后宮文教公益基金會，2011年），頁549。

9 此則傳說載於石母宮正殿公告，或保庇NOW網站〈羌仔寮石母宮祭祀鄭成功之母田川氏〉。

圖一　鹿耳門鎮門宮正殿與聖籤筒

筆者攝於2023年6月3日

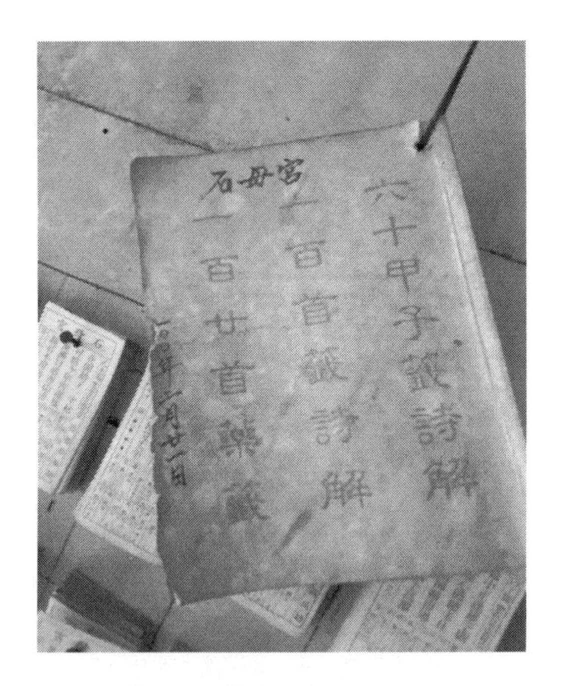

圖二　美濃石母宮籤詩解

筆者攝於2022年5月22日

四 《六十甲子籤》典故素材來源與廟宇配置緣由

廟宇中有配置籤詩者，部分會有籤首或籤尾，意即在籤詩第一首前及最後一首後，各增一首籤詩，俗稱籤首和籤尾。[10]若籤首與籤尾皆有之，則《六十甲子籤》系統最多可有六十二首，但鎮門宮與石母宮皆無籤首或籤尾。除了籤詩系統的設置，為信眾解釋籤意也是廟宇的服務項目之一，通常是由廟祝為信徒解籤，部份廟宇則專門培養解籤老師，固定為信眾服務，例如：車城福安宮與臺南大觀音亭祀典興濟宮，因應信眾需求，也是廟宇香火能延續的經營之道：

> 一般人生活迷惘時喜歡到寺廟求籤，大觀音亭暨祀典興濟宮佛道同祀，廟內籤詩是大觀音亭的觀音佛祖六十籤、興濟宮大道公的公祖六十四籤，雖常有信眾求籤，但也一直向廟方反應，希有解籤的服務。
>
> 董事會從善如流，經兩個月密訓，新成立的解籤團，今年元月三日正式上班，解籤地點設於古色古香的官廳內，保有絕對的隱私性。[11]

透過以上這則報導可知，不論是培養解籤老師行之有年的車城福安宮，或是二〇二三年新創解籤團的大觀音亭祀典興濟宮，都反映籤詩

---

10 據前人研究推斷，臺灣寺廟籤詩增添籤首或籤尾的風氣當始於一九四九年以後，因為日治時期的文獻中並無相關記載。王文亮、林啟泓：《南瀛籤詩故事誌》（臺南：臺南縣政府，2006年），頁37。

11 陳俊文：〈祀典興濟宮解籤團臥虎藏龍〉，《中華日報》網站（https://tw.news.yahoo.com/news/%E7%A5%80%E5%85%B8%E8%88%88%E6%BF%9F%E5%AE%AE%E8%A7%A3%E7%B1%A4%E5%9C%98-%E8%87%A5%E8%99%8E%E8%97%8F%E9%BE%8D-140146085.html），2023年1月5日發表。2023年6月1日瀏覽。

對廟宇與信眾的重要性。鎮門宮與石母宮都使用葉山居士《靈籤解說——六十甲子籤詩解》[12]（以下簡稱《靈籤解說》）為籤解，《靈籤解說》書分前言、增訂版序與六十甲子籤詩解，詩解內容分籤面、典故、寓意、籤解（如下圖三）當中解曰包含討海、作塭、魚苗、求財、耕作、經商、月令、六甲、婚姻、家運、失物、尋人、遠信、六畜、築室、移居、墳墓、出外、行舟、凡事、治病、作事、功名、官事、家事、求兒。《靈籤解說》籤解的篇幅較多，因此葉山居士的箴言成為信眾參考的重要指標，再佐以前人靈驗之例，增加可信度。

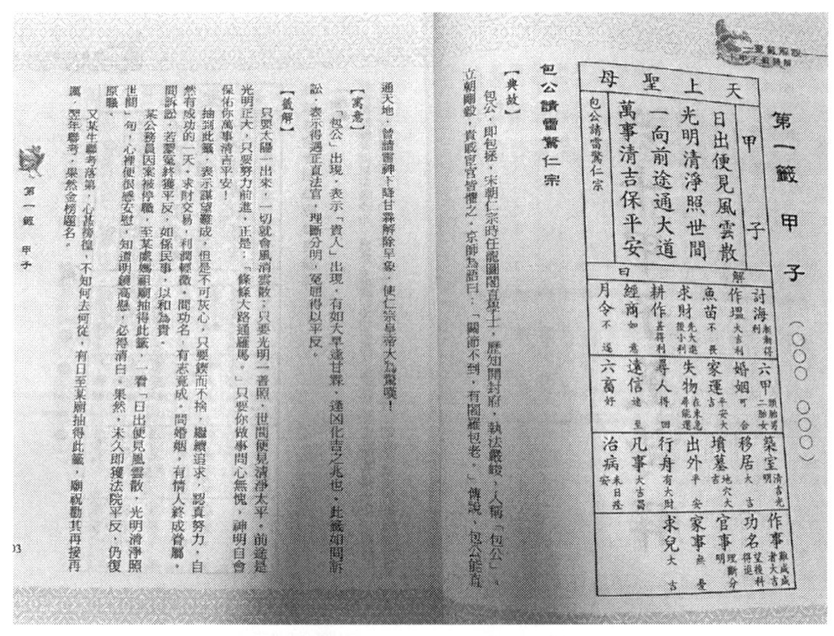

第一籤 甲子 （○○○ ○○○）

天上聖母

甲子

日出便見風雲散
光明清淨照世間
一向前途通大道
萬事清吉保平安

包公請雷驚仁宗

解曰

討海 漸漸得利	作塭 大吉利	魚苗 不長	求財 先大後小利	耕作 善得利	經商 如意	月令 不遂
六甲 頭胎男二胎女	婚姻 可合	家運 平安大吉	失物 在未急尋能還	尋人 得回	遠信 速至	六畜 好
築室 清吉光明	移居 大吉	墳墓 地穴大吉	出外 平安	行舟 有大財	凡事 大吉昌	治病 未日痊安
作事 難成成者大吉	功名 望後科得進	官事 理斷分明	家事 無憂	求兒 大吉		

包公請雷驚仁宗

【典故】

包公，即包拯，宋朝仁宗時任龍圖閣直學士，歷知開封府，執法嚴峻，人稱「包公」。立朝剛毅，貴戚宦官皆憚之，京師為語曰：「關節不到，有閻羅包老。」傳說，包公能直通天地，曾請雷神下降甘霖解除旱象，使仁宗皇帝大為驚嘆！

【寓意】

「包公」出現，表示「貴人」出現，有如大旱逢甘霖，逢凶化吉之兆也。此籤如問訴訟，表示得遇正直法官，理斷分明，冤屈得以平反。

【籤解】

只要太陽一出來，一切就會風消雲散；只要光明一普照，世間便見清淨太平。前途是光明正大，只要努力前進，正是：「條條大路通羅馬。」只要你做事問心無愧，神明自會保佑你萬事清吉平安！

抽到此籤，表示謀望難成，但是不可灰心，只要鍥而不捨，繼續追求，認真努力，自然有成功的一天。求財交易，利潤輕微。問功名，有志竟成。問婚姻，有情人終成眷屬。問訴訟，若要冤枉獲平反，如係民事，以和為貴。

某公務員因案被停職，至某處媽祖廟抽得此籤，一看「日出便見風雲散，光明清淨照世間」句，心裡便很感安慰，知道明鏡高懸，必得清白。果然，未久即獲法院平反，仍復原職。

又某生聯考落第，心甚彷徨，不知何去何從，有日至某廟抽得此籤，廟祝勸其再接再厲，翌年聯考，果然金榜題名。

第一籤 甲子

圖三 《靈籤解說——六十甲子籤詩解》內容

筆者攝於2023年5月20日

12 葉山居士：《靈籤解說——六十甲子籤詩解》（臺中：瑞成書局，2020年）。該書初版為1972年，因供不應求，再版多次，每間使用的廟宇版本或有差異，但就筆者實際調查，該書確為眾多六十甲子籤解中，廟宇使用度最高者。

《六十甲子籤》通常會在籤面標示一至二則典故或故事，稱為典故或卦頭故事[13]。以《六十甲子籤》第一首來看，搭配的卦頭故事是〈包公請雷驚仁宗〉，出自京劇戲曲故事，又名〈遇后龍袍〉，講述狸貓換太子事，典出長篇章回小說《三俠五義》(忠烈俠義傳)。透過卦頭故事中主人翁的遭遇來暗示求籤者的吉凶禍福，以為解籤之參考，求籤者即故事主人翁。所出之典故來源有神話、民間故事、元雜劇、明清小說、演義、梨園戲、北管亂彈、歌仔冊等，林明德總編《南鯤鯓代天府籤詩解密》、王文亮、林啟泓《南瀛籤詩故事誌》都針對籤詩的典故來由做詳盡的考索，《南瀛籤詩故事誌》探究籤詩典故素材來源多數以《六十甲子籤》、《雷雨師一百籤》為探討對象。《南瀛籤詩故事誌》採集對象是林衡道《臺灣寺廟大全》中所列，建置年代在明清時期的百年寺廟，故事來源分為史事故事、民間流傳的故事、戲曲故事三類。

鹿耳門鎮門宮使用《六十甲子籤》的原因，筆者認為與北汕頭媽祖宮（鹿耳門天后宮）有密切的關聯，承上所述，鎮門宮的擇地命名乃北汕頭媽祖宮的媽祖所定，且兩廟也有十足的地緣關係，僅相距二點五公里，許多廟宇設置籤詩都有地緣關係與交陪網絡的反應[14]，當地顯宮與鹿耳兩個聚落過去皆崇拜媽祖、鄭成功，且媽祖宮認為廟中的媽祖是鄭成功登陸鹿耳門的隨艦媽祖，廟宇西廂房還設有鄭成功文物常設展，兩廟之間的淵源不論是建廟起源或聚落信仰發展都密不可

13 關於「卦頭故事」之稱乃為通俗的說法。容肇祖的論文稱之為「古人」、汪娟稱為「籤題」(便於指稱某一首籤詩之題)、王文亮的論為稱「故事籤解」、林明德與王儷容皆稱「卦頭故事」(依附典故) 筆者行文時顧慮籤詩乃接近常民生活的民俗文化，故以「卦頭故事」稱之，淺顯易懂。

14 詳見李淑如：〈「籤裡姻緣一線牽」——臺南祀典大天后宮《月下老人靈籤》研究〉，收入陳益源主編：《府城四大月老與月老信仰研究》(臺北：里仁書局，2016年)，頁87-116。

分，因此在籤詩系統上選擇同一套籤詩與籤詩解有合理的解釋。

美濃石母宮選擇《六十甲子籤》的緣由可能是以最常見籤詩系統來因應廣大信眾的需求，因為按照石母宮的籤解本（圖二）可知過去石母宮還配置有另外一套一百首運籤，一百二十首的藥籤，但現在廟宇中已不復見一百首的運籤及藥籤筒與藥籤。一百首運籤為何種系統不得而知，但筆者推測一百二十首藥籤為常見的大人內科藥籤。藥籤是民間宮廟中記載藥方用以占卜治病的紙箋，大小與運籤相仿，一般形式為籤條紙上載明編號與科別，同時也寫有宮廟名稱、主神與助印善信大名。藥籤內文為藥方與劑量，並寫有煎煮水量或塗抹等使用方式。藥籤在中國社會存在由來已久，實際源起有諸多不可考之處，但起源年代大抵於宋代。大人內科一百二十首的藥籤容易出現內容上些許藥方的差異，但由於比例不高，且通常第一首與最後一首的藥方內容都不會出現差別，故一般視為同一個系統，但實際內容差別的多寡，需要看到完整的藥籤，才能知曉，此與運籤有極大的不同，運籤的差別往往只出現字句上些許的不同，藥籤的差異常常是整張藥方都不相同，這與藥劑實際的治病功能有關，這些各地寺廟藥籤同中有異的現象可能來自藥籤編纂者有的取自藥典，有的模仿歷代醫學經典如《傷寒論》加上經驗方而組成的加減方，各地民間寺廟相互借用、延用後若發生缺漏，則自行延請中醫師或透過乩童扶鸞增補而成，輾轉演變後造就現今的差異，但終究是醫人治疾的籤詩攸關性命，故系統相對運籤而言較為單純，數量不多，系統內變化不大，相去不遠。以下舉同樣都祭祀保生大帝且都還保有藥籤的興濟宮與大龍峒保安宮為例。

興濟宮內科原本的一百二十首內科藥籤與大龍峒保安宮大致相同，但仍有部分籤詩完全不同，顯示籤詩系統在流傳過程中有所缺漏，但也有所增補。按其分布比較相異處如下表（二）所示：

表二　興濟宮與保安宮大人科藥籤方劑比較表

完全不同	有一、二味藥不同	完全相同	藥方同但量不同
45首	7首	53首	15首

從上表中我們可以看出，若將藥方同但劑量不同者也視為相同，則相同率高達百分之五十七，而完全不相同率則為百分之三十八可知在同一個系統的大人科藥籤當中，其實仍存在不少歧異。而進一步分析興濟宮大人科藥籤的處方，可知當中出自中國醫學經典的正統藥方比例為百分之二（2／120）[15]，中藥與民間藥方加減或變方而成的藥方比例為百分之二十七（32／120），最後是臺灣特有的經驗方，這種來自民間的經驗方在正統中醫典籍中查無出處，有以神祇聖意指示者或是中藥行老闆經由籤詩與經驗斟酌運用而成者，比例為百分之七十三（87／120），顯示藥籤當中的經驗方仍占絕對多數。

透過上述比例可知，興濟宮的藥籤直接出於中醫藥典的比例，遠低於便方與經驗方的總合，這也展現了藥籤因地制宜的在地性。若將興濟宮內科藥籤與大龍峒保安宮內科藥籤相較，這個現象會更為明顯，保安宮第二十五首至三十首均出自中醫正統藥典，如漢代張仲景《傷寒論》、《金匱要略》與元代朱震亨《丹溪心法》等書，而在興濟宮藥籤則全由經驗方取代，這種情況的籤詩共計有二十首，這應該不是傳鈔過程遺失所導致的結果，而是藥籤編輯者或廟宇主事者有意識為之，詳見下表（三）[16]：

15 分別是第一百一十三首出自《金匱要略》與第一百一十五首出自《宣明論方》。

16 表二當中的第一百一十三首，興濟宮與保安宮內容相同，此為唯一例外。

表三　大龍峒保安宮內科藥籤藥典來源統計表

大龍峒保安宮內科藥籤編號	來源
25、27、30、37、38、40、41、42、43、45、47、53，計12首。	漢代張仲景《傷寒論》
26、28、51、52、58、113，計6首	張仲景《金匱要略》
29、46，計2首	朱震亨《丹溪心法》
50，計1首	張介賓《景岳全書・古方八陣》
合計共21首。	

根據筆者的田野調查得知，時至今日，臺南市區許多過去提供藥籤的廟宇都紛紛停止藥籤的求取服務，或不再以可求藥籤為廟宇主要功能之一。例如臺南清水寺過去的觀音佛祖藥籤十分出名，但現在連時常參拜的信眾都不知道寺內存有藥籤。廟方人員表示：「清水寺的廟籤筒放於後殿觀音佛祖案桌上，為內科一百二十首，但僅存藥籤解一本，已無籤詩，民眾求藥籤後須自行翻閱籤解本並抄寫藥方。」[17] 不論在哪座廟宇，我們發現，許多尋求藥籤的信眾並非單純是來自鄉下且年長的民眾，有更多案例發現這些民眾的共同點是他們都經過西醫的治療後並沒有痊癒。在中、西醫治療無效後轉往求藥籤尋求治癒的可能，這些人未必是迷信的，而是更積極的尋求治癒疾病的可能，以恢復健康為目的。但實際走訪諸多提供藥籤的宮廟，發現藥籤發展與傳承有許多困境，如南鯤鯓代天府，藥籤分大人科一百二十首、小兒科六十首、眼科九十一首，廟方工作人員表示因為政令關係，廟方現在於正殿供桌桌面僅留籤筒、藥籤籤詩鎖存於中軍殿旁的木櫃中，若有民眾求取，需先按照流程得三聖筊後，告知工作人員，方由工作

17 受訪者：清水寺執事人員鍾先生。受訪處：清水寺正殿。訪問日期：2018年9月11日。清水寺藥籤的木刻版已經無存。

人員將藥籤交給信眾，至於信眾要至何方配藥則可自行決定。

經過筆者的實際田野調查，七十餘處的廟宇僅有兩座提供籤詩的原因有二，一是這些祭祀外國人的廟宇多半出現在一九四九年以後，一九八〇年代為高峰，日本神（指日本人在臺灣死後成神）的信仰開始出現神異事件或開始有人加以祭祀，時間點大概都在日軍撤臺二十年後，約為一九六五年，民國六十年代（一九七一年）左右。透過夢境化現，或是透過乩童之語，指點所供奉之神為日本神。民國六十年代臺灣經濟即將起飛，戰後沒有經驗或經歷過日治時期的臺灣人逐漸增多，直接參與祭祀日本神的臺灣人大多數是此輩，對於日治時期的理解來自耳聞於長輩之說，因此集體記憶與對殖民政府的比較後所產生的情感，仍影響臺灣日本神的出現。這些日本神多以正直、愛民如子的慈悲形象出現，也反映出民間百姓對統治者的嚮往或理想的一種想像。這些廟齡年輕且祭祀性質較傾向有應公或陰廟，因此常無設置籤筒。還有另外一個重要的原因為這些廟宇都有乩童，廟方認為若信眾有問題要處理，可以由神明透過乩童降乩指示，更為明確，筆者在多處田野調查的現場都曾經得過類似的回答。例如彰化大城鄉祭祀忠軍府（堂本次郎）的保義壇[18]，大城鄉位於彰化縣西南部，與雲林縣草湖鄉僅隔濁水溪，是臨海的鄉村，人口數將近一萬六千人，是彰化縣人口密度最低的行政區。關於大城鄉地名的由來相傳是福建移民名為「魏大城」者首先開墾該地，故名之；又有一說為清時因治安不佳，築土成壘，以防盜匪，故得其名。保義壇中主祀吳府千歲，陪祀忠軍府，為日本元帥。初時並未透露其姓名，供奉多時後才透過乩身表示名為堂本次郎，生前是東京人。現任壇主為王佳鴻，開壇者為王佳鴻之父。王佳鴻表示因為父親也是吳府千歲的乩身，早年都在鄉里

18 保義壇位於彰化縣大城鄉東城村東平路108巷2號。

間為神明服務，參與許多宮廟事務，後經南鯤鯓吳府千歲採乩，遂創立保義壇。關於忠軍府的來歷，根據廟方講述日本元帥原先是透過夢境表明身分，後來又透過採乩的方式指示信眾，日本軍官透過乩身說出其出處，來自臺東卑南鄉初鹿牧場對面的一間宮廟。保義壇的善信跟老乩童對此說抱持懷疑的態度，而且大家都未曾去過該地，因此十多年來都未加以求證，後來因為日本元帥一直來採乩跟說明，有意要在保義壇發揮。老壇主才因此召集宮中人員去臺東一探究竟，後果真找到臺東卑南鄉初鹿協天宮有一尊「日本元帥」，是該廟吳府千歲收為忠軍府的部將。這兩間廟宇都依賴乩童為信眾解決疑難雜症，王佳鴻甚至會親自到信徒家中解決問題，對廟方與信徒而言，這樣的處理方式都比籤詩來的即時與明確。

圖四　保義壇忠軍府

筆者攝於2022年3月6日

圖五　臺東縣初鹿協天府

筆者攝於2022年4月3日

五　結語

異國神祇信仰的發展，在歷史和當代臺灣社會扮演著雙重的角色：第一個角色是異族的統治者與保護者，隱含著殖民政權與臺灣的戰爭記憶發展，在殖民的過程中，政治對於族群關係的強制介入，為了殖民政權的穩固，導致族群關係（荷蘭人占據臺灣、日本人、漢人和和原住民的衝突化）面臨衝突與整合；第二個角色是逐漸發展成為臺灣在地的民間信仰，成為臺灣文化的一部分。異國神祇信仰可視為是臺灣有應公信仰中的一環，當代民眾對異國神祇的接受已無關乎國族認同，是常民生活記憶加上在地元素的自然擴張，異國神祇體現的是民間現實需求融合信仰文化後在地化呈現的樣貌。臺灣廟宇中的籤詩幾乎無處不在，籤詩是神諭的表徵，充滿神聖性，無關乎廟宇規格的大小，小至陰廟或土地公廟也都有籤詩，規模宏大的廟宇甚至有一套以上的籤詩。異國神祇廟宇中的籤詩雖然只是籤詩文化中的一小部分，但仍如實的反應籤詩的設置與廟宇的發展及交陪網絡有密切的關係。當異國神祇受到信民接受，廣為傳播及在地化之後，籤詩的設置與否便遵循臺灣民間信仰的原則，設置與否跟異國神祇的原鄉身分無關，一般以正神廟宇多數設置籤詩的概念也反映在異國神祇的廟宇，故信仰初始即被視為正神祭祀的田川氏，在臺灣的兩處廟宇中都設有籤詩。

參考文獻

一　古籍專書（按朝代）

〔清〕徐珂：《清稗類鈔》，臺北：中華書局，1982年。

二　現代專書（按姓氏筆畫）

王文亮、林啟泓：《南瀛籤詩故事誌》，臺南：臺南縣政府，2006年。

林國平：《籤占與中國社會文化》，北京：人民出版社，2014年。

黃文博、吳建昇、陳桂蘭：《鹿耳門志（下）》，臺南：鹿耳門天后宮文教公益基金會，2011年。

葉山居士：《靈籤解說——六十甲子籤詩解》，臺中：瑞成書局，2020年。

三　論文集論文（按姓氏筆畫）

李淑如：〈「籤裡姻緣一線牽」——臺南祀典大天后宮《月下老人靈籤》研究〉，收入陳益源主編：《府城四大月老與月老信仰研究》，臺北：里仁書局，2016年。

黃聖松、牟曉麗：〈「干支配應八卦」建構「六十甲子籤」籤詩兆象考論〉，《中國傳統術數文化》第7冊，臺北：中華傳統術數文化編輯委員會，2018年。

黃聖松、陳展松：〈以「干支配應八卦」理論建構臺灣關聖帝君籤詩析論〉，《海峽兩岸關公文化與中華民族精神座談會》，山西，2018年。

四　網路資料（按姓氏筆畫）

陳俊文：〈祀典興濟宮解籤團臥虎藏龍〉，《中華日報》網站（https://tw.news.yahoo.com/news/%E7%A5%80%E5%85%B8%E8%88%88%E6%BF%9F%E5%AE%AE%E8%A7%A3%E7%B1%A4%E5%9C%98-%E8%87%A5%E8%99%8E%E8%97%8F%E9%BE%8D-140146085.html），2023年1月5日。

四
「文獻學」專題

李之素《孝經內傳》研究

銀正覺

威爾士三一聖大衛大學漢學院畢業校友

摘要

清代孝經學文獻體式多樣，成果頗豐，尤以乾嘉之後輯佚、校勘、集解為盛。清初順治、康熙、雍正三朝，孝經學主流研究多尊朱學，官修御注，亦承斯旨。康熙年間李之素所撰《孝經內外傳》為此類《孝經》相關著作之一。本文考察李之素存世著作序跋和《麻城縣志》等地方志資料，對《孝經內外傳》的成書背景、版本流傳、作者生平進行考證。李之素，字雲山，別號定庵，湖北麻城人。生於清初順治朝，卒於康熙四十九年（1710）。康熙年間貢生，一生教學鄉里。長子李煥將其父諸多著作刊刻流通，為李之素著作傳世貢獻巨大。《孝經內外傳》成書於康熙十五年前，於五十九年刊刻完成，現存康熙六十年（1721）瑞露軒印寶田山莊刻本。《孝經內外傳．卷一》之《孝經內傳》匯集群書教孝之言，編輯成書。本文圍繞《孝經內傳》的引書書目和編輯特點展開研究。《孝經內傳》文中的「出處夾註」標記共七十九處，標明引書，然其中四處標註有誤。通過分類整理四種不同形式的出處夾註，對照查索引書原文，整理得正文引書共計五十八種，註解引書主要為明胡廣等奉敕纂修的《五經大全》、《四書大全》，以及《四書蒙引》、《論孟精義》等。最後，通過對比

《孝經內傳》與《御定孝經衍義》、《孝經》，初步推定《內傳》在編輯過程中借鑒並直接錄用了《御定孝經衍義》的部分引文。且《孝經內傳》與《孝經》經旨關聯密切，呈相互呼應補充、發明佐證之效。

關鍵詞：孝經、內傳、李之素、引書、編輯

Research on *Xiao jing nei zhuan* 孝經內傳 written by Li Zhisu 李之素

Zhengjue Yin
Alumnus of the Academy of Sinology, University of Wales Tinity Saint David

Abstract

During the Qing Dynasty, *the study of the Classic of Filial Piety* 孝經 exhibited a diverse range of scholarly approaches, leading to significant achievements. Particularly, after the reigns of Emperors Qianlong and Jiaqing, there was a notable surge in the creation of works dedicated to collecting lost classical texts, textual criticism, and compiling interpretations of classical texts. In the early years of the Qing Dynasty, during the reigns of Emperors Shunzhi, Kangxi, and Yongzheng, the prevailing trend in the study of the Classic of Filial Piety largely adhered to the perspective of Zhu Xi 朱熹. For example, officially promulgated commentaries on the Classic of Filial Piety were based on this academic viewpoint. *Xiao jing nei wai zhuan* 孝經內外傳 written by Li Zhisu 李之素 during the Kangxi era was one of important work within the field. This article examines the surviving works of Li Zhisu, including prefaces, postscripts, and local historical records such as Macheng xianzhi 麻城縣志.

It conducts textual research on the background, editions, and the author's biography concerning Xiao jingneiwaizhuan. A brief biography of Li Zhisu: His courtesy name is Yunshan 雲山, whose pen-name is Ding'an 定庵. He hailed from Macheng 麻城, Hubei, born during the early Qing Dynasty in the Shunzhi era. He passed away in the forty-ninth year of Kangxi's reign (1710). He achieved the status of imperial examination candidate(Gong Sheng 貢生) during the Kangxi era and devoted his life to teaching in his local community. Li Zhisu's eldest son, Li Huan 李煥, played a significant role in publishing and disseminating his father's numerous works, contributing greatly to the preservation of Li Zhisu's literary legacy. Background of *Xiao jing nei zhuan* This work was completed before the fifteenth year of Kangxi's reign, with its publication and printing taking place in the fifty-ninth year of Kangxi's reign. The earliest extant version of this book is the engraved edition by Bao tian shan zhuang 寶田山莊, printed by Rui luxuan 瑞露軒 in the sixtieth year of Kangxi's reign (1721). *Xiao jing nei zhuan* 孝經內傳, the firstvolume of Xiao jingneiwaizhuan, compiled teachings on filial piety from various classical texts and organized them together. This article also focuses on the study of the references and editing features of *Xiao jing nei zhuan* In the book, there are 79 annotations marking the cited references. However, 4 of these annotations are wrong. By categorizing these annotations and comparing them with the original sources, the main text of *Xiao jing nei zhuan* was excerpted from 58 different books. And most of commentaries of the main text were excerpted from *Wu jing da quan* 五經大全, *Si shu da quan* 四書大全, *Si shu meng yin* 四書蒙引 and *Lun meng jing yi* 論孟精義. Finally, by comparing *Xiao jing nei zhuan* with *Yu ding Xiao jing yan yi* 御定孝經衍義 and *the Classic of Filial Piety*, it is suggested that *Xiao jing nei zhuan* likely borrowed some cited passages from *Yu ding Xiao jing yan yi*. Moreover, *Xiao jing nei zhuan* maintains a close thematic connection with *the Classic of Filial Piety*, with the meanings presented in both texts mutually echoing, complementing, and corroborating each other.

Keywords: *The Classic of Filial Piety*, *Xiao jing nei zhuan* Li Zhisu, Citations, Editing.

一　前言

清康熙湖北麻城塾師李之素先生著《孝經內外傳》五卷。其中《孝經內傳》一卷，節錄五經諸子中教孝之言。《孝經外傳》四卷，傳志孝者事跡，上迄三代，下達明末，凡六百餘則。[1]《孝經內傳》一卷博引群書，闡明孝道，為孝道教學之寶典、勸善化俗之良策，頗具研究價值。然於其人其書，後世學者之研究論著，今蓋闕無。以下藉助相關文獻，探究其成書背景、版本流傳與作者生平。

（一）成書背景與版本流傳

清代《孝經》之學，蔚然盛業，著述逾百種，超軼前代。自立朝之始，官修御注，傳於士林。乾嘉漢學勃興，輯佚考據之風行，待海外軼籍回歸，敦煌古本出土，《孝經》孔傳、鄭注辯偽鉤沉，一時稱盛。[2]其間疏證古注，隨經集解者夥，而博引群書、呼應佐證者少。故《孝經內外傳》篇首鄒士璁序文中感慨古之聖賢孝子「其嘉言懿行散在群書，未能合一。」俞鴻圖序文中亦歎曰：「未能使讀之者感發激昂歌泣而不能自已，猶以為天壤間缺事也。」關於《孝經內外傳》的成書原由，李之素在自序中有介紹。麻城鄉賢程知庵對他談及：「孝道甚大，古人之言孝、行孝者甚多，惜乎散見於群書而未嘗立一傳。吾每欲傳之以示後學，而無如精神倦於筆硯何？」李之素「於是乎竊取先生之意，本《孝經》而內外傳之。」李之素在自序中云：

1　〔清〕李之素：《孝經內外傳》（中國科學院圖書館藏康熙六十年寶田山莊刻本），收入《四庫全書存目叢書・經部》第146冊（濟南：齊魯書社，1997年），頁267-421。按：其中卷二至卷四為外傳，三卷輯錄孝男之跡凡五百七十八則；卷五為外傳末卷，則專載孝女之行，凡三十五則。外傳凡四卷，標名紀事，皆以時為序。

2　陳鐵凡：《孝經學源流》（臺北：國立編譯館，1986年），頁281。

「余自丙午春迄今更十秋，凡三歷西席，所教授皆童子也……閱二載而成」，文末落款「康熙十五年丙辰歲葭月上弦」。可知李之素從康熙五年（1666）到康熙十五年（1676）間，教授童子。其間歷時兩年撰成《孝經內外傳》。鄒序云：「問詢近況，知授徒於白泉雁臺之間，日以所著《孝經內外傳》相朂勉……乙未之夏，先生長君石臺謁選都門，出所傳《孝經》屬序。以十餘年心慕之書，得之一旦，驚喜展讀」。康熙五十四年（1715）李之素的長子李煥呈送《孝經內外傳》於鄒士璁。可知鄒士璁初聞此書在康熙三十四年之後。故在康熙十五年成書之後，李之素曾以此書授徒。李之素在去世前囑咐其子弟「平生著述無多，惟《孝經內外傳》數卷，乃心力所萃」，期勉其身體力行，或可刊刻公諸於世。長子李煥在《孝經內外傳》跋文中云「政事之暇，得與梓人商厥梨棗，歷今五載告竣。」跋文屬「旹康熙庚子春三月」，可知此書歷時五年刊刻，於康熙五十九年（1720）完成。《四庫全書總目》著錄：

> 孝經正文一卷、內傳一卷、外傳三卷。國朝李之素撰。之素，字定庵，麻城人。是書成於康熙丙辰，以朱子古文《孝經刊誤》為本，首為正文一卷，經文每章之後綴以注釋數語，詞旨頗為淺略；次為《內傳》一卷，雜引經、史、子、集之言與《孝經》相證佐者；次為《外傳》三卷，則大舜以下迄於明末孝子行實也。[3]

而李之素在此書自序中云「《內傳》採孝子之嘉言，《外傳》採孝子之實行，合正文凡六卷。」故《四庫總目》所錄的「湖北巡撫採進本」

3 〔清〕紀昀等著，李岩等編輯：《欽定四庫全書總目（整理本）》（上）（北京：中華書局，1997年），卷32，頁420。按：此處應缺著錄孝婦之行的《外傳》一卷。

應是缺少了著錄孝婦之行的《外傳》最後一卷。檢索海內外文庫，《孝經內外傳》現存康熙六十年（1721）瑞露軒印寶田山莊刻本，版心刻「寶田山莊」，封面刻「瑞露軒藏版」，藏於國家圖書館、浙江圖書館、中國科學院圖書館。李煥在書後跋文中提到「先君子教讀寶田山莊」，寶田山莊為李之素教學之所。瑞露軒為江西南康古跡。《古今圖書集成》載「瑞露軒，在南康縣治。宋縣令陳廷傑有善政，甘露降於古松，因以名軒。」[4]

浙圖與中科院《孝經內外傳》藏本，之後分別被《續修四庫全書》與《四庫全書存目叢書》收錄。《續修四庫全書》所收錄的《孝經內外傳》為影印浙江圖書館藏本。俞序落款「上浣海」三字與其後「俞鴻圖印」等處版印重疊模糊。《孝經內傳》後有白文「東方文化事/業總委員會/所臧圖書印」，又有白文「北京大學圖書館藏」。[5]可知其曾為北京人文科學研究所和北京大學圖書館藏。而《四庫全書存目叢書》收錄的《孝經內外傳》，其中有朱文「中國科學院圖書館藏」鈐印。該本為影印中國科學院圖書館藏本[6]。該本完整並清晰的保存了各篇序文後撰序者的姓名印和表德印。如鄒士璁序文後有白文「鄒士璁印」和朱文「樊溪」方印兩枚，王思訓序文後有白文「王思訓印」和朱文「水祭」方印兩枚，以及俞鴻圖序文後有白文「俞鴻圖印」和朱文「麟一」。《孝經正文》首頁下有朱文「東方文化／事業總委／員會所臧/圖書印」鑒藏印一枚。可知其也曾為北京人文科學研究所

4 〔清〕陳夢雷：《古今圖書集成・方輿彙編・職方典》（上海：中華書局，1934年），卷928，第133冊，頁33下。

5 〔清〕李之素：《孝經內外傳》（浙江圖書館藏康熙六十年寶田山莊刻本），收入《續修四庫全書・經部・孝經類》（上海：上海古籍出版社，2002年），第152冊，卷2，頁39。

6 〔清〕李之素：《孝經內外傳》，收入《四庫全書存目叢書・經部》第146冊，頁267。

藏。[7]二〇一九年邵妍整理點校《孝經內外傳》，收入由山東大學儒學高等研究院曾振宇、江曦二位先生主編的《孝經文獻叢刊（第一輯）》，二〇二一年由上海古籍出版社出版。本文《孝經內傳》研究，參考上海古籍的點校本，以《四庫全書存目叢書》收錄康熙六十年（1721）瑞露軒印寶田山莊刻本為研究版本。

(二) 作者李之素簡介

《麻城縣志》載：

> 李之素，字雲山。歲貢生。山居積德讀書，動靜必由禮義，堪為後學式。著有《省身輯要》二十二卷、《孝經內外傳》六卷等書行。子煥成進士。[8]

《四庫總目》載「之素，字定庵」，與之不合。《省身輯要》載「予別號定庵，亦以素履。當見定守定，而吉凶禍福順受其素定云爾。」[9]故定庵應為別號，表素位守分、定心修身之義。麻城邑人曾謹[10]在《省身輯要》序文中言及：

---

7 「東方文化事業總委員會」成立於一九二五年。一九二七年，委員會下屬又設立了北京人文科學研究所。該研究所為籌備圖書館，購入圖書。芳村弘道撰，富嘉吟譯：〈台灣中央研究院傅斯年圖書館所藏稿本《錢注杜詩考》李爽氏《錢牧齋杜注寫本考》補遺〉，見網址https://www.ritsumei.ac.jp/file.jsp?id=458460，2023年6月1日瀏覽。

8 〔清〕陸佑勤：《重修麻城縣志．耆舊志三．文學》，卷20，頁12下。

9 〔清〕李之素：《省身輯要》（寶雞市圖書館藏康熙六十一年瑞露軒板藏刻本），卷12，頁19上。

10 〔清〕陸佑勤：《重修麻城縣志．耆舊志二．仕績》，卷19，頁18。按：曾謹，字麟書，號嚴山，麻城人。康熙四十四年與李煥同榜中舉，康熙己丑四十八年進士，後官至翰林。

> 諸先大人輒稱先生孝行備至，色養無方。撫異母弟於垂髫年。教以詩書孝弟，為邑知名。弟子員婚娶田廬諸務，先生皆身處置之，不少嗇於宗族。戚友中紛則解之，急則周之，才識不逮則誨諭之。一時後進之士，多出於門下，被其蒸陶，罔不為端人者。

李之素一生未出仕為官，然孝悌持家，勤於教學，亦感化鄉黨，教化一方。愛護協助親友門生，提攜後進，其行誼為鄉人倍加稱道。關於李之素生前生活與教學區域，據鄒序可知「於麻城白泉、雁臺之間」。白泉、雁臺皆為麻城名勝[11]，大約位於縣東南三十餘里。[12]李之素在康熙十五年《孝經內外傳》自序落款「題於望花西壇」，據《麻城縣志》載「望花山在縣南四十里，為往來通衢。」[13]綜上，李之素生前的生活區域大多集中在麻城縣南三十到四十里區域附近。

李之素的生卒年，推定如下：在李煥《孝經內外傳》跋文撰寫於庚子春，即康熙康熙五十九年（1720）。李煥跋文中云「今先君子棄養且十年矣。」可知李之素先生卒於康熙四十九年（1710）。鄒士璁在序文中提及「憶余總角時，與李雲山先生同硯席、共起居。」「歲甲子，予忝捷楚闈。戊辰，入中秘，留滯京華，與先生隔別累載。」

11 《重修麻城縣志》載：「雁臺，臺在縣東白蘗山之南有石平坦如席，釋道一修真是山，早晚率沙彌課誦於臺上，梵唄一聲，群雁下集，生公說法，頑石點頭，道力與佛性均作如是觀。」又載「白泉飛泉，白泉山奇峯岃崱，怪石巉削。釋道一會，立教堂於是山……山頂有石壁泉從罅出，稍下為石所截，激怒有聲，噴玉濺珠，不可遏止，飛白半空，千丈一落。」〔清〕陸佑勤：《重修麻城縣志・方輿志二・山川》（中國國家圖書館藏光緒三年〔1877〕編輯光緒八年〔1882〕重訂本），卷2，頁21、24-25。

12 「白泉山，在縣東南三十里。」〔清〕陸佑勤：《重修麻城縣志・方輿志二・山川》，卷2，頁2下。

13 〔清〕陸佑勤：《重修麻城縣志・方輿志二・山川》，卷2，頁3上。

可見鄒士聰與李之素為同學，年齡相仿。鄒士璁康熙二十三年（1684）中舉，二十七年（1688）中進士。[14]《康熙朝實錄》載康熙五十四年乙未十一月「庚辰，內閣學士鄒士璁，以老病乞休，允之。」[15]康熙五十四年（1715）鄒士璁上奏乞休。朱金明提到清朝以老致仕的年齡資格為六十歲以上。且康熙二十二年亦下詔「年未至六十告病解任者，亦不准給。」[16]推知鄒士聰出生在順治十二年（1655）前。故李之素生於清初順治年間，卒於康熙四十九年（1710）。

李之素育有二子。《南康縣志》載：

> 李煥，字瞻瑤，麻城進士。康熙五十五年知縣事。明斷人不能欺。尤喜作，興文教，修學宮，建文昌、奎星二閣。城內外皆立社學，捐俸延師。公餘，親為講說。雖寒暑不綴。每季，集士瑞露軒試之。經品題者後皆獲雋。歷七年卒於任。[17]

長子李煥，字石臺，康熙四十四年（1705）中舉，四十五年（1706）中進士。李煥跋文云「丙申，筮仕南康」，即於五十五年（1716）任南康知縣，卒於雍正元年（1723）。在任期間，善繼父志，大興文教，提攜後進，治行卓著。並將李之素的諸多著作刊刻流通，以傳家學。

---

14 「鄒士璁，字石瞻……癸巳命山東祭告，監賞綠旗兵丁。越三年，乞休。出入禁闥三十餘年。」見於〔清〕陸佑勤：《重修麻城縣志・耆舊志一・名賢》，卷18，頁59下-60上。

15 〔清〕馬齊等奉敕修：《清實錄・聖祖仁皇帝實錄》（北京：中華書局，1985年），卷266，頁11下。

16 朱金明：《清代官吏致仕保障待遇研究》（瀋陽：東北大學碩士學位論文，2011年），頁23。

17 〔清〕沈恩華：《南康縣志・職官志・名宦》（同治十一年重修縣署板藏刻本），卷6，頁8上。

李之素之交遊，見多請益於鄉賢。在自序載多與程知庵先生論學，[18]且撰成《孝經內外傳》之後，即呈送程浩閱覽，獲得肯定可以刊行。可見李之素視程公之重，似師之尊。「程浩，字天行，號知庵……順治八年拔貢生」後任台州同知。《台州府志》載程浩於順治十七年任台州同知，康熙元年周邦彬繼任。鄒士璁序文中讚歎李之素的教學成就：「其及門高足，悉循謹端雅，望而知為胡公門人也。」胡公應為李之素的老師。遍查麻城耆舊鄉賢，推測胡公恐為胡躍龍。《麻城縣志》載：

> 胡躍龍，字群吉，公國子。順治辛卯舉人，壬辰進士，任郧陽府教授……蒞郧九載……剡遷直隸新城縣，旋致仕歸……於祖居設塾，教子弟多所成就。[19]

胡躍龍順治八年（1651）中舉，順治九年（1652）中進士任知縣。[20]在順治十八年（1661）前後返鄉教授子弟。胡躍龍與程浩於同年分別中舉、拔貢，且幾近同年致仕，應屬同輩。胡躍龍有可能與李之素有師徒關係，茲提此論，然猶待後考之。

李之素平生著述頗豐，有《省身輯要》二十二卷、《孝經內外傳》六卷、《家塾警言》一卷、《玉田寶藏》二卷、《雲湖》諸集。[21]吳雯炯《孝經內外傳》跋文中亦云「先生所著《家塾警言》以及《玉田

---

18 「程知庵先生宦歸林下，余每接其緒論，言言皆龜鑑，而大旨惟不離乎孝者近是。」見於〔清〕李之素：《孝經內外傳》，收入《四庫全書存目叢書・經部》第146冊，頁278。

19 〔清〕陸佑勤：《重修麻城縣志・耆舊志二・仕績》，卷19，頁14-15。

20 〔清〕陸佑勤：《重修麻城縣志・選舉志一・文科表》，卷14，頁33。

21 「國朝李之素箸《玉田寶藏》二卷、《省身輯要》二十二卷、《家塾警言》一卷。」見於〔清〕陸佑勤：《重修麻城縣志・藝文志一・子目》，卷32，頁15下、16下。

寶藏》、《云湖》諸集，俱關聖道人心，久已家傳戶誦。」可見《孝經內外傳》與《省身輯要》較晚成書，也是現存李之素先生僅有的兩部著作。本文圍繞《孝經內外傳》其中一卷《孝經內傳》的引書和編輯特點進行探究，以期得彰李之素先生著書苦心於萬一。

二　《孝經內傳》引書考略

李之素博引群書，摘錄菁華凡一百七十條，撰成《孝經內傳》，以明孝道之旨。徵引經史子集各類文獻中有關孝道的論述，包含引用正文和引用其相關註解。所引註解一般以統一降低一行排列的形式附於所引正文後，區別於正文。《內傳》引《禮記》各別文辭生澀的條目例外，所引註解隨句夾註在所引正文中，以雙行小字呈現。[22]《孝經內傳》的引文出處以雙行小字的格式夾註標示於引用文末。此類引文「出處夾註」共七十九處，可參見附表。其中存在未標明引書書名、引文註解出處各異、同一書籍重複標註、標註錯誤和遺漏的情況。針對以上問題，通過與引書原文的對比，考察梳理《孝經內傳》的引書情況。

（一）引用正文的出處

《孝經內傳》的出處夾註主要有四種形式。最主要的夾註形式為直接著錄正文引文出處的書名，如《左傳》、《荀子》、《元史》等。此類夾註三十五處，[23]共涵蓋三十五種引書。其餘三種形式的出處夾註都未註明引書，列舉如下。

---

22 〔清〕李之素：《孝經內外傳》，收入《四庫全書存目叢書．經部》第146冊，卷1，頁7上-13上。

23 按：《漢紀》、《隋書》夾註標註各重複兩次。「學庸」、「南北史」分別記為兩種引書。

第一類引文出處夾註只著錄篇章名，而未註明引書。此類夾註十九處，共有四種引書，包含《易經》、《尚書》、《詩經》和《禮記》。如夾註〈舜典〉、〈伊訓〉、〈康誥〉、〈酒誥〉、〈蔡仲之命〉，皆為《尚書》篇名。夾註「國風」、「大雅」、「小雅」，引文選自〈魏風・陟岵〉、〈周南・葛覃〉、小雅之〈小旻之什・蓼莪〉、大雅之〈文王之什・下武〉，皆出自《詩經》。《禮記》引文出處夾註為九篇篇名。[24]其中《大學》和《中庸》合併著錄為「學庸」，獨立於《禮記》其他七篇，排在四書部分。可知李之素將「學庸」視作單獨的書籍，屬於直接著錄書名。

第二類出處夾註只著錄作者姓名，而未註明引書。此類夾註十一處，有十一種引書。其中有查索可知：「劉向」一條引自西漢劉向（77-6 BCE）《說苑・建本》。[25]「桓寬」一條引自漢桓寬編撰的《鹽鐵論・孝養第二十五》。[26]「楊子」三條引自西漢楊雄（53-18 BCE）《揚子法言》。[27]「王昶」一條引自三國曹魏王昶（？-259）〈誡子書〉，載於《三國志・魏書・王昶傳》。[28]「范曄」一條引自南朝宋宣

---

24 按：《內傳》引〈曲禮〉七條，〈檀弓〉三條，〈內則〉八條，〈玉藻〉三條，〈祭義〉八條，〈祭統〉二條，〈哀公問〉一條。此外還有〈大學〉一條、〈中庸〉八條。

25 〔漢〕劉向：《說苑》（臺北：臺灣商務印書館，1986年，影印《文淵閣四庫全書》本，第696冊），卷3，頁3上。「劉向」一條見於〔清〕李之素：《孝經內外傳》，收入《四庫全書存目叢書・經部》第146冊，卷1，頁37上。按：李之素所引書籍主要為清初版本，在《四庫》集結之前。由於本文不論及引書版本考據和文本校勘，為了便於對照，主要採用四庫本來考察《內傳》引文。

26 〔漢〕桓寬撰，〔明〕張之象注：《鹽鐵論》（臺北：臺灣商務印書館，1986年，影印《文淵閣四庫全書》本，第695冊），卷6，頁27下-28下。「桓寬」一條見於《孝經內外傳》，卷1，頁37下。

27 〔漢〕揚雄撰，〔晉〕李軌注，〔晉〕柳宗元注：《揚子法言》（臺北：臺灣商務印書館，1986年，影印《文淵閣四庫全書》本，第696冊），卷10，頁1上、頁1下、頁2上。「楊子」三條分別見於《孝經內外傳》，卷1，頁37下、頁37下-38上、頁38上。按：四庫本「孝子愛日」前無「故」。

28 〔晉〕陳壽撰，〔南朝宋〕裴松之注：《三國志》（臺北：臺灣商務印書館，1986年，影印《文淵閣四庫全書》本，第696冊），卷27，頁7下。「王昶」一條見於《孝經內外傳》，卷1，頁38。

城太守范曄（398-445）所撰《後漢書・劉趙淳于江劉周趙列傳》。[29]「司馬溫公」一條選自宋司馬光（1019-1086）《居家雜儀》。[30]「張橫渠」一條選自宋張載（1020-1077）《禮記說》，已散佚經後人輯錄，收入《張子全書》。[31]「程伊川」一條為程頤（1033-1107）先生語錄，收入《二程遺書》。[32]「真西山」二條分別選自宋真德秀（1178-1235）〈跋張魏公五遂堂墨帖〉[33]和〈送吳斯立序〉[34]，收入《西山文集》。「胡致堂」一條引自宋胡寅（1098-1156）所撰《讀史管見・唐紀玄宗》。[35]「王陽明」一條為明王守仁（1472-1529）答復弟子陸澄的語錄，收入《王文成全書・傳習錄・門人陸澄錄》。[36]

---

29 〔南朝宋〕范曄撰，〔唐〕李賢注：《後漢書》（臺北：臺灣商務印書館，1986年，影印《文淵閣四庫全書》本，第252冊），卷69，頁1上-2上。「范曄」一條見於《孝經內外傳》，卷1，頁38下-39上。

30 〔宋〕司馬光：《居家雜儀》，收入《居家必用事類全集・乙集》，頁2下。見網址：https://ctext.org/library.pl?if=gb&file=36947&page=9，2023年6月1日瀏覽。「司馬溫公」一條見於《孝經內外傳》，卷1，頁47上。

31 〔宋〕張載：《張子全書》（臺北：臺灣商務印書館，1986年，影印《文淵閣四庫全書》本，第697冊），卷14，頁8下。「張橫渠」1條見於《孝經內外傳》，卷1，頁55上。

32 〔宋〕程顥、程頤撰，〔宋〕朱熹編：《二陳遺書》（臺北：臺灣商務印書館，1986年3月，影印《文淵閣四庫全書》本，第698冊），卷18，頁121上。「程伊川」一條見於《孝經內外傳》，卷1，頁55下。

33 〔宋〕真德秀：《西山文集》（臺北：臺灣商務印書館，1986年，影印《文淵閣四庫全書》本，第1174冊），卷36，頁9上。「真西山」第一條見於《孝經內外傳》，卷1，頁57下-58上。

34 〔宋〕真德秀：《西山文集》，卷29，頁7上。「真西山」第二條見於《孝經內外傳》，卷1，頁58上。

35 〔宋〕胡寅：《讀史管見・唐紀玄宗》（哈佛燕京圖書館藏康熙五十三年古並居藏板刻本），卷20，頁1下。見網址：https://ctext.org/library.pl?if=gb&file=142671&page=104，2023年6月1日瀏覽。「胡致堂」一條見於《孝經內外傳》，卷1，頁58下。

36 〔明〕王守仁撰，〔明〕錢德洪原編，〔明〕謝廷傑彙集：《王文成全書》（臺北：臺灣商務印書館，1986年，影印《文淵閣四庫全書》本，第1165冊），卷1，頁29下。「王陽明」一條見於《孝經內外傳》，卷1，頁62上。

第三類出處夾註格式為「作者+文章名」。此類夾註十四處，引書共十一種，其中前三類未提及的引書另有八種。其中有詔令奏議一類，多出於史書或歷代文集。詔書如：漢文帝元年（西元前180）「漢文帝養老詔」、建元元年（西元前140）「漢武帝養老詔」、地節四年（西元前66）「漢宣帝遭喪勿繇詔」皆見於《漢書》。[37]「沈炯請歸養表」為南朝沈炯（504-562）向陳文帝奏請歸養的表文，收入唐姚思廉所撰《陳書》。[38]「任昉上蕭太傅啟」為南朝任昉（460-508）延興元年（494）因父喪向蕭鸞請辭書〈上蕭太傅固辭奪禮啟〉，見於《昭明文選》。[39]「元結辭容州表」為唐元結（723-772）上表辭官，收入《次山集》。[40]《全唐文》亦收錄此表，但無末後一句「謹遣某官奉表陳讓以聞」。[41]「羅倫論起復李賢疏」為明朝羅倫（1431-1478）諫明憲宗，選自〈扶植綱常疏・疏論起復〉，收入《羅文毅集》[42]。「劉子翬曾子論」一條選自宋劉子翬（1101-1147）所撰〈聖傳論十首〉之

37 〔漢〕班固撰，〔唐〕顏師古注，〔清〕齊召南考證：《漢書》（臺北：臺灣商務印書館，1986年，影印《文淵閣四庫全書》本，第249冊）「漢文帝養老詔」見於卷4，頁8下；「漢武帝養老詔」見於卷6，頁2上-2下；「漢宣帝遭喪勿繇詔」見於卷8，頁13。

38 〔唐〕姚思廉撰，〔清〕孫人龍考證：《陳書》（臺北：臺灣商務印書館，1986年，影印《文淵閣四庫全書》本，第260冊），卷19，頁3上-4上。

39 〔南朝梁〕任昉：〈上蕭太傅固辭奪禮啟〉，見於〔南朝梁〕蕭統編撰，周啟成等注譯，劉正浩等校閱：《新譯昭明文選》（臺北：三民書局，2014年），頁1899。

40 〔唐〕元結：〈讓容州表〉，《次山集》（臺北：臺灣商務印書館，1986年，影印《文淵閣四庫全書》本，第1071冊），卷12，頁5上-6下。

41 〔唐〕元結：〈讓容州表〉，見〔清〕董誥等輯：《欽定全唐文》，卷380，頁13下-14下。見網址：https://ctext.org/library.pl?if=gb&file=44244&page=79，2023年6月1日瀏覽。

42 〔明〕羅倫：〈扶植綱常疏・疏論起復〉，〔明〕陳子龍等輯：《皇明經世文編・羅文毅集》，卷84，頁2下。見網址https://ctext.org/library.pl?if=gb&file=47762&page=5，2023年6月1日瀏覽。

一〈曾子論〉[43]，收入《屏山集》。為《孝經》提序的有「唐明皇孝經序」和「方孝孺孝經解序」，前者見於十三經注疏之《孝經注疏》唐玄宗御製序[44]；「方孝孺孝經解序」為明方孝孺（1357-1402）所撰，收入《明儒學案・侯城雜誡》。[45]《明史・藝文志》載「方孝孺《孝經誡俗》一卷」應為其序。重複出現的三種引書為《後漢書》、《宋史》和《王陽明全集》。「陳忠論喪服疏」為東漢陳忠（？-125）於建光年間（121-122）向漢安帝上疏，見入《後漢書・郭陳列傳》[46]；「荀爽對策」為東漢荀爽（128-190）於延熹九年（166）上漢桓帝〈對策〉，見於《後漢書・荀韓鍾陳列傳》。[47]引宋太宗〈禁喪葬舉樂詔〉見於《宋史》。[48]引「王陽明書宋孝子朱壽昌孫教讀源卷」為明王守仁所撰寫給朱源，收入《王文成全書・悟真錄》。[49]

綜上，據夾註所示，《孝經內傳》所引正文共徵引五十八種引書。

（二）引文註解的來源

《孝經內傳》除了徵引群籍正文，部分還會在正文引文後引用相關註解。有引用註解的引書有《易》、《書》、《詩》、《禮記》、《四書》、《性理大全》。

---

43 〔宋〕劉子翬撰，〔宋〕劉玶編：《屏山集》（臺北：臺灣商務印書館，1986年，影印《文淵閣四庫全書》本，第1134冊）卷1，頁19下。

44 〔唐〕李隆基注，〔宋〕邢昺疏，金良年整理：《孝經注疏》（上海：上海古籍出版社，2009年），〈孝經序〉頁1-15。

45 〔清〕黃宗羲撰：《明儒學案》（臺北：臺灣商務印書館，1986年，影印《文淵閣四庫全書》本，第457冊），卷43，頁10上。

46 〔南朝宋〕范曄撰，〔唐〕李賢注：《後漢書》，卷76，頁18上-19下。

47 〔南朝宋〕范曄撰，〔唐〕李賢注：《後漢書》，卷92，頁3上-4上。

48 〔元〕托克托撰：《宋史》（臺北：臺灣商務印書館，1986年，影印《文淵閣四庫全書》本，第280-288冊），卷125，頁2下。

49 〔明〕王守仁撰，〔明〕錢德洪原編，〔明〕謝廷傑彙集：《王文成全書》，卷28，頁13。

《易》、《詩》、《禮記》的引用註解選自明胡廣（1369-1418）等奉敕纂修的《五經大全》之《周易傳義大全》二十四卷、《詩傳大全》二十卷和《禮記大全》三十卷。

徵引《四書》的註解多據明胡廣等奉敕纂修《四書大全》。《內傳》引《論語》共引正文十二條，註解十五條。包含程頤、龜山楊氏、延平李氏、尹氏、勉齋黃氏、倪氏、胡氏、楊氏、謝氏、蔡虛齋、廣源輔氏、呂氏各一條。此外朱註三條，一條標作「朱熹曰」另外兩條標作「朱子曰」。所引註解標註格式各樣，其中有的標作某氏，有的標註全名，有的標註籍貫，蓋因所引出處不一所致。《內傳》引「孟懿子問孝」下註「朱子曰：魯之三家，殯設撥。」[50]出自《四書或問》；引「孟武伯問孝」下註「尹氏曰」[51]出自《論語精義》。引「子夏問孝」下註「勉齋黃氏」引自《四書大全》[52]，引「朱子曰：既知二失」則引自《朱子語錄》[53]；引註「呂氏曰至行誠篤，取信於父母昆弟，人不得而間焉。」出自朱子《論語精義》[54]。「父母在」一句下楊氏和謝氏兩註亦引自《論語精義》。「謝曰：遠遊與遊無方，雖其未足以貽親之憂。然親之思念不忘也。蓋不以親之心為心，非孝子也。」[55]李之素先生引作「謝氏曰：恐親念我不忘也。若人子不以親之心為心，非孝子矣。」李之素先生在編輯的過程中，對詞句

50 〔宋〕朱熹：《四書或問》（臺北：臺灣商務印書館，1986年，影印《文淵閣四庫全書》本，第197冊），卷7，頁11下。

51 〔宋〕朱熹：《論孟精義》（臺北：臺灣商務印書館，1986年，影印《文淵閣四庫全書》本，第198冊），卷1下，頁14下。

52 〔明〕胡廣：《論語集注大全》，《四書大全》（臺北：臺灣商務印書館，1986年，影印《文淵閣四庫全書》本，第205冊），卷2，頁19下。

53 〔宋〕黎靖德編：《朱子語類》（臺北：臺灣商務印書館，1986年，影印《文淵閣四庫全書》本，第700-702冊），卷23，頁52下。

54 〔宋〕朱熹：《論孟精義》，卷6上，頁8上。

55 〔宋〕朱熹：《論孟精義》，卷2下，頁35上。

重新進行撰述。楊註也見於《論語精義》「楊曰一跬步不敢忘父母，況敢為無方之遊乎？」與文中「楊氏曰：一跬步不敢忘親，況敢為無方之遊乎？」詞句幾乎一致，但此註卻註在「三年無改於父之道」一句下。可見李之素亦取其他相關的註文，進行合併。引「父母之年，不可不知也」下註「蔡虛齋曰」出自蔡清《四書蒙引》[56]。《內傳》引《孟子》正文十條。所引註解共十二條，包括新安陳氏三條（其中一條標作陳氏）、廣源輔氏三條、西山真氏二條、蔡虛齋、雙峰饒氏、雲峰胡氏、吳因之各一條。「曾子養曾晳」一條下引蔡虛齊曰「人之養子，其目最多，其體最大。酒食一端，特舉以見例耳。」[57]亦出自《四書蒙引》。引《大學》正文一條，黃洵饒註一條。引《中庸》正文八條，註解八條，包括西山真氏二條，呂氏、雲峰胡氏、新安陳氏、楊氏、游氏各一條，以及一條未註明。此外由於《大學》、《中庸》皆出自《禮記》，所引註解除了引自《四書大全》，亦有出自《禮記大全》，如楊氏註等。

「性理」一條除了引用「朱子」[58]、「勉齋黃氏直卿」[59]等說，亦引張子〈西銘〉[60]下朱子、雙峰饒氏、臨川吳氏等註，皆選自《性理大全》。

（三）出處夾註的遺誤

《孝經內傳》中一百六十七條引文都有標註文獻原始出處，有三

---

56 〔明〕蔡清：《四書蒙引》（臺北：臺灣商務印書館，1986年，影印《文淵閣四庫全書》本，第206冊），卷5，頁87上。

57 〔明〕蔡清：《四書蒙引》，卷12，頁36下。

58 〔明〕胡廣：《性理大全》（臺北：臺灣商務印書館，1986年，影印《文淵閣四庫全書》本，第710-711冊），卷52，頁5下。

59 〔明〕胡廣：《性理大全》，卷28，頁41下。

60 〔明〕胡廣：《性理大全》，卷4，頁31下-36下。

條引文的夾註遺漏，出處未標明。「韋彪議章帝詔議貢舉法」一條，選自《後漢書・伏侯宋蔡馮趙牟韋列傳》[61]無標註。唐太宗故事二則，無標註出處。[62]一則今可見於《資治通鑑》。[63]

此外，一些夾註採用簡稱，標註未明。如《內傳》引「漢紀」二條。第二條「漢紀」引文選自東漢荀悅（148-209）所撰〈前漢紀・高祖皇帝紀〉[64]。而第一條為漢章帝（57-88）欲為諸舅封爵，馬太后不許之詔，見於《後漢書・皇后紀上》[65]。

又如《內傳》引「明文」四條，徵引了四位明朝文人的文集選文。「李空同」即李夢陽（1472-1529），字獻吉，號空同子。引文選自〈刻戴大理詩序〉[66]，收入《空同集》；「呂涇野」即呂柟（1479-1542），字大棟，別號涇野。引文選自〈徐生壽親記〉，[67]收入《涇野先生文集》；「汪南明」即汪道昆（1525-1593），字伯玉，號南溟，又號太函，引文選自〈封太孺人金母八十壽序〉[68]，收入《太函集》；「白沙子」即陳獻章（1428-1500），字公甫，號石齋，遷居白沙鄉，世稱白沙先生。引文選自〈望雲圖詩序〉，[69]收入《白沙子》。然所據

61 〔南朝宋〕范曄撰，〔唐〕李賢注：《後漢書》，卷56，頁25。

62 〔清〕李之素：《孝經內外傳》，卷1，頁43。

63 〔宋〕司馬光撰，〔元〕胡三省注：《資治通鑑》（臺北：臺灣商務印書館，1986年，影印《文淵閣四庫全書》本，第304-310冊），卷198，頁25。

64 〔漢〕荀悅撰：《前漢紀》（臺北：臺灣商務印書館，1986年，影印《文淵閣四庫全書》本，第303冊），卷3，頁16下。

65 〔南朝宋〕范曄撰，〔唐〕李賢注：《後漢書》，卷10上，頁16。

66 〔明〕李夢陽撰：《空同集》（臺北：臺灣商務印書館，1986年，影印《文淵閣四庫全書》本，第1262冊），卷52，頁8上。

67 〔明〕呂柟撰：《涇野先生文集》（CADAL數字圖書館https://ctext.org/library.pl?if=gb&file=205181&page=12，2023年6月1日瀏覽），卷14，頁6上。

68 〔明〕汪道昆：《太函集》（北京大學圖書館藏CADAL數字圖書館影印https://ctext.org/library.pl?if=gb&file=39289&page=95，2023年6月1日瀏覽），卷12，頁2下。

69 〔明〕陳獻章撰，〔明〕湛若水校訂：《陳白沙集》（臺北：臺灣商務印書館，1986年，影印《文淵閣四庫全書》本，第1246冊），卷1，頁22。

為何本明文選集，未言明，猶待考。此外，《明史》從康熙四年博學鴻儒擬稿到乾隆四年殿本《明史》刊行。[70]《內傳》所引《明史》與今存各版《明史》皆有出入。《內傳》夾註「明史」三條所據為何本明史，未言明，猶待考察。

此外，有夾註標註有誤共四處。其一引《易》中引〈序卦〉以及〈說卦〉，誤記為《繫辭》。其二「周有申喜者，亡其母……」[71]一條選自《呂氏春秋・精通》，夾註原標註為《管子》，應改為《呂覽》。其三「胡致堂」一條中「孝一也，而分不齊，故自天子至於庶人，事親之心未始或殊，惟隨分以自盡耳。」引自《讀史管見》。而其後「子不私於親，非子也。士不明於義，非士也。賢者擇審內外取舍之宜，以事其親，愛日之誠，而無不及之悔，在我而已。」[72]非出自胡寅，乃節錄陳白沙〈與陳進士時周〉一文。其四《內傳》引《老子》一條「為人子者，無以有己。為人臣者，無以有己。」蓋出自《史記・孔子世家》「為人子者，毋以有己。為人臣者，毋以有己。」[73]

綜上，《孝經內傳》徵引群書正文共徵引五十八種引書；徵引註解多採用《五經大全》、《四書大全》、《性理大全》，以及《四書蒙引》、《四書或問》、《論孟精義》等。

70 蘇循波：〈從擬稿到補纂本——明史本紀編纂研究〉（天津：南開大學博士論文，2013年），頁306。

71 〔秦〕呂不韋撰，〔漢〕高誘注：《呂氏春秋》（臺北：臺灣商務印書館，1986年，影印《文淵閣四庫全書》本，第848冊），卷9，頁12上-13下。

72 〔明〕陳獻章撰，〔明〕湛若水校訂：《陳白沙集》，卷3，頁1上。

73 〔漢〕司馬遷撰，〔南朝宋〕裴駰集解，〔唐〕司馬貞索引：《史記》（臺北：臺灣商務印書館，1986年，影印《文淵閣四庫全書》本，第243冊），卷47，頁5上。

三　《孝經內傳》編輯特點

《孝經內傳》徵引群籍的次序大致按照成書年代先後依次排列。經部置於首位，多為先秦經典，包含《易》、《書》、《詩》等引文共八十五條。經部後，《孔子家語》、《老》、《莊》、《尸》、《荀》等春秋戰國時期先秦諸子依序排列。此後，多為史、集，即按照成書於漢、後漢、三國、晉、南北朝、隋、唐、宋、元、明之朝代先後，依序排列。[74]作為匯總孝道主題的清初類書，《孝經內傳》呈現出了對《御定孝經衍義》文本的借鑒、與《孝經》義理相佐證的編輯特點。

（一）對《御定孝經衍義》的借鑒

康熙二十九年〈御製孝經衍義序〉云：

> 世祖章皇帝弘敷孝治，懋昭人紀。特命纂修《孝經衍義》，未及成書。朕纘承先志，詔儒臣蒐討編輯，倣宋儒真德秀《大學衍義》體例，徵引經史諸書，以旁通其說。[75]

---

74 按：以《四書》為例，《四庫全書》所收四書論著，多以《大學》、《中庸》、《論語》、《孟子》為序。朱熹《四書章句集註》則按照研讀次序分別是《大學》、《論語》、《孟子》、《中庸》。《孝經內傳》中引用《四書》則按照孔子、曾子、子思、孟子代代相傳的時間先後順序，排列為《論語》、《大學》、《中庸》、《孟子》。然亦有未按時間排序者：如《龍門子》一則選自明初宋濂（1310-1381）《龍門子凝道記》，卻排在隋末唐初，次序在《隋書》之後；王嘉〈籍遺記〉一則選自東晉王嘉（？-390）《王子年拾遺記》卻排在宋末元初；《亢倉子》世多視以周庚桑楚所撰，又此書首見著錄於《新唐書・藝文志》，世遂多有疑之者，後證實此書實為唐王士源所作；唐張弧所撰《素履子》，二子書皆為唐時著作卻列在先秦諸子之末，亦不符。

75 〔清〕葉方藹、張英等監修：《御定孝經衍義》（臺北：臺灣商務印書館，1986年，影印《文淵閣四庫全書》本，第718-719冊），〈御製孝經衍義序〉頁1-2。

成書於順治康熙年間的《御定孝經衍義》，作為清初孝經學代表之作，博采群書、加之論斷，凡一百卷，宣諭孝道，衍義詳盡。《孝經內外傳》的鄒序和馮序都有提及此書。馮序云「定庵先生於職，士也。所輯《內外傳》，以明審欽定《衍義》總會乎《易》《詩》《書》《禮》《樂》《春秋》之指歸。」[76]兩書成書時間相近，旨趣相彰，且《內傳》對御定《衍義》亦有呼應之能、彰明之效。《孝經衍義》的引書據凡例和吳晉先研究所述，涉及《五經大全》、《四書大全》、《性理大全》和二十一史等。其與《內傳》引書高度重合。進一步對照文本，發現關聯處甚夥。如《內傳》所引《易》、《詩》、漢文帝詔定振窮養老之令[77]、漢武帝養老詔[78]、漢宣帝《遭喪勿繇詔》[79]、陳忠《論喪服疏》[80]、「范曄」一條[81]等皆見於《孝經衍義》。甚至《內傳》未進行出處標註的唐太宗故事二條引文，亦為《孝經衍義》選錄。[82]綜上兩書選材相近處甚多，故推測李之素在編輯《內傳》過程中，參考借鑒了《孝經衍義》。

從學術傾向上看，官修著作《孝經衍義》的作者群體秉持最正統的尊朱觀念，其書取材論述中朱學立場鮮明。[83]而陳鐵凡在《孝經學源流》中論及清初學術仍以「正學」為宗，朱氏刊誤一脈，亦為孝經學者承襲。[84]列舉第一例即為李之素撰《孝經正文》，其書全文著錄朱

---

76 〔清〕李之素：《孝經內外傳》，〈馮序〉頁3。

77 〔清〕葉方藹、張英等監修：《御定孝經衍義》，卷28，頁19下。

78 〔清〕葉方藹、張英等監修：《御定孝經衍義》，卷74，頁3上。

79 〔清〕葉方藹、張英等監修：《御定孝經衍義》，卷74，頁4下。

80 〔清〕葉方藹、張英等監修：《御定孝經衍義》，卷74，頁10下。

81 〔清〕葉方藹、張英等監修：《御定孝經衍義》，卷90，頁3下。

82 〔清〕葉方藹、張英等監修：《御定孝經衍義》，卷21，頁16上。

83 吳晉先：《御定孝經衍義研究》（長沙：湖南大學碩士學位論文，2016年），頁31-32。

84 陳鐵凡：《孝經學源流》，頁248。

子《孝經刊誤》。可見李之素的尊崇朱子理學的學術立場亦與《孝經衍義》相同。

從成書時間上看，以上推斷存在可能性。據《皇朝通志》載《御定孝經衍義》於順治十三年（1656）奉敕始修，康熙二十一年（1682）告成。康熙二十九年（1690）康熙作序，頒行天下。在此之前，據《皇朝文獻通考》載順治十六年（1659），已下令將順治朝編纂的《孝經衍義》廣頒於學宮。但此本今已失傳。吳晉先推斷此版卷帙不會很多，康熙十年（1671）開始續修，二十九年頒行的《孝經衍義》應該是在順治十六年「粗胚」版本上的補充和擴大。[85]故李之素參考的應該是順治本《孝經衍義》。

《孝經衍義》引陳忠〈論喪服疏〉「郡司營祿念私，鮮循三年之喪」據《後漢書》「郡」應作「群」。蓋二字形近，抄錄引文「群」訛作「郡」。《內傳》引此句，「群」亦訛作「郡」。《孝經衍義》引荀爽〈對策〉:「古人之制，雖有損益」。據《後漢書》「人」應作「今」。二字相近，「今」訛作「人」。查《內傳》，「今」亦訛作「人」。綜上，基本推定李之素編輯《孝經內傳》，借鑒並直接錄用了《孝經衍義》的部分引文。

（二）與《孝經》相佐證

《內傳》在編輯中，李之素僅依次摘錄群書中教孝之語，而未將與《孝經》十八章經文義理之對應關係分判言明。然李之素《孝經內外傳》自序云：

> 左氏取《春秋》而內外傳之。今《左傳》三十卷，《春秋》之

85 吳晉先：《御定孝經衍義研究》，頁16-18。

> 內傳也。《國語》二十一篇，《春秋》之外傳也。詞不必與《春秋》類，而無不與《春秋》相發明焉。余之傳《孝經》而卷分內外也，亦猶是焉爾。[86]

可知《內傳》與《孝經》有著相互發明的關係。《四庫總目》載「《內傳》一卷，雜引經、史、子、集之言與《孝經》相證佐者」故《內傳》的另一個編輯特點即是選材皆與《孝經》義理相互佐證，相互闡發，令人於孝道之信愈堅、孝道之理愈明，繼而勃然欲篤行之。

《內傳》呼應《孝經》經義，如影隨行，如谷應聲。《內傳》直接引用《孝經》經文或論相同之義理而作強調，使人明先聖先賢之理合道同，雖百代而不易。如引《尚書．伊訓》「立愛為親，立敬為長，始於家邦，終於四海。」呼應〈天子章〉「愛敬盡於事親，而德教加於百姓，刑於四海」《內傳》引《禮記．祭義》「曾子曰：身也者，父母之遺體也。行父母之遺體，敢不敬乎？」呼應〈開宗明義章〉「身體發膚，受之父母，不敢毀傷，孝之始也。」引《楊子法言》「孝，至矣。一言而該，聖人不加焉。」呼應〈聖治章第九〉「夫聖人之德，又何以加於孝乎！」

《內傳》補充《孝經》經義，如註疏解義，闡述內涵，發揮精義。如花蒂相托，葉果相襯。《孝經．開宗明義章第一》云「夫孝，德之本也。」關於孝為德之本，德包含哪些內容？《內傳》引《論語》「孝悌也者，其為仁之本與！」朱熹譬喻「親親為根，仁民是幹，愛物是枝葉。」孟子亦將其擴展說明義、智、禮、樂等德皆從事親而生。又如《孝經．庶人章第六》云「自天子至於庶人，孝無終始，而患不及者，未之有也。」《孝經》從天子之孝到庶人之孝的名

86 〔清〕李之素：《孝經內外傳》，〈李之素自序〉頁3。

相之別，《內傳》引《舊唐書》補說天子、諸侯、卿大夫、士、庶人之孝的七個不同名稱及其義涵。[87]關於名相雖有別，但愛敬之心並不因貴賤始終而判高下的義理，李之素在《孝經正文．庶人章第六》的評註中云「恐後世㟁以分量大小觀孝，故曰：啜菽飲水盡其歡，斯之謂孝。」此處引〈禮記．檀弓〉，《內傳》亦引此句作為補充，謂子路慨歎貧困而無法養親盡禮，孔子開解其惑，歡悅親心就是孝。此外《內傳》還引桓寬《鹽鐵論》：「以己之所有盡事其親，孝之至也。故匹夫勤勞，猶足以順禮。啜菽飲水，足以致其敬。」又引胡致堂之語，結合曾子貧微而舜王富貴的盡孝例證，闡發「孝一也，而分不齊……蓋愛親，性也。貧富貴賤，命也，君子盡性不謂命也。」從性命觀上重新認識孝之核心在愛敬之心。關於愛敬之心的源頭，《孝經．聖治章第九》云「故親生之膝下，以養父母日嚴。聖人因嚴以教敬，因親以教愛。」而愛敬其親的孝行在《紀孝行章第十》中闡述為「居則致其敬，養則致其樂，病則致其憂，喪則致其哀，祭則致其嚴。」然而聖人在生活中如何教導以順應天性愛親、敬親，則未具體詳述。故《內傳》補充其義，引《禮記》九篇，共四十一條。著墨甚多，為引用條目最豐之書。包含進退謹慎、恭敬應答、行住坐臥不居尊位等禮，可盡敬親之心；溫清定省、扶持盥洗、噓寒問暖、親嘗湯藥等行，可盡愛親之情。正如唐明皇御注云：「故出則就傅，趨而過庭，以教敬也；抑搔癢痛，懸衾篋枕，以教愛也。」[88]此外《內傳》亦引《尚書大傳》橋梓之典，以明敬親之禮。又如關於父母之恩，《孝經》云「父母生之，續莫大焉。君親臨之，厚莫重焉。」然生養之恩，未有詳述。故《內傳》引《詩經．蓼莪》父母生、鞠、拊、

---

87 〔清〕李之素：《孝經內外傳》，頁45下-46上。

88 〔唐〕李隆基注，〔宋〕邢昺疏，金良年整理：《孝經注疏》（上海：上海古籍出版社，2009年），頁48。

蓄、長、育、顧、復、腹我，註云「人能深思九字之義，必不忘父母之恩矣。」參考此文，父母之恩可見一二。

《內傳》證明《孝經》經義，以後世王公大臣之詔表、立身行孝之史實，以明孝治之意。如漢文帝下詔對老者衣食照顧、不時關照；漢武帝下令為人子孫，需供養奉侍長者；韋彪議貢舉強調求忠臣於孝子之門；任昉啟歸，以盡孝心；隋文帝下詔令大臣鄭譯熟讀《孝經》而與母同居；唐明皇御注孝經；唐太宗生日思親而不忍宴樂；元結辭容州都督之職以求盡心奉母；唐太宗留太上皇於暑熱，獨避暑九成宮，馬周勸體父心思念，以示歸期，而安眾心；裴度以劉禹錫之母年老，將往之播州非人所居，諫唐憲宗以體人子侍母之情，改判連州；韓琦以舜王之孝以勵英宗；張守高勸宋高宗久久常思受困之二帝、母后之境遇，天當順助；御廚之母疾，其心急亂，膳食不調，金世宗嘉其孝，令之返家；僧家奴上書元文宗給諸職官省親之假；明太祖令有親老者許歸養；明世宗為親生父母上尊號以正名；《孝經》云「喪則致其哀，祭則致其嚴」「宗廟致敬，不忘親也」「春秋祭祀，以時思之」《內傳》引諸多詔令表文，以證歷代君臣對喪祭之禮的重視。漢宣帝令勿對父母喪者征發徭役；陳忠上書以諫成大臣須終三年之喪；荀爽對以諒闇之禮不可易，丞相翟方進母憂，三十六日而除，此失禮之源；晉武帝居喪，素服以終三年；沈?上表乞歸侍奉老母；李日知見蘇頲喪父之哀，而不忍宣起復之詔；宋太宗下令喪葬之際禁止歌吹作娛，以正人倫風俗；明太祖令罰役之吏應先允終喪；羅倫諫言「子有父母之喪，君命三年不過其門」，不應起復李賢。曆代君臣上下，重孝如此。《內傳》引之，以證《孝經》義理，關切實政，乃非空論可比。

綜上，《孝經內傳》在編輯過程中借鑒了《御定孝經衍義》，並且呈現出與《孝經》相呼應、相補充、相佐證的特點。

四　結語

本文圍繞《孝經內傳》的成書背景、作者生平、引書和編輯特點等展開相關研究，略綴數語總結如下：

其一：對《孝經內傳》成書背景和版本進行了系統梳理。《孝經內傳》成書於康熙十五年前。李之素因程浩提議，歷時兩年編輯成書。後以此書教授門徒，臨終授書於二子。長子李煥後任南康知縣，歷時五年於康熙五十九年刊刻完成。《孝經內外傳》現存康熙六十年（1721）瑞露軒印寶田山莊刻本。《續修四庫全書》與《四庫全書存目叢書》皆有收錄曾為北京人文科學研究所藏的《孝經內外傳》影印本。

其二：對清初麻城塾師李之素的生平進行考證。《孝經內傳》作者李之素，字雲山，別號定庵。生於清初順治年間，卒於康熙四十九年（1710）。康熙年間貢生，一生未出仕為官。孝悌持家，撫育異母幼弟；勤於教學，提攜後進；協助鄉黨，教化一方。長子李煥，字瞻瑤，又字石臺。五十五年出任南康知縣。善繼父志，大興文教，在任期間將其父諸多著作刊刻流通，為李之素著作傳世貢獻巨大。

其三：對《孝經內傳》引書書目進行整理。李之素博引群書，摘錄一百七十條引書正文。《孝經內傳》的引文「出處夾註」標註共七十九處，其中四處標註有誤，此外還有三條引文標註遺漏。通過梳理四種形式的出處夾註，對照查索引書原文，引用正文共徵引五十八種引書。此外部分引用正文條目後所引註解，主要來源於明胡廣等奉敕纂修的《五經大全》、《四書大全》和《性理大全》，以及《四書蒙引》、《論孟精義》、《四書或問》等。此外仍有部分引書如《明史》、《明文》以及《尚書》引用註解的來源猶待考證。

其四：對《孝經內傳》的有關編輯特點進行歸納。《孝經內傳》徵引群籍的次序大致按照成書年代先後依次排列。通過對比《御定孝經衍義》可知，《孝經內傳》在編纂過程中，借鑒並直接錄用了《孝經衍義》的部分引文。如選取了《孝經衍義》相同的引文、沿襲其訛字，也反應了與《孝經衍義》相同的朱子理學學術立場。此外，《孝經內傳》引文取材呈現出與《孝經》經旨相呼應、相補充、相佐證的編輯特點。

作為李之素先生畢生心力所萃唯一之作，《孝經內傳》的研究初步整理如上，以期得彰李之素先生著書苦心於萬一。然其與《孝經外傳》的關係、其所反映孝經與群經的關係、展現李之素的孝道思想特點、以及對比在清初孝經學史上「外傳體」孝經文獻的編輯研究等，猶待考論。

參考文獻

一　古籍專書

〔秦〕呂不韋撰，〔漢〕高誘注：《呂氏春秋》，臺北：臺灣商務印書館影印《文淵閣四庫全書》本，第848冊，1986年。

〔漢〕司馬遷撰，〔南朝宋〕裴駰集解，〔唐〕司馬貞索引：《史記》，臺北：臺灣商務印書館影印《文淵閣四庫全書》本，第243冊，1986年。

〔漢〕劉向撰：《說苑》，臺北：臺灣商務印書館影印《文淵閣四庫全書》本，第696冊，1986年。

〔漢〕桓寬撰，〔明〕張之象注：《鹽鐵論》，臺北：臺灣商務印書館影印《文淵閣四庫全書》本，第695冊，1986年。

〔漢〕班固撰，〔唐〕顏師古注，〔清〕齊召南考證：《漢書》，臺北：臺灣商務印書館影印《文淵閣四庫全書》本，第249冊，1986年。

〔漢〕揚雄撰，〔晉〕李軌注，〔晉〕柳宗元注：《揚子法言》，臺北：臺灣商務印書館影印《文淵閣四庫全書》本，第696冊，1986年。

〔漢〕荀悅撰：《前漢紀》，臺北：臺灣商務印書館影印《文淵閣四庫全書》本，第303冊，1986年。

〔晉〕陳壽撰，〔南朝宋〕裴松之注：《三國志》，臺北：臺灣商務印書館影印《文淵閣四庫全書》本，第696冊，1986年。

〔南朝宋〕范曄撰，〔唐〕李賢注：《後漢書》，臺北：臺灣商務印書館影印《文淵閣四庫全書》本，第252冊，1986年。

〔唐〕姚思廉撰，〔清〕孫人龍考證：《陳書》，臺北：臺灣商務印書館影印《文淵閣四庫全書》本，第260冊，1986年。

〔唐〕李隆基注，〔宋〕邢昺疏，金良年整理：《孝經注疏》，上海：上海古籍出版社，2009年。

〔唐〕元結：《次山集》，臺北：臺灣商務印書館影印《文淵閣四庫全書》本，第1071冊，1986年。

〔宋〕司馬光撰，〔元〕胡三省注：《資治通鑒》，臺北：臺灣商務印書館影印《文淵閣四庫全書》本，第304-310冊，1986年。

〔宋〕張載：《張子全書》，臺北：臺灣商務印書館影印《文淵閣四庫全書》本，第697冊，1986年。

〔宋〕程顥、程頤撰，〔宋〕朱熹編：《二陳遺書》，臺北：臺灣商務印書館影印《文淵閣四庫全書》本，第698冊，1986年。

〔宋〕劉子翬撰，〔宋〕劉玶編：《屏山集》，臺北：臺灣商務印書館影印《文淵閣四庫全書》本，第1134冊，1986年。

〔宋〕朱熹：《四書或問》，臺北：臺灣商務印書館影印《文淵閣四庫全書》本，第197冊，1986年。

〔宋〕朱熹：《論孟精義》，臺北：臺灣商務印書館影印《文淵閣四庫全書》本，第198冊，1986年。

〔宋〕真德秀：《西山文集》，臺北：臺灣商務印書館影印《文淵閣四庫全書》本，第1174冊，1986年。

〔宋〕黎靖德編：《朱子語類》，臺北：臺灣商務印書館影印《文淵閣四庫全書》本，第700-702冊，1986年。

〔元〕托克托撰：《宋史》，臺北：臺灣商務印書館影印《文淵閣四庫全書》本，第280-288冊，1986年。

〔明〕胡廣：《周易傳義大全》，臺北：臺灣商務印書館影印《文淵閣四庫全書》本，第28冊，1986年。

〔明〕胡廣：《書經大全》，臺北：臺灣商務印書館影印《文淵閣四庫全書》本，第63冊，1986年。

〔明〕胡廣：《周易傳義大全》，臺北：臺灣商務印書館影印《文淵閣四庫全書》本，第28冊，1986年。

〔明〕胡廣：《詩傳大全》，臺北：臺灣商務印書館影印《文淵閣四庫全書》本，第78冊，1986年。

〔明〕胡廣：《禮記大全》，臺北：臺灣商務印書館影印《文淵閣四庫全書》本，第122冊，1986年。

〔明〕胡廣：《性理大全》，臺北：臺灣商務印書館影印《文淵閣四庫全書》本，第710-711冊，1986年。

〔明〕陳獻章撰，〔明〕湛若水校訂：《陳白沙集》，臺北：臺灣商務印書館影印《文淵閣四庫全書》本，第1246冊，1986年。

〔明〕王守仁撰，〔明〕錢德洪原編，〔明〕謝廷傑彙集：《王文成全書》，臺北：臺灣商務印書館影印《文淵閣四庫全書》本，第1165冊，1986年。

〔明〕蔡清：《四書蒙引》，臺北：臺灣商務印書館影印《文淵閣四庫全書》本，第206冊，1986年。

〔明〕李夢陽撰：《空同集》，臺北：臺灣商務印書館影印《文淵閣四庫全書》本，第1262冊，1986年。

〔清〕黃宗羲撰：《明儒學案》，臺北：臺灣商務印書館影印《文淵閣四庫全書》本，第457冊，1986年。

〔清〕葉方藹、張英等監修：《御定孝經衍義》，臺北：臺灣商務印書館影印《文淵閣四庫全書》本，第718-719冊，1986年。

〔清〕李之素：《孝經內外傳》，中國科學院圖書館藏康熙六十年寶田山莊刻本，收入《四庫全書存目叢書・經部》第146冊，濟南：齊魯書社，1997年。

〔清〕李之素：《孝經內外傳》，浙江圖書館藏康熙六十年寶田山莊刻本，收入《續修四庫全書・經部・孝經類》第152冊，上海：上海古籍出版社，2002年。

〔清〕李之素：《省身輯要》，寶雞市圖書館藏康熙六十一年瑞露軒板藏刻本。

〔清〕馬齊等奉敕修：《清實錄・聖祖仁皇帝實錄》，北京：中華書局，1985年。

〔清〕沈恩華：《南康縣志》，同治十一年重修縣署板藏刻本。

〔清〕陸佑勤：《重修麻城縣志》，中國國家圖書館藏光緒三年編輯、光緒八年重訂本。

〔清〕陳夢雷：《古今圖書集成》，上海：中華書局，1934年。

二　現代專書

陳鐵凡：《孝經學源流》，臺北：國立編譯館，1986年。

李岩等編輯：《四庫全書總目整理本》，北京：中華書局，1997年。

舒大剛：《中國孝經學史》，福州：福建人民出版社，2013年。

周啟成等注譯，劉正浩等校閱：《新譯昭明文選》，臺北：三民書局，2014年。

曾振宇、江曦主編：《孝經集解》，《孝經文獻叢刊》，上海：上海古籍出版社，2020年。

三　學位論文

朱金明：《清代官吏致仕保障待遇研究》，瀋陽：東北大學碩士學位論文，2011年。

蘇循波：《從擬稿到補纂本——明史本紀編纂研究》，天津：南開大學博士論文，2013年。

吳晉先：《御定孝經衍義研究》，長沙：湖南大學碩士學位論文，2016年。

四　網絡資料

〔宋〕司馬光：《居家雜儀》，收入《居家必用事類全集》，頁2下，見網址：https://ctext.org/library.pl?if=gb&file=36947&page=9，2023年6月1日瀏覽。

〔宋〕胡寅：《讀史管見》，哈佛燕京圖書館藏康熙五十三年古並居藏板刻本，見網址：https://ctext.org/library.pl?if=gb&file=142671&page=104，2023年6月1日瀏覽。

〔明〕呂柟撰：《涇野先生文集》，CADAL 數字圖書館藏，見網址https://ctext.org/library.pl?if=gb&file=205181&page=12，2023年6月1日瀏覽。

〔明〕汪道昆：《太函集》，北京大學圖書館藏 CADAL 數字圖書館影印，見網址 https://ctext.org/library.pl?if=gb&file=39289&page=95，2023年6月1日瀏覽。

〔明〕陳子龍等輯：《皇明經世文編》，北京大學圖書館藏 CADAL 數字圖書館影印，見網址：https://ctext.org/library.pl?if=gb&file=47762&page=5，2023年6月1日瀏覽。

〔清〕董誥等輯：《欽定全唐文》，北京大學圖書館藏 CADAL 數字圖書館影印，見網址：https://ctext.org/library.pl?if=gb&file=44244&page=79，2023年6月1日瀏覽。

附表

《孝經內傳》引文出處夾註表

序號	出處標註	引正文條目
1	乾卦	1
2	坤卦	1
3	家人卦	1
4	繫辭	2
5	舜典	1
6	伊訓	1
7	康誥	1
8	酒誥	1
9	蔡仲之命	1
10	國風	2
11	小雅	1
12	大雅	1
13	曲禮	7
14	檀弓	3
15	內則	8
16	玉藻	3
17	祭義	8
18	祭統	2
19	哀公問	1
20	大戴禮	1

序號	出處標註	引正文條目
21	左傳	4
22	論語	12
23	學庸	9
24	孟子	10
25	尚書大傳	1
26	韓詩外傳	2
27	家語	3
28	老子	1
29	管子	1
30	莊子	1
31	尸子	1
32	荀子	1
33	素履子	1
34	呂覽	1
35	亢倉子	1
36	漢文帝養老詔	1
37	漢武帝養老詔	1
38	漢宣帝遭喪勿繇詔	1
39	陳忠論喪服疏	1
40	漢紀	1
41	荀爽對策	1
42	漢紀	1
43	劉向	1
44	桓寬	1
45	楊子	3

序號	出處標註	引正文條目
46	忠經	1
47	王昶	1
48	晉書	1
49	范曄	1
50	沈烱請歸養表	1
51	任昉上蕭太傅啟	1
52	南北史	2
53	隋書	1
54	隋書	1
55	龍門子	1
56	唐明皇孝經序	1
57	元結辭容州表	1
58	唐書	4
59	舊唐書	1
60	宋太宗禁喪葬舉樂詔	1
61	宋史	2
62	司馬溫公	1
63	性理	5
64	張橫渠	1
65	程伊川	1
66	劉子翬曾子論	1
67	真西山	2
68	胡致堂	1
69	王嘉籍遺記	1
70	元史	3

序號	出處標註	引正文條目
71	明史	3
72	方孝孺孝經解序	1
73	羅倫論起復李賢疏	1
74	王陽明	1
75	王陽明書宋孝子朱壽昌孫教讀源卷	1
76	明文	4
77	陳眉公秘笈	3
78	日省錄	1
79	昨非庵	7

《四庫全書總目》「經世致用」內涵述論*

陳冠樺
國立成功大學中文所博士班二年級研究生

摘要

本文旨在探討《四庫全書總目》視域之內，對「經世致用」的定義與實際指涉云何。乾隆帝編纂《四庫全書》收錄書籍的核心原則之一「世道人心」，可分別視為代表物質與精神二種層面，亦即具體民生日用與思想教化作用。學術界長期關注的議題多聚焦在精神層面的「經世致用」，鮮見將物質層面的議題納入討論。是以本文首先透過統整《總目》中述及「經世致用」等詞彙之書籍〈提要〉，分析其實指內涵而歸納出養民、護民二大項。其次根據各部〈總敘〉、〈小敘〉等證明養、護二者本就存在於乾隆帝及館臣「經世致用」的認知範圍內，且透過各部類民生書目，幾乎皆錄有御製書籍，以證乾隆帝編纂《四庫全書》並非僅限於思想控制，其對民生日用亦有期待發揮功能的實際。

關鍵詞：乾隆帝、《四庫全書總目》、世道人心、經世致用、養民、護民

* 拙文初稿宣讀於二〇二三年七月九日「弘揚漢學．繼往開來」──第一屆漢學國際學術研討會。撰寫與修改過程中，渥蒙恩師楊晋龍教授、成功大學中文系名譽教授王偉勇教授、發表會評論人威爾士三一聖大衛大學漢學院畢業校友暨成功大學中文所陳勳同學，惠賜卓見，俾使拙文更臻完善，謹申謝忱；同時亦向編輯委員致謝，文責則由本人自負。

A Discussion on the Content and Significance of ‘Applying the Classics to Practical Use’（經世致用）in Siku QuanshuZongmu

Kuan-Hua Chen

PhD Candidate of the Department of Chinese Literature, National Cheng Kung University

Abstract

The purpose of this article is to explore the definition and actual implications of “JingshiZhiyong” (Applying the Classics to Practical Use) within the scope of the “Sikuquanshu General Catalog”. One of the core principles of Emperor Qianlong’s compilation of the books included in the “Sikuquanshu” is “the ways of the world and the public sentiment”, which can be regarded as representing the material and spiritual levels, that is, the specific daily life of the people and the role of ideological enlightenment. The issues that the academic community has long been paying attention to mostly focus on the spiritual aspect of “Jingshi Zhiyong”, and rarely include issues on the material level into discussions. Therefore, this article first summarizes the two major items: “nourishing the people and protecting the people” by integrating the “summary” of the books in the

"General Catalog" that mention the term "JIngshi Zhiyong". Secondly, based on the "General Narrative" and "Small Narrative" of each department, it is proved that the two concepts of "nurturing and protecting" existed within the cognitive scope of Emperor Qianlong and his ministers' "Jingshi Zhiyong", and almost all of them were found in the people's livelihood books of various departments. There are records of imperial books, proving that the compilation of the "Sikuquanshu" compiled by Emperor Qianlong was not limited to ideological control, but was also expected to play a role in people's daily life.

Keywords: Emperor Qianlong, "General Catalog of Sikuquanshu", the ways of the world and public sentiment, applying the classics to practical use, nourishing the people, protecting the people

一　前言

根據《論語》中記錄孔子（西元前551-西元前479）出行至衛國時，與學生冉有（西元前522-？）的一段對話：

> 子適衛，冉有僕。子曰：「庶矣哉！」冉有曰：「既庶矣。又何加焉？」曰：「富之。」曰：「既富矣，又何加焉？」曰：「教之。」[1]

從以上對話中可見，孔子對於管理眾多百姓的方式有其必要的次序，首先是「富之」，進一步為「教之」。換言之，孔子認為執政者要先能穩定百姓在生存上的基本需求，才能進而論及教化之事。傳統中國以孔子為宗的儒家學者們，對於孔子積極協助統治者安定百姓的入世精神，奉為金科玉律，亦步亦趨。而統治者如何善用官員治理天下，也成為一項相當重要的課題。由此觀之，所謂經世，便等同於治世，較早提及經世一詞且有治理之意者為《後漢書·西羌傳》中論曰：「計日用之權宜，忘經世之遠略，豈夫識微者之為乎？」；[2]而將所學落實於日常之中，則可謂致用，如《韓詩外傳》所言：「其於百官伎藝之人也，不與爭能而致用其功」。[3]余英時（1930-2021）認為「經世致用」乃明、清儒學之一般傾向，不應該將主張「經世」之學者視為一

1　〔魏〕何晏集解，〔唐〕陸德明音義，〔宋〕邢昺疏：《論語注疏》，收入《文淵閣四庫全書》經部，第195冊（臺北：臺灣商務印書館，1983年。）卷13，頁6b。

2　〔南朝宋〕范曄：《後漢書》，收入《文淵閣四庫全書》史部，第252冊（臺北：臺灣商務印書館，1983年。）卷117，頁37b。

3　〔漢〕韓嬰：《韓詩外傳》，收入《文淵閣四庫全書》經部，第89冊（臺北：臺灣商務印書館，1983年。）卷4，頁6a。

「學派」，因為當時各派皆注重「經世致用」。[4]筆者以為其說相當有啟發性，試以更寬泛的角度而言，「經世致用」應該是自古迄今儒家學者的共同價值標準，只是表現出來的實際行為不一。或部分學者表現的行為是高談闊論，從思想方面著手的致用；或部分學者是從具體關乎民生著手，此皆以個人選擇為前提，看似殊途實則同歸，恰恰展現出「經世致用」的多元面向。諸如《論語・子路》樊遲（西元前515-？）請學稼與為圃，孔子自稱不如老農、老圃，而是在禮、義、信等方面有其專業。[5]筆者以為由此平等之視角回顧前人不同的表現，或許可以稍加客觀，而不落「與己同則應，不與己同則反，同於己為是之，異於己為非之。」的過度偏見。[6]值得注意的是，統治階層的經世致用，不只有各家學者們的表現，掌握政治實權的在位者如何實踐經世致用，才是核心關鍵。尤其是傳統中國帝制時期，帝王的賢明或昏昧，對平民百姓影響之大，更可謂是一人緊繫蒼生命。若以孔子「先富後教」的觀點，帶入乾隆帝（1711-1799）編纂《四庫全書》（以下簡稱為《全書》）時，針對收錄書籍的核心原則之一「世道人心」，[7]或可將其視為二組詞彙，世道與具體濟民相關，人心則與抽

4 余英時：〈清代學術思想史重要觀念通釋〉「經世致用」條，見氏著：《中國思想傳統的現代詮釋》（南京：人民出版社，1989年。），頁241。

5 事詳見《論語・子路》樊遲請學稼，子曰：「吾不如老農。」請學為圃。曰：「吾不如老圃。」樊遲出。子曰：「小人哉，樊須也！上好禮，則民莫敢不敬；上好義，則民莫敢不服；上好信，則民莫敢不用情。夫如是，則四方之民襁負其子而至矣，焉用稼？」筆者以為，孔子之意乃士人階級若僅重視莊稼之學，不足以協助統治者安百姓，而是要學習更高層次的禮、義、信，以達風行草偃之效。〔魏〕何晏集解，〔唐〕陸德明音義，〔宋〕邢昺疏：《論語注疏》，收入《文淵閣四庫全書》經部，第195冊，（臺北：臺灣商務印書館，1983年。），卷13，頁4a-4b。

6 〔清〕王先謙注：〈寓言〉，《莊子集解》（上海：商務印書館，1933年），頁66。

7 〔清〕永瑢，紀昀等編：〈聖諭〉，《四庫全書總目》（北京：中華書局，2018年），卷首，頁1。本文徵引《四庫全書總目》內容以及各部書籍之〈提要〉皆源自此書，為省篇幅，故以下出現此書相關內容者，僅隨文標明頁碼。

象道德相關；二者分別代表物質層面與精神層面。乾隆帝治下，既然能被後世譽為清朝盛世時期之一，想當然其不太可能僅偏重抽象道德的精神層面，而疏於有利實際民生的物質層面。據此，筆者以為乾隆帝編纂《全書》時的考慮，自然不會局限在義理思想方面的書籍。而《四庫全書總目》（以下簡稱為《總目》）如何具體落實乾隆帝對民生物質層面的關懷，此為本文關注的重點；至於如〈經部總敘〉所言：「蓋經者非他，即天下之公理而已」等，顯然屬於精神層面之思想義理方面者，因篇幅所限，則暫不列入本次討論範圍。換言之，本文討論「經世致用」的範圍限定在物質層面的世道，考察乾隆帝（1711-1799）在精神層面的教化之外，如何透過《全書》協助人民物質層面的需求。

關於《總目》的前人研究成果蔚然可觀，筆者僅以力所能及的範圍之內，搜尋與本文直接相關的中文著作。其中直接述及「經世」者，諸如涂謝權：〈論《四庫全書總目》文學批評的經世價值取向〉一文，該文指出：

> ……所謂「體」即是指修身養性，即社會個體的內在道德修養；所謂「用」也就是經世致用，是指個體創造的外在事功。在儒家思想體系中，體和用通過「修齊治平」的理想價值模式而形成一個緊密聯繫的有機整體。顯然《總目》所言之道，較多地傾向于先儒關于個體生命的社會價值的闡釋上，認同的仍然是儒家傳統的由內聖到外王的經世道路。……《總目》的文學批評，多著力于發掘文學作品中隱藏著的創作主體的經世意圖，和作品自身蘊含著的潛在的經世力量。[8]

8　涂謝權：〈論《四庫全書總目》文學批評的經世價值取向〉，《貴州師範大學學報》（社會科學版）第3期（2002年1月），頁66。

作者雖然注意到關於《總目》中「經世致用」的相關評價標準，惜乎僅簡易的以一句「個體創造的外在事功」說明之，並且從行文可見，作者仍以精神層面的思考為主要討論焦點。毛曄翎：〈《四庫全書總目》子部農家類書目談略〉一文，雖未明言討論「經世致用」，然而該文透過仔細考察子部農家類書目，分析館臣擇取標準，書籍作者身份，以及可能的實用等等，說明館臣「經世實學」思想。「就《四庫全書總目》所著錄的農家書目而言，既彰顯著四庫館臣的觀點，也反映著官方時代思潮。」[9]換言之，作者注意到「經世致用」關於實際民生方面的內涵，此關注方向與本文不謀而合，只可惜該文僅片面討論子部農家類，是以較不容易看出《總目》在其他部類涉及「經世致用」的相關內涵。

本文以《總目》為主要文獻，首先考察各部書籍〈提要〉中涉及「經世致用」等詞彙的實況，分析其涉及具體民生的實際內涵云何。其次觀察該類書籍在《總目》中的歸屬實況，並透過分析各部〈總敘〉、〈小敘〉以證之；並根據《全書》中實際收錄該類之書籍數量占比，釐清乾隆帝在編修《全書》時，如何以實際作為展現對民生物質層面的關注。

二　各部〈提要〉中涉及「經世致用」等詞彙的實況考察

本文前述有言，在傳統中國儒家的視角下，經世即同於治世，致用則必然與實際執行相關；而本文欲討論者為民生物質層面的致用，故致用又可同於日用。誠如館臣在司馬光（1019-1086）所著《溫公易說》之〈提要〉中述及：「有德之言，要如布帛菽粟之切於日用。」

9　毛曄翎：〈《四庫全書總目》子部農家類書目談略〉，《韓山師範學院學報》第37卷第5期（2016年10月），頁71。

（頁5）此即以平常日用之物來說明何謂有德之言，亦可證明布帛菽粟等物質，確實為人類維繫生命不可或缺之物。換言之，但凡有利於百姓基本生存條件者，即所謂國計民生。是以，此一小節即針對《總目》各部〈提要〉中述及明確涉及民生方面的「經世」、「治世」、「致用」、「日用」等相關詞彙之內容進行考察，並分析其中實際指涉之內涵云何。筆者彙整成簡易表格如下：[10]

簡表一　〈提要〉涉及國計民生內涵詞彙之相關書籍統計

（按照朝代順序）

各部／詞彙	經部	史部	子部	集部	小計
經世	0	宋1、明1	唐1、宋2、明2	宋4、元1、明5、清1	18
治世	0	0	0	0	0
致用	0	0	未知1、明2	0	3
日用	0	0	明1	0	1
小計	0	2	9	11	22

根據上述簡表一中所計，各部〈提要〉明確使用具有國計民生內涵詞彙之相關書籍實況，除「治世」一詞無涉以外，其他三者總數為二十二本。言及「經世」者為十八本，分別出現在史部有二本（宋1、明1）；子部有五本（唐1、宋2、明2）；集部有十一本（宋4、元1、明5、清1）。提及「致用」者之三本，皆為子部（未知1、明2）。述及「日用」者為子部一本（明1）。數據顯示子部與集部書籍之〈提要〉，有較高的比例涉及實際濟民的經世致用等詞彙，史部明顯遠低於前二者，經部更是闕如。出現此現象的最大原因，即經部書籍，本

10 為省篇幅，詳細表格內容請詳參附錄表一。

就屬於以達教化功能為目的的精神層面書籍。此外，從統計中發現，若以朝代書籍多寡為序，最高者為明朝有十一本，其次為宋朝有七本，再次者乃唐朝、元朝、清朝及未知朝代者各為一本。雖說乾隆帝纂修《全書》時曾擇取明朝官修之《永樂大典》其中許多書籍，但根據筆者設定討論的定義與範圍觀之，此處明朝書籍尚能在層層篩選之下，出現超過四成占比，宋朝亦約有三成左右占比。以此或可側面證明學術史上之宋、明，除了思想方面的「理學」外，亦對民生日用有所關注者；抑或是，所謂「理學」或許也存在切於物質一面的可能？誠如《思辨錄輯要》之〈提要〉中，館臣引述該書作者陸世儀（1611-1672）之言，曰：

> 今所當學者，正不止六藝，如天文、地理、河渠、兵法之類，皆切於用世，不可不講。俗儒不知內聖外王之學，徒高談性命，無補於世，所以來「迂拙」之誚也。（頁798）

由引文可知，陸世儀主張學者於六藝方面的學習之外，對「切於用世」的天文、地理、河渠、兵法等等方面也該具備。並直言俗儒招致「迂拙」的負面評價，正是因缺乏「內聖外王之學」，不能提供實際有效的施行政策之故也。陸氏此說亦得到館臣「其言皆深切著明，足砭虛憍之弊」（頁798）正向肯定之評語。

本文進一步藉由附錄之詳表一之引文，分析前述各書籍〈提要〉中所言「經世」、「致用」、「日用」等詞彙實際指涉，約可略分成二大面向說明其內涵：一為養民，即對百姓食衣住行之協助；一為護民，即對百姓生命財產之保障，以下試分述之。

（一）養民

關乎維繫百姓食衣住行等基本生存條件者，大致可歸納如下表二之項目：

表二　養民內涵統整

分項	〈提要〉中實指內涵
天時	天文、論天象、術數、歷數、律歷
土地	田土、圖志、屯田、地理、勸農、四裔、方域
水利	水利、河渠、論漕粟、改漕之法
糧食	糧運、鹽法、茶法、食貨、籌餉、積穀
錢財	財用、銅鈔、祿俸
人口	婚姻、保長之法

據上述表二可知，二十二本書籍〈提要〉述及實際養民者，其內涵至少可歸納出：天時、土地、水利、糧食、錢財、人口六項。在傳統以農立國的時代，每年莊稼豐收與否，除了牽涉國家的賦稅經濟之外，更是眾多百姓賴以為生之物。知天時才能按春耕、夏耘、秋收、冬藏等時序進行有效耕作。得以耕作的重要條件之一，即需要對土地性質有所了解，才能針對不同地質選擇適合的穀物種植。水利資源的充足與否，亦是影響耕作能否得以順利進行的重要因素之一，而利用河道運送糧食，更是能補陸路交通之不足。有前三者（天時、土地、水利）的相輔相成，才能使糧食項目得以穩定收成，且透過其中涵蓋鹽、茶等物，更加證明性質不同的土地確實有不同的用處。國家農產經濟的豐饒，則有助於以錢財進行貿易等商業活動，以及對人口的有效控管。畢竟在安土重遷的傳統中國，一般來說，僅有在國家動亂、民不聊生之時，百姓為了生存，才會選擇背井離鄉成為流動人口。

(二)護民

關乎保障百姓生命財產之安全者，大致可歸納如下表三之項目：

表三　護民內涵統整

分項	〈提要〉中實指內涵
邊防	兵制、兵法、韜鈐、論兵、選將治兵、論敵退後措置、論守禦、論邊事、制蠻
典刑	賞刑、給賜、刑法
賦稅	財賦、賦役、黃冊、課程[11]
賑災	賑恤、義倉、救荒
醫療	用藥

透過表三歸納所得則知，關於護民者至少可分為：邊防、典刑、賦稅、賑災、醫療等五項。國家內政穩定之外，還必須有足夠抵禦外侮的軍事力量，方可有效保護百姓的人身、財產安全，是以在維護邊防的前提下，如何治兵便相當重要。國家法律對人民也具有一定程度的保護作用，是以明確佈告典刑，雖不見得足以揚善，但至少能相對有效的遏惡。賦稅是國家的經濟來源，合理的賦稅能使國家在各方面公共事務上的開支順利進行，國家局勢穩定對百姓而言，亦是另一種維護。然而天有不測風雲，當出現天災危及人民時，國家對百姓的賑災撫恤等政策，即是拯民於水火的良方。另外，即使是國泰民安、風調雨順的昇平時代，人類本為血肉之軀，生老病死皆是常態；面對人體產生的各種病症，此時醫療資源則可派上用場。即便過去醫學不如現

11 此處所謂課程，其意為人民需要繳交之賦稅，或是指賦稅繳納的限期。參見清·張廷玉撰：「凡諸課程，始收鈔，間折收米。」，〈食貨志五〉，《明史》（上海：商務印書館，出版年不詳），卷81，頁21b。

代發達，但從此項內涵至少可以知道，古代學者對醫學並非一無所知。

經由前述的統計、歸納與分析所得，可知館臣在各部書籍〈提要〉中使用「經世致用」等相關詞彙，實際內涵可約分為養民與護民二者，此二者皆在孔子所謂「富之」的統轄之內。而根據本節所得之結果，可進一步追問，《總目》如何針對養民與護民二者進行分類？而《全書》中實際收錄關涉二者之書籍數量多寡為何？此皆為本文下一小節欲探討之問題。

三　《總目》分類下的「經世致用」實際表現

根據前一小節的考察，明確得知各部書籍〈提要〉中使用「經世致用」之內涵可歸納為養民與護民二者。由此可見，關於民生物質面向的「經世致用」，本就屬於館臣認知範圍內，或可更進一步說，即為乾隆帝治世的實政之一。換言之，對於統治階層而言，養民與護民二者，本就與教民同樣被視為「經世致用」理所當然之內涵，只是過去部分四庫學研究者，或有意或無意的忽略此一事實，而選擇聚焦於「教民功能」的內涵進行闡發。持「教民功能」視角進行研究的學者，其成果當然有其重要的學術價值，然而若能以「呈現事實」的角度重新考察，或有助於增加新的學術視野。是以，本文於此節中，首先考察具備養民、護民內涵的「經世致用」書籍在《總目》中的分類歸屬實況，並透過分析各部〈總敘〉、〈小敘〉以證之。其次根據《全書》中實際收錄關涉養民、護民二者之書籍數量，統計其占比，以證明乾隆帝在編修《全書》時，其政治作為，並非僅局限於思想教化，其對於養民與護民，亦是相當重視。本文此處考察除以前述養民、護民二大面向為歸納項目之外，另加入兼論養民與護民之綜合性書籍為第三項。以下試分述之。

（一）《總目》中之歸屬

透過實際檢證《總目》並歸納，可得如下表四所示：

表四　《總目》分類實況

<table>
<tr><th>分項</th><th colspan="2">史部100本</th><th colspan="2">子部260本</th><th>小計
360本</th></tr>
<tr><td rowspan="6">養民</td><td>《時令類》</td><td>2</td><td>《天文算法類・推步之屬》</td><td>35</td><td rowspan="7">165</td></tr>
<tr><td>《地理類・河渠之屬》</td><td>26</td><td>《天文算法類・算書之屬》</td><td>27</td></tr>
<tr><td rowspan="4">《政書類・考工之屬》</td><td rowspan="4">2</td><td>《農家類》</td><td>11</td></tr>
<tr><td>《譜錄類・器物之屬》</td><td>30</td></tr>
<tr><td>《譜錄類・飲饌之屬》</td><td>11</td></tr>
<tr><td>《譜錄類・草木禽魚之屬》</td><td>21</td></tr>
<tr><td>小計</td><td>／</td><td>30</td><td>／</td><td>135</td></tr>
<tr><td rowspan="4">護民</td><td>《地理類・邊防之屬》</td><td>2</td><td rowspan="2">《兵家類》</td><td rowspan="2">21</td><td rowspan="5">139</td></tr>
<tr><td>《政書類・邦計之屬》</td><td>6</td></tr>
<tr><td>《政書類・軍政之屬》</td><td>4</td><td rowspan="2">《醫家類》</td><td rowspan="2">104</td></tr>
<tr><td>《政書類・法令之屬》</td><td>2</td></tr>
<tr><td>小計</td><td>／</td><td>14</td><td>／</td><td>125</td></tr>
<tr><td rowspan="2">兼論</td><td>《地理類・總志之屬》</td><td>7</td><td rowspan="2">／</td><td rowspan="2">／</td><td rowspan="3">56</td></tr>
<tr><td>《地理類・都會郡縣之屬》</td><td>49</td></tr>
<tr><td>小計</td><td>／</td><td>56</td><td>／</td><td></td></tr>
</table>

經由表四之彙整可知，《總目》將關乎民生者書籍，基本上歸於史、子二部。首先根據〈史部總敘〉所言：「今總括群書，分十五類……曰時令，曰地理，曰職官，曰政書，曰目錄，皆參考諸志者也。」（頁397）以此可知時令類、地理類、政書類等，乃是參證各種有關記錄的文獻之分類方式。細考〈時令類小敘〉之言：

> 《堯典》首授時，舜初受命，……**其本天道之宜以立人事之節者**，則有時令諸書。……後世承流，遞有撰述，**大抵農家日用**、閭閻風俗為多，……然**民事即王政也**，淺識者歧視之耳。（頁592）

透過引文所示，時令相關之書籍的功能，主要是依「天道之宜」而「立人事之節」，同時可見其中內容大致上不出農家日用範圍。且由館臣直書「民事即王政」之語，亦可證明筆者於本一小節開頭所言，乾隆帝與館臣們認知的「經世致用」，實包含物質與思想二方面內涵。〈地理類小敘〉說明編纂次序，以及其中各項所屬之意義時，言道：「其編類：……次總志，大一統也；次都會郡縣，辨方域也；次河防，次邊防，崇實用也。」（頁594）屬於總志及都會郡縣者，其功能在於協助統治者能對統轄範圍內的各地方，具有較全面的了解，是以所載涉及政治、經濟、民生、文化、教育、軍備等等兼具養民、護民的綜合性內容。而屬於河渠、邊防者，館臣也直言是重視其實用之功能。而〈政書類小敘〉雖沒有針對該類編次所屬逐一具體說明，但根據其云：「……後鑒前師，與時損益者，是為前代之故事。史家著錄，大抵前代事也。……考錢溥《祕閣書目》有政書一類，謹據以標目，見綜括古今之意焉。」（頁693）可知該類的主要功能在於協助後世者鑑於前事；進一步考察表四被編入政書類相關的所屬，包括：邦計、軍政、法令、考工等四項；邦計之屬諸如：南宋董煟（？-1217）《救荒活民書》等書籍。軍政之屬諸如：南宋陳傅良（1137-1203）《歷代兵制》等書籍。法令之屬諸如：唐代長孫無忌（594-659）《唐律疏義》等書籍。考工之屬諸如：北宋李誡（？-1110）《營造法式》等書籍。是以知其邦計、軍政、法令、考工等書籍內容，皆與養民、護民相關。

其次依據〈子部總敘〉針對子部收錄書籍之編次排序及功能所云：

> 儒家之外有兵家，……有農家，有醫家，有天文算法，有術數……有譜錄，……敘而次之，凡十四類。儒家尚矣。有文事者有武備，故次之以兵家。……民，國之本也；穀，民之天也，故次以農家。《本草》、《經方》，技術之事也，而生死繫焉；神農、黃帝，以聖人為天子，尚親治之，故次以醫家。重民事者先授時，授時本測候，測候本積數，故次以天文算法。以上六家，皆治世者所有事也。……《詩》取多識，《易》稱制器，博聞有取，利用攸資，故次以譜錄。（頁769）

以此可知兵家排序在儒家之後，乃因其功能為武備。穀物糧食是人民賴以為生之必需，且人民是國家的根本所在，農家書籍便是為了利民利國而存在。醫家所涉及的技術，事關生死，即便是像神農、皇帝這般的聖人，天子也親自處理。天文算法存在的功能，就是為了要能夠幫助人民農耕種的時機。館臣明言以上這幾類皆與治理世道相關。而譜錄類乃是提供增廣見聞、可資利用。細考〈兵家類小敘〉之言：「今所採錄，惟以論兵為主。……惟擇其著有明效，如戚繼光《練兵實紀》之類者，列於篇。」（頁835）可知兵家類所收，以如何有效善用軍事力量之書籍為主。〈農家類小敘〉則曰：

> 農家條目，至為蕪雜。諸家著錄，大抵輾轉旁牽。因耕而及《相牛經》，因《相牛經》及《相馬經》……而《香譜》、《錢譜》相隨入矣。因五穀而及《圃史》，因《圃史》而及《竹譜》、《荔支譜》、《橘譜》……因蠶桑而及《茶經》，因《茶經》及《酒史》、《糖霜譜》至於《蔬食譜》……觸類蔓延，……今逐類汰除，惟存本業。用以見重農貴粟，其道至大，其義至深，庶幾不失《豳風》、《無逸》之初旨。茶事一類，與農家稍近，然龍團鳳餅之製，銀匙玉碗之華，終非耕織者所事。今亦別入譜錄類，明不以末先本也。（頁852）

由引文可見，館臣在檢閱農家類的書籍條目時，發現「至為蕪雜」，原因乃是諸家「輾轉旁牽」，從原本單純討論農事，延伸出與其相關的各類事項，因此愈演愈烈，導致「觸類蔓延」的現象。為了能夠展現「重農貴粟」的實際，是以將旁涉繁雜的項目逐一淘汰，僅留與農事本業直接相關之書籍，以求不失如《詩經・豳風》述及務農之辛勤，以及《尚書・無逸》所謂「知稼穡之艱難」之精神。[12]此外，館臣亦特別於此說明，茶事雖然與農家接近，但因其中載錄諸如北宋時期如何製作有龍鳳紋飾的貢茶，以及華美茶具等，都不屬於一般百姓日常所能企及之事，因此將其歸入譜錄類，避免本末倒置。〈醫家類小敘〉則云：「儒之門戶分於宋，醫之門戶分於金、元。……儒有定理，而醫無定法。病情萬變，難守一宗。故今所敘錄，兼眾說焉。」（頁856）多元病情之複雜，委實無法僅憑單一的醫療方式解決，是以收錄之醫書，兼具不同面向的治法，以供應各種病症之所需；透過臺

---

12 〔漢〕孔安國注，〔唐〕孔穎達疏：《尚書注疏》，收入《文淵閣四庫全書》經部，第54冊，（臺北：臺灣商務印書館，1983年。）卷15，頁13a。

灣俗諺所謂：「先生緣，主人福」（臺語），[13]或許有助於更加理解館臣「醫無定法」之言。〈天文算法類小敘〉提及：

> ……天文算法則愈闡愈精。……今仰遵聖訓，考校諸家，存古法以溯其源，秉新制以究其變。……算術、天文相為表裏，《明史・藝文志》以算術入小學類，是古之算術，非今之算術也。今核其實，與天文類從焉。（頁891）

根據引文所言，可知天文算法不斷後出轉精，迄清之時，更因為西方學術傳入中國，使其演算較過往加精確。館臣直言《明史・藝文志》將算術置於小學類，乃因該算術是「古之算術」，而清廷的「今之算術」乃是與天文互相配合，而共為一體者，是以將其歸入天文之屬。而〈譜錄類小敘〉則曰：

> ……古人學問各守專門，其著述具有源流，易於配隸。六朝以後，作者漸出新裁，體例多由創造，古來舊目遂不能該，附贅懸疣，往往牽強。……是皆明知其不安，而限於無類可歸，又復窮而不變，故支離顛舛遂至於斯。尤袤《遂初堂書目》，創立「譜錄」一門，於是別類殊名，咸歸統攝，此亦變而能通矣。今用其例，以收諸雜書之地可繫屬者。門目既繁，檢尋亦病於瑣碎，故諸物以類相從，不更以時代次焉。（頁981）

由此可見，六朝以前的學者「各守專門」，其著作亦容易歸納；六朝之後的學者則有較多各自獨創之體例，早期的目錄以及無法一一將其

13 此方言之意，蓋指病患恰巧有機會遇到足以症下藥的醫生，而使其病情得以好轉或痊癒。

囊括，勉強納入舊目則猶如多餘之物備感牽強，然實因礙於無類可歸之故。直到南宋尤袤（1127-1194）為自己私人藏書編纂目錄，而成《遂初堂書目》，其中獨創的「譜錄」一門，能使「別類殊名，咸歸統攝」，是以館臣選用其例編次書籍，並說明因其過於繁雜，故編輯次序標準是「以類相從」，而不再以時代為主。

綜上所述，《總目》在史、子二部的〈總敘〉與各類屬之〈小敘〉皆有針對養民、護民內涵的相關說明。換言之，據此一實證，對於《總目》意義之下的「經世致用」，方能有較為明確的認知。

（二）《全書》實際收錄關涉養民、護民二者之書籍

透過前述針對《總目》涉及養民、護民二者歸屬問題的考察，可知所屬基本上以史、子二部為大宗。根據表四呈現之書籍數據，則知史部有一百本，子部有二百六十本，總共三百六十本。屬於養民相關書籍有一百六十五本，護民相關書籍有一百三十九本，兼論養、護二者之書籍則有五十六本。史部原收錄書籍為五百九十八本，子部有九百八十六本，二者總和為一五八四本，以此為分母，觀察占比實況，則可知，總共三百六十本涉及養民、護民的書籍，實際上僅占了約三成左右的份量。若單就此一數據而言，乾隆帝似乎在編纂《全書》過程中，並不重視民生相關書籍，然而事實果真如表相所示乎？恐怕未必如此。本文經由實際爬梳《全書》，發現三百六十本與民生相關的書籍中，有二十本屬於御製書籍，如下表五所示。

表五　各部類屬中的御製書籍彙整

<table>
<tr><th>分項</th><th colspan="2">史部10本</th><th colspan="2">子部10本</th></tr>
<tr><td rowspan="6">養民</td><td>《時令類》</td><td>《御定月令輯要》</td><td>《天文算法類・推步之屬》</td><td>《御製歷象考成》、《御製歷象考成後編》、《欽定儀象考成》</td></tr>
<tr><td>《地理類・河渠之屬》</td><td>《欽定河源紀略》</td><td>《天文算法類・算書之屬》</td><td>《御製數理精蘊》</td></tr>
<tr><td rowspan="4">《政書類・考工之屬》</td><td rowspan="4">《欽定武英殿聚珍版程式》</td><td>《農家類》</td><td>《欽定授時通考》</td></tr>
<tr><td>《譜錄類・器物之屬》</td><td>《欽定西清古鑑》、《欽定西清硯譜》、《欽定錢錄》</td></tr>
<tr><td>《譜錄類・飲饌之屬》</td><td>／</td></tr>
<tr><td>《譜錄類・草木禽魚之屬》</td><td>《御定佩文齋廣群芳譜》</td></tr>
<tr><td rowspan="4">護民</td><td>《地理類・邊防之屬》</td><td>／</td><td rowspan="2">《兵家類》</td><td rowspan="2">／</td></tr>
<tr><td>《政書類・邦計之屬》</td><td>《欽定康濟錄》</td></tr>
<tr><td>《政書類・軍政之屬》</td><td>《欽定八旗通志》</td><td rowspan="2">《醫家類》</td><td rowspan="2">《御纂醫宗金鑑》</td></tr>
<tr><td>《政書類・法令之屬》</td><td>／</td></tr>
<tr><td>兼論</td><td>《地理類・總志之屬》</td><td>／</td><td>／</td><td>／</td></tr>
</table>

分項	史部10本		子部10本	
	《地理類・都會郡縣之屬》	《欽定熱河志》、《欽定日下舊聞考》、《欽定滿洲源流考》、《欽定皇輿西域圖志》、《欽定盛京通志》		

根據表五的內容，乍看之下，御製書籍在三百六十本民生書籍中，僅約百分之五的占比，似乎寥若晨星，但進一步考察，則發現，除了史部《地理類・邊防之屬》、《政書類・法令之屬》、《地理類・總志之屬》，以及子部《譜錄類・飲饌之屬》、《兵家類》等沒有御製書籍以外，其他各類各屬皆有一本以上之御製書籍，且養民類的有十二本，護民類的有八本。以此觀之，皇帝親自認肯的御製之書，幾乎遍及民生相關之類別，可見乾隆帝編纂《全書》並非只重視精神層面的教化功能，其對民生日用方面，確實也有實質上的關懷與行動。

四　結語

本文實際爬梳《總目》文獻，透過歸納、統計、分析方式，考察《總目》意義之下的「經世致用」內涵，所得結果，可知除了具有抽象道德思想方面的教化意涵，明顯存在具體民生日用的養、護意義。以此可證乾隆帝編纂《全書》，並沒有將關乎物質層面「經世致用」排除在外，反而可從前述討論中得知，「經世致用」具備的多元面向，似乎早就存在於乾隆帝與館臣的認知範圍之中；後人討論時若疏忽此一重要的實質內涵，著實可惜。本文雖考察出於國計民生相關的物質層面「經世致用」之內涵，然此結果僅屬於「經世致用」之部分意義，較為理想的討論方式，應將屬於道德教化相關之精神層面內涵也一併納入為是。且誠如筆者於前言所述，帝制時期真正掌握實權的最高領導者，如何針對官員們各適其才的「經世致用」，實為統治的核心關鍵，而官員們如何提供自己所長，協助統治者管理百姓，亦是傳統儒家學者「經世致用」的具體表現。據此，則可見所謂「經世致用」至少可分為帝王階層的下行視角，與士大夫階層的上行視角二者。換言之，一為領導者角度的「經世致用」，一則為輔助者角度的「經世致用」。若能將此二者納入，或有助於考察結果更為精確。此即本文局限，亦為日後更進一步開展之所在。

參考文獻

一　傳統文獻

〔漢〕韓嬰：《韓詩外傳》，收入《文淵閣四庫全書》經部，第89冊，臺北：臺灣商務印書館，1983年。

〔漢〕孔安國注，〔唐〕孔穎達疏：《尚書注疏》，收入《文淵閣四庫全書》經部，第54冊，臺北：臺灣商務印書館，1983年。

〔魏〕何晏集解，〔唐〕陸德明音義，〔宋〕邢昺疏：《論語注疏》，收入《文淵閣四庫全書》經部，第195冊，臺北：臺灣商務印書館，1983年。

〔南朝宋〕范曄：《後漢書》，收入《文淵閣四庫全書》史部，第252冊，臺北：臺灣商務印書館，1983年。

〔清〕張廷玉撰：《明史》，上海：商務印書館，出版年不詳。

〔清〕王先謙撰：《莊子集解》，上海：商務印書館，1933年。

〔清〕永瑢、紀昀等編：《四庫全書總目》，北京：中華書局，2018年。

二　近人論著

余英時：《中國思想傳統的現代詮釋》，南京：人民出版社，1989年。

毛曄翎：〈《四庫全書總目》子部農家類書目談略〉，《韓山師範學院學報》第37卷第5期（2016年10月），頁70-74。

涂謝權：〈論《四庫全書總目》文學批評的經世價值取向〉，《貴州師範大學學報》（社會科學版）第3期（2002年1月），頁65-69。

附錄

表一　涉及國計民生內涵詞彙之各部〈提要〉
（按照經、史、子、集順序）

書名	摘錄內容
《諸臣奏議》宋趙汝愚編	凡分君道、帝系、天道、百官、儒學、禮樂、**賞刑、財賦、兵制、方域、邊防**、總議十二門，子目一百一十四。……以事而分，可以參考古今，盡其事之沿革利弊，為經世者計也。（《史部・卷55・詔令奏議類》，頁501）
《名臣經濟錄》明黃訓編	是書輯洪武至嘉靖九朝名臣經世之言。……每門各有子目，開國、保治二門，以時代為序。吏、禮、兵、工四部各以所屬四司分四類。**戶部分圖志、田土、賦役、給賜、黃冊、屯田、婚姻、糧運、祿俸、鹽法、茶法、課程、賑恤**十三類。（《史部・卷55・詔令奏議類》，頁502）
《思辨錄輯要》明陸世儀撰	世儀之學主於敦守禮法，不虛談誠敬之旨，**主於施行實政**，不空為心性之功，於近代講學諸家最為篤實。……又曰：「今所當學者，正不止六藝，**如天文、地理、河渠、兵法之類，皆切於用世，不可不講**。俗儒不知內聖外王之學，徒高談性命，無補於世，所以來『迂拙』之誚也。」其言皆深切著明，足砭虛憍之弊。**雖其中如「修齊類」中，必欲行區田，「治平類」中，必欲行井田、封建**，不免有迂闊之失，**而大端既切於日用，不失為有裨之言**。（《子部・卷94・儒家類4》，頁798）
《握奇經》（一作《握機經》，	風后握機制勝，作為陣圖，故八其陣，所以定位也。衡抗於外，軸布於內，風雲附其四維，所以備物也。

書名	摘錄內容
一作《幄機經》） 舊本題風后撰	**虎張翼以進，蛇向敵而蟠，飛龍翔鳥**，上下其旁，所以致用也。至若疑兵以固其餘地，**游軍以案其後列，門具將發，然後合戰**。弛張則二廣迭舉，犄角則四奇皆出」云云。所說乃一一與此經合。（《子部・卷99・兵家類》，頁835）
《陣紀》 明何良臣撰	是編皆述練兵之法。一卷曰募選、束伍、教練、致用、賞罰、節制。（《子部・卷99・兵家類》，頁839）
《神農本草經疏》 明繆希雍撰	首為序例二卷，論三十餘首，備列九方十劑，及古人用藥之要。自序云：「**據經以疏義，緣義以致用**，參互以盡其長，簡誤以防其失是也。」（《子部・卷104・醫家類2》，頁876）
《長短經》 唐趙蕤撰	孫光憲《北夢瑣言》載：「蕤，梓州鹽亭人。**博學韜鈐，長於經世**。夫婦俱有隱操，不應辟召」。……是書皆談王伯經權之要，……**此書辨析事勢**，其源蓋出於縱橫家，故以「長短」為名。雖因時制變，不免為事功之學，而大旨主於實用，非策士詭譎之謀。其言固不悖於儒者，其文格亦頗近荀卿《申鑒》、劉邵《人物志》，猶有魏晉之遺。（《子部・卷117・雜家類1》，頁1010）
《日知錄》 明顧炎武撰	書中不分門目，而編次先後則略以類從。大抵前七卷皆論經義，八卷至十二卷皆論政事，十三卷論世風，十四卷、十五卷論理制，十六卷、十七卷皆論科舉，十八卷至二十一卷皆論藝文，二十二卷至二十四卷雜論名義，二十五卷論古事真妄，二十六卷論史法，二十七卷論注書，二十八卷論雜事，二十九卷**論兵**及外國事，三十卷**論天象、術數**，三十一卷**論地理**，三十二卷為雜考證。炎武學有本原，博贍而能通貫。每一事必詳其始，末參以證佐而後筆之於書。……惟炎武生於明末，**喜談經世之務**，激於時事，慨然以復古為

書名	摘錄內容
	志。其說或迂而難行，或愎而過銳。（《子部．卷119．雜家類3》，頁1028）
《採芹錄》 明徐三重撰	是編第一卷論養民、教民，第二卷、三卷多論學校、貢舉、政事利弊，第四卷多論明代人物臧否。大抵皆考稽典故，究悉物情。而持論率皆平允，無激烈偏僻之見，亦無恩怨毀譽之私。……惟力主均田、限田之議，反覆引據，持之最堅。……然如**論漕粟則駁邱濬海運之非，論養兵則駁徐階塞外不可屯田之謬**，皆卓然明論。其他亦多篤實近理，**切於事情**。猶可謂**留心經世之學**者也。（《子部．卷122．雜家類6》，頁1054）
《永嘉八面鋒》 （一作《八面鋒》） 不著撰人名氏	觀其第二卷中稱：「今之**勸農**，不必責於江浙，而當責於兩淮。大江以北，黃茅白葦，薈蔚盈目。」……永嘉之學，倡自呂祖謙，和以葉適及傅良，遂於南宋諸儒別為一派。朱子頗以涉於事功為疑。**然事功主於經世**，功利主於自私，二者似一而實二。未可盡斥永嘉為霸術。且聖人之道，有體有用；天下之勢，有緩有急。是編雖科舉之書，**專言時務**，亦何嘗涉申韓商孔之術哉？（《子部．卷135．類書類1》，頁1148）
《山堂考索》 宋章如愚撰	凡分四集：前集六十六卷，分六經、諸子百家、諸經、諸史、聖翰、書目、文章、禮樂、律呂、**歷數**、**天文**、**地理**十三門；後集六十五卷，分官制、學制、貢舉、**兵制**、**食貨**、財用、刑法七門；續集五十六卷，分經籍、諸史、文章、翰墨、律歷、五行、禮樂、封建、官制、**兵制**、**財用**、**諸路**、君道、臣道、聖賢十五門；別集二十五卷，分圖書、經籍、諸史、文章、**律歷**、人臣、**經藝**、**財用**、**兵制**、**四裔**、**邊防**十一門。……言必有徵，事必有據，博采諸家而折衷以己意。不但淹通掌故，亦**頗以經世為心**。在講學之家，**尚有實際**。（《子部．卷135．類書類1》，頁1150）

書名	摘錄內容
《都官集》 宋陳舜俞撰	毅然有經世志。所進萬言策，至自比於賈生。……文則論時政者居多，大抵剴直敷陳，通達事體，而三上英宗書及《諫青苗》一疏，指摘利弊，尤為深切著明。雖不竟其用，而氣節經濟均可於是見一斑矣。（《集部・卷153・別集類6》，頁1317）
《毗陵集》 宋張守撰	史稱守家貧好學，過目不忘，故所為文具有體幹。而論列國家大事，是非利害如指諸掌，卓有經世之才，尤非儒生泥古者所可及。本傳載其建白諸事，如論防淮渡江利害，論金人侵淮有四路，宜擇帥捍禦，論大臣宜以選將治兵為急，不急之務付之六曹，論幸蜀十害，論宰相非人，論敵退後措置二事，今其文具在集中。他如論守禦事宜，乞以大河州軍為藩鎮，乞修德諸劄子，史所不載者尚多，無不揣切時勢，動合機宜。其大旨在經營淮北，以規復中原，而不欲為畫江自守之計。雖其時宋弱金強，未必盡能恢復，要其所言不可謂非一時之正論也。（《集部・卷156・別集類9》，頁1346）
《舒文靖集》 宋舒璘撰	璘棲遲州縣，終身未一挂朝籍，故集中無章奏之文，其經略遂不可考見。……然觀集中〈與陳倉劄子〉、論常平義倉、茶鹽、保長之法，深切時弊，皆其教授新安時所作，則璘亦非短於經世者也。（《集部・卷160・別集類13》，頁1377）
《定齋集》 宋蔡戡撰	今觀集中所上奏劄，條列明確，類皆侃直忠亮，為經世有用之言。其論邊事，專以嚴備自守為主，而不汲汲於和、戰紛爭，遠慮深謀，亦非好事偷安者所可幾及，方之同時名臣，實龔茂良之流亞。惜史不備載其生平，幾至煙沒。（《集部・卷160・別集類13》，頁1377）

書名	摘錄內容
《清谿漫稿》 明倪岳撰	然如〈正祀典〉、〈陳災異〉及〈論西北用兵〉諸奏，**皆建白之最大者**，已具在其中。所言簡切明達，得告君之體，頗有北宋諸賢奏議遺風。他文亦浩瀚流轉，不屑為追章琢句之習。蓋當時正人在位，為明治全盛之時，故岳雖不以文名，而乘時發抒，**類皆經世有本之言，如布帛菽粟之切於日用**，亦可知文章之關乎氣運矣。(《集部・卷170・別集類23》，頁1490)
《西村集》 明史鑑撰	鑑留心經世之務，三原王恕巡撫江南時聞其名，延見之，訪以時政。鑑指陳利病。恕深服其才，以為可以當一面。……其文究悉物情，**練達時勢，多關於國計民生，而於吳中水利言之尤詳**。(《集部・卷171・別集類24》，頁1495)
《范文忠集》 明范景文撰	今觀集中……〈撫豫〉、〈出鎮〉等稿所載諸疏，**於興利除害之方**，規畫不遺餘力。雖遭時艱棘，弗獲盡用，而經世之才，實可具覘其崖略。是又不獨以義烈見重矣。(《集部・卷172・別集類25》，頁1515)
《清江碧嶂集》 元杜本撰	本讀書能文，**頗留心於經世**。吳越歲饑，本上〈**救荒策**〉，江浙行省丞相布呼密用其言，米價頓平。(《集部・卷174・別集類存目1》，頁1545)
《胡莊肅集》 明胡松撰	考《明史》本傳，松初以禮部郎任山西提學副使。上**邊務十二事**，帝嘉其忠懇，進左參政。巡撫江西時，**會討廣東寇張璉，又援閩破倭**，功績甚偉。然其經世之文，惟〈**答翟中丞邊事書**〉及〈**厚蓄**〉、〈**實塞**〉、〈**防邊**〉、〈**制蠻**〉四篇，頗見謀略。(《集部・卷177・別集類存目4》，頁1585)
《李湘洲集》 明李騰芳撰	然騰芳**留心經世，喜談兵事**。其〈策倭安攘至計疏〉及〈進戚繼光兵略〉諸疏，猶非徒以狂禪縱論者矣。(《集部・卷179・別集類存目6》，頁1617)

書名	摘錄內容
《志壑堂詩》 清唐夢賚撰	慈溪姜宸英序亦言:「讀其經世之言,所為**籌餉**、**積穀**、**銅鈔**,**改漕**之法,嘉謨碩畫,鑿鑿皆可見之施行。」(《集部・卷181・別集類存目8》,頁1643)

弘揚漢學・繼往開來

──第一屆漢學國際學術研討會議程表

主辦單位：威爾士三一聖大衛大學漢學院

合辦單位：國立成功大學中國文學系

會議日期：2023年7月8日（週六）與9日（週日）

會議地點：威爾士三一聖大衛大學漢學院

議事規則：每場主持人時間5分鐘，每位發表人宣讀時間15分鐘，討論人時間10分鐘，綜合討論時間15分鐘。發言時間截止前2分鐘響鈴1次提醒，時間到響鈴2次，每逾時1分鐘響鈴1次。綜合討論時間，每人發言以2分鐘為限。

2023年7月8日（週六）		
時間	**場次與主題**	**與會學者**
8：30-8：45	**會議報到**	
8：45-9：00	**開幕式**	威爾士三一聖大衛大學 Assistant Dean Dr. Jeremy Smith（Institute of E & H 教育與人文學院副院長） 威爾士三一聖大衛大學漢學院院長勝妙法師 財團法人臺南市至善教育基金會董事長成德法師 貴賓：黃聖松教授（成功大學中國文學系所主任）
9：00-10：00	**第一場主題演講**	主持人：威爾士三一聖大衛大學漢學院院長勝妙法師

<table>
<tr><td></td><td></td><td colspan="3">主講人：財團法人臺南市至善教育基金會董事長成德法師
講　題：弘揚漢學的重要性</td></tr>
<tr><td>10：00-10：15</td><td>茶敘</td><td colspan="3"></td></tr>
<tr><td rowspan="7">10：15-12：15</td><td rowspan="7">第一場會議
「教育思想與現代化意義」專場</td><td colspan="3">主持人　竺家寧教授
威爾士三一聖大衛大學漢學院</td></tr>
<tr><td>題目</td><td>發表人</td><td>討論人</td></tr>
<tr><td>孔門「言語」教養析論</td><td>王偉勇教授
（威爾士三一聖大衛大學漢學院）</td><td>黃聖松教授
（成功大學中國文學系）</td></tr>
<tr><td>宗教、義理與文學的交會——現代宗教文學中的警勸與證悟的教化主題</td><td>陳惠齡教授
（清華大學臺灣文學研究所）</td><td>廖育正助理教授
（成功大學中國文學系）</td></tr>
<tr><td>與天合德、與道同體：王弼聖人「情」與「身」的公共意義激通</td><td>嚴浩然同學
（成功大學中國文學系博士研究生）</td><td>黃忠天教授
（威爾士三一聖大衛大學漢學院）</td></tr>
<tr><td>劉鴻典《村學究語》之教學理念研究</td><td>芮禕然同學
（威爾士三一聖大衛大學漢學院畢業校友）</td><td>陳冠樺同學
（成功大學中國文學系博士研究生）</td></tr>
<tr><td colspan="3">綜合討論：15分鐘</td></tr>
<tr><td>12: 15-12: 20</td><td>合影</td><td colspan="3"></td></tr>
<tr><td>12：20-13：30</td><td>午餐</td><td colspan="3"></td></tr>
</table>

<table>
<tr><td rowspan="6">13：30-15：30</td><td rowspan="6">第二場會議
「經部典籍研究」
專場</td><td colspan="3">主持人　陳惠齡教授
清華大學臺灣文學研究所</td></tr>
<tr><td>題目</td><td>發表人</td><td>討論人</td></tr>
<tr><td>《周易》的中正義理及其實踐進路</td><td>黃忠天教授
（威爾士三一聖大衛大學漢學院）</td><td>李淑如副教授
（成功大學中國文學系）</td></tr>
<tr><td>《左傳》字詞釋證五則——以莊公至僖公為主要範圍</td><td>黃聖松教授
（成功大學中國文學系）</td><td>王偉勇教授
（威爾士三一聖大衛大學漢學院）</td></tr>
<tr><td>探析《周易・履卦》如何以禮而「履危而安」</td><td>馮穎冉同學
（威爾士三一聖大衛大學漢學院碩士研究生）</td><td>李侑儒同學
（成功大學中國文學系博士研究生）</td></tr>
<tr><td>《詩經・邶風・擊鼓》詩旨章義析論</td><td>葉語詩同學
（威爾士三一聖大衛大學漢學院碩士研究生）</td><td>竺家寧教授
（威爾士三一聖大衛大學漢學院）</td></tr>
<tr><td></td><td></td><td colspan="3">綜合討論：15分鐘</td></tr>
<tr><td>15：30-15：45</td><td>合影、茶敘</td><td colspan="3"></td></tr>
<tr><td rowspan="4">15：45-17：45</td><td rowspan="4">第三場會議
「宗教融通與闡釋」專場</td><td colspan="3">主持人　黃聖松教授
成功大學中國文學系</td></tr>
<tr><td>題目</td><td>發表人</td><td>討論人</td></tr>
<tr><td>臺灣的異國神祇與籤詩文化研究</td><td>李淑如副教授
（成功大學中國文學系）</td><td>陳惠齡教授
（清華大學臺灣文學研究所）</td></tr>
<tr><td>櫝中驪珠——水陸法會中的天台唯心淨土思想探析</td><td>梁秀睿同學
（成功大學中國文學系博士研究生）</td><td>李悅嘉同學
（威爾士三一聖大衛大學漢學院畢業校友）</td></tr>
</table>

<table>
<tr><td rowspan="3"></td><td rowspan="3"></td><td>《孝經》與《地藏菩薩本願經》孝道觀融通研究</td><td>車美慧同學
（威爾士三一聖大衛大學漢學院畢業校友）</td><td>嚴浩然同學
（成功大學中國文學系博士研究生）</td></tr>
<tr><td>蕅益智旭淨土生因觀點探析</td><td>李悅嘉同學
（威爾士三一聖大衛大學漢學院畢業校友）</td><td>梁秀睿同學
（成功大學中國文學系博士研究生）</td></tr>
<tr><td colspan="3">綜合討論：15分鐘</td></tr>
<tr><td>17：45-17：50</td><td>合影</td><td colspan="3"></td></tr>
<tr><td>18:00</td><td>晚餐</td><td colspan="3"></td></tr>
<tr><td colspan="5">2023年7月9日（週日）</td></tr>
<tr><td>時間</td><td>場次與主題</td><td colspan="3">與會學者</td></tr>
<tr><td>8：30-8：50</td><td>會議報到</td><td colspan="3"></td></tr>
<tr><td>9：00-10：00</td><td>第二場主題演講</td><td colspan="3">主持人：財團法人臺南市至善教育基金會董事長成德法師
主講人：威爾士三一聖大衛大學漢學院院長勝妙法師
講　題：淨空老和尚的好學精神</td></tr>
<tr><td>10：00-10：15</td><td>茶 敘</td><td colspan="3"></td></tr>
<tr><td rowspan="3">10：15-12：15</td><td rowspan="3">第四場會議
「《群》學與《四庫》學研究」專場</td><td colspan="3">主持人　黃忠天教授
威爾士三一聖大衛大學漢學院</td></tr>
<tr><td>題目</td><td>發表人</td><td>討論人</td></tr>
<tr><td>易學視域下《群書治要》中《周易》剪裁特點及「洗心」觀</td><td>鄒紫玲同學
（威爾士三一聖大衛大學漢學院畢業校友）</td><td>李侑儒同學
（成功大學中國文學系博士研究生）</td></tr>
</table>

		從編論著目錄看近20年臺灣《四庫》學研究趨勢	李侑儒同學（成功大學中國文學系博士研究生）	鄒紫玲同學（威爾士三一聖大衛大學漢學院畢業校友）
		《四庫全書總目》「經世致用」內涵述論	陳冠樺同學（成功大學中國文學系博士研究生）	陳勳同學（威爾士三一聖大衛大學漢學院畢業校友）
		《四庫全書總目》評價顧炎武「經世觀」及其原因考論	陳勳同學（威爾士三一聖大衛大學漢學院畢業校友）	邱冠儒同學（成功大學中國文學系博士研究生）
		綜合討論：15分鐘		
12：15-12：20	**合 影**			
12：20-13：30	**午 餐**			
13：30-15：30	**第五場會議「文獻學研究」專場**	主持人　王偉勇教授 威爾士三一聖大衛大學漢學院		
		題目	**發表人**	**主持人**
		《列子》是「冲虛真經」嗎？——「虛欲並舉」的思想結構	廖育正助理教授（成功大學中國文學系）	黃忠天教授（威爾士三一聖大衛大學漢學院）
		魏晉朝議考論	邱冠儒同學（成功大學中國文學系博士研究生）	銀正覺同學（威爾士三一聖大衛大學漢學院畢業校友）

<table>
<tr><td rowspan="3"></td><td rowspan="3"></td><td>李之素《孝經內傳》研究</td><td>銀正覺同學
（威爾士三一聖大衛大學漢學院畢業校友）</td><td>楊卓剛同學
（成功大學中國文學系碩士研究生）</td></tr>
<tr><td>「莊子蔽於天而不知人」的再詮釋</td><td>楊卓剛同學
（成功大學中國文學系碩士研究生）</td><td>車美慧同學
（威爾士三一聖大衛大學漢學院畢業校友）</td></tr>
<tr><td colspan="3">綜合討論：15分鐘</td></tr>
<tr><td>15：30-15：45</td><td>合 影、茶 敘</td><td colspan="3"></td></tr>
<tr><td>15：45-16：45</td><td>綜合座談</td><td colspan="3">主持人：Dr. Thomas Jansen (Associate Professor in Chinese Studies，中國研究副教授）
與談人：威爾士三一聖大衛大學漢學院院長勝妙法師
與談人：財團法人臺南市至善教育基金會董事長成德法師
與談人：竺家寧教授（威爾士三一聖大衛大學漢學院）
與談人：黃聖松教授（成功大學中國文學系）
與談人：王偉勇教授（威爾士三一聖大衛大學漢學院）
與談人：黃忠天教授（威爾士三一聖大衛大學漢學院）
與談人：陳惠齡教授（清華大學臺灣文學研究所）
與談人：李淑如副教授（成功大學中國文學系）
與談人：廖育正助理教授（成功大學中國文學系）</td></tr>
</table>

16：45-16：55	休息	
16：55-17：10	閉幕式	威爾士三一聖大衛大學 Dr. Thomas Jansen（Associate Professor in Chinese Studies，中國研究副教授） 威爾士三一聖大衛大學漢學院院長勝妙法師 財團法人臺南市至善教育基金會董事長成德法師 貴　賓：黃聖松教授（成功大學中國文學系所主任） 王偉勇教授（威爾士三一聖大衛大學漢學院） 竺家寧教授（威爾士三一聖大衛大學漢學院） 黃忠天教授（威爾士三一聖大衛大學漢學院） 陳惠齡教授（清華大學臺灣文學研究所） 李淑如副教授（成功大學中國文學系） 廖育正助理教授（成功大學中國文學系）
17：10-17：20	合　影	
17：20	賦　歸	

1500034　學術論文集叢書

弘揚漢學・繼往開來
——第一屆漢學國際學術研討會會議論文集

主　　編　黃聖松
責任編輯　史穎嘉、呂玉姍

發 行 人　林慶彰
總 經 理　梁錦興
總 編 輯　張晏瑞
編 輯 所　萬卷樓圖書股份有限公司
臺北市羅斯福路二段 41 號 6 樓之 3
電話　(02)23216565
傳真　(02)23218698

發　　行　萬卷樓圖書股份有限公司
臺北市羅斯福路二段 41 號 6 樓之 3
電話　(02)23216565
傳真　(02)23218698
電郵　SERVICE@WANJUAN.COM.TW
香港經銷　香港聯合書刊物流有限公司
電話　(852)21502100
傳真　(852)23560735

ISBN 978-626-386-025-4
2024 年 1 月初版
定價：新臺幣 660 元

本書為臺灣師範大學國文學系 2023 年度「出版實務產業實習」課程成果。部分編輯工作由課程學生參與實習。

如何購買本書：
1. 劃撥購書，請透過以下郵政劃撥帳號：
帳號：15624015
戶名：萬卷樓圖書股份有限公司
2. 轉帳購書，請透過以下帳戶
合作金庫銀行　古亭分行
戶名：萬卷樓圖書股份有限公司
帳號：0877717092596
3. 網路購書，請透過萬卷樓網站
網址　WWW.WANJUAN.COM.TW
大量購書，請直接聯繫我們，將有專人為您服務。客服：(02)23216565　分機 610

國家圖書館出版品預行編目資料

弘揚漢學.繼往開來 : 第一屆漢學國際學術研討會會議論文集 / 黃聖松主編. -- 初版. -- 臺北市 : 萬卷樓圖書股份有限公司, 2024.1
面 ;　公分. -- (學術論文集叢書 ; 1500034)
ISBN 978-626-386-025-4(平裝)
1.CST: 漢學　2.CST: 學術研究　3.CST: 文集

030.7　　112021193